edition suhrkamp

Redaktion: Günther Busch

Max Frisch, geboren am 15. Mai 1911 in Zürich, lebt heute in seiner Geburtsstadt und in Berzona. Seine wichtigsten Prosaveröffentlichungen: *Tagebuch 1946-1949* (1950), *Stiller* (1954), *Homo faber* (1957), *Mein Name sei Gantenbein* (1964), *Tagebuch 1966-1971* (1972), *Dienstbüchlein* (1974), *Montauk* (1975). Stücke u. a.: *Graf Öderland* (1951), *Don Juan oder Die Liebe zur Geometrie* (1953), *Biedermann und die Brandstifter* (1958), *Andorra* (1961), *Biografie: Ein Spiel* (1967) und *Triptychon. Drei szenische Bilder* (1978). Sein Werk, vielfach ausgezeichnet, erscheint im Suhrkamp Verlag.

Seit der Uraufführung im Jahre 1961 am Schauspielhaus Zürich unter der Regie von Kurt Hirschfeld ist *Andorra* auf vielen Bühnen inszeniert worden. Es ist eines der wichtigsten Stücke des deutschsprachigen Theaters nach dem Krieg. – Frisch untersucht in *Andorra* das Verhängnis des Vorurteils. Ein Mensch wird in den Tod getrieben, weil er anders ist, nicht hineinpaßt ins Klischee vorgefaßter Meinungen: ein »Jud«, der schließlich gar kein »Jud« ist. Dabei sind die Vorgänge in *Andorra* als beispielhaft zu begreifen. Warum Frisch den »Jud« zum Beispiel nahm? Die Antwort ist klar: sein Schicksal liegt uns am nächsten, macht die Schuldsituation am deutlichsten.

Der vorliegende Materialienband enthält Textvarianten, Selbstzeugnisse des Autors, Studien zum Stück, Rezensionen von Aufführungen und eine Bibliographie.

Materialien zu
Max Frischs ›Andorra‹
Herausgegeben von Ernst Wendt
und Walter Schmitz

Suhrkamp Verlag

edition suhrkamp 653
Erste Auflage 1978
© Suhrkamp Verlag, Frankfurt am Main 1978. Erstausgabe. Printed in Germany.
Alle Rechte vorbehalten, insbesondere das der Übersetzung, des öffentlichen Vor-
trags und der Übertragung durch Rundfunk und Fernsehen, auch einzelner Teile.
Satz, in Linotype Garamond, Druck und Bindung bei Georg Wagner, Nördlingen.
Gesamtausstattung Willy Fleckhaus.

Inhalt

I. *Andorra* von heute gesehen

Ernst Wendt
Ein Blick auf *Andorra*, 1975

I.

In den eher spielerisch-feuilletonistischen Kategorisierungen seines Spielplanführers *Theater der Zeitgenossen* hat Georg Hensel auch die Klasse der »Moralisten« eingerichtet. Und da sind nacheinander angetreten: Brecht, Frisch, Weiss, Hochhuth, Grass, Walser. Wie selten sonst bei literaturtheoretischen Verknüpfungsversuchen ist das eine plausible Reihe von Namen, ist der Zusammenhang, der sie verbindet, ein offensichtlicher.

Es sind die Dramatiker, deren Premieren und Uraufführungen in den sechziger Jahren fast durchweg mehr waren als gewöhnliche Theater-Premieren. Das waren allemal Abende, die aus dem kulturellen Getto der Theaterburgen herausdrängten; Abende, an denen die politische Landschaft der sechziger Jahre – und zwar der Jahre vor der Studentenrevolte – aufgerissen wurde von Autoren, denen in jener Zeit ein großes Maß an moralischer Autorität zugewachsen war.

Man muß sich erinnern an die Brecht-Premieren unter Buckwitz in Frankfurt; die *Andorra*-Premieren in Zürich, München, Berlin; die Uraufführung von Weissens *Marat/Sade* am Berliner Schiller-Theater; die Hochhuth- und Weiss-Aufführungen Piscators an der Berliner Volksbühne; die Walser-Premieren in Berlin, später unter Palitzsch in Stuttgart; die Uraufführung der *Plebejer* in Berlin: Theater der Moralisten, Theater, bei dem eine noch nicht erledigte deutsche Vergangenheit verarbeitet oder die im Restaurativen sich wieder einrichtende Gegenwart auseinandergenommen wurde. Theater der Adenauer- und der Erhard-Ära, moralischer Widerstand von der Bühne herab gegen das allzu bereitwillige Vergessen und gegen die neu-alte Verspießerung.

Damals – mit der Neuauflage von Piscators berühmtem Buch und der Uraufführung von Hochhuths *Stellvertreter* – kam der Begriff des »Politischen Theaters« wieder in die Diskussion, die Ende der fünfziger und auch noch Anfang der sechziger von den eher formal gedachten Gegensätzen »episches« und »absurdes« Theater beherrscht war. Bemerkenswerterweise taucht noch 1961 in den Aufsätzen und Kritiken zu *Andorra* der Begriff des Politischen kaum auf. Die Auseinandersetzung mit der Darstellungsweise, mit Frischs Begriff vom theatralischen »Modell« einerseits, und die noch jenseits einer politischen Betrachtung an *Andorra* sich entzündende moralische Bewegtheit andererseits verhinderten wohl, daß diesem Stück bereits damals das später jahrelang die Theaterlandschaft regierende Etikett »Politisches Theater« aufgeklebt wurde. Aber von heute läßt sich erkennen, daß *Andorra* sehr wohl den Anstoß gab für ein moralisch-politisch bewußteres Theater, welches die Mode des Absurd-Verspielten glatt überrannte.

Es traf – übrigens ähnlich den *Physikern* von Dürrenmatt, die mit in diese Reihe der großen dramatischen Moralitäten zu rechnen wären – auf eine gesellschaftliche Empfindsamkeit, auf eine Bereitschaft, mitten im schon bewußtlos werdenden Aufschwung noch einmal (oder schon wieder) den Grund der gesellschaftlichen Existenz in Frage stellen zu lassen. Es traf den Nerv einer Zeit, die in den Prozessen über Kriegsverbrechen sich plötzlich noch einmal konfrontiert sah mit dem so gern längst Verdrängten. Diese Prozesse, später in dem von Peter Weiss verarbeiteten Frankfurter Auschwitz-Prozeß gipfelnd, rührten nur zu deutlich noch einmal die Verstrickung aller in die faschistische Vergangenheit auf. Es war die letzte Gelegenheit für radikale Einsichten, verdammt spät schon, und die Dramatiker nahmen sie wahr. So sehr wohl wie heute galt ja auch für die Adenauer- und Erhard-Zeit, was Heinrich Böll kürzlich im Gespräch mit Christian Linder zu beschreiben versucht hat: den Schriftstellern kam es mehr und mehr zu, die Autoritätslücken, die von anderen gesellschaftlichen Instanzen nicht gefüllt wurden, mit ihrer individuellen moralischen Haltung zu füllen. Sie drängten sich nicht danach, es fiel ihnen da etwas zu, was von den Politikern, den Kirchenmännern, den Universitäten nicht geleistet wurde. Die Beschimpfungen, die sie sich dabei zuzogen – bis hin zum berühmt gewordenen Erhardschen Wort von den »Pinschern« –, waren ja nur die Kehrseite dieses moralischen Autoritätsverlusts der Mächtigen, die ganz und gar mit dem Restaurieren, dem Aufbau und Aufschwung und Aufrüsten beschäftigt waren. Es waren – so will es jedenfalls von heute aus scheinen – die Schriftsteller, die dafür sorgten, daß den Deutschen bei so viel Wiederaufbaulust nicht alle moralische Verletzbarkeit, nicht alles Schuldempfinden verloren ging. Sie – wer denn sonst? – sorgten für so etwas wie eine sittliche Steuerung in diesem Land, sie nahmen die Aufgabe, die eine von Verdrängungen bestimmte Gesellschaft ihnen stillschweigend zuschob, an. Und das Theater war ein ideales Forum dafür.

2.

Man muß sich kurz vergegenwärtigen, was davor war. Nach einem kurzen, unkontrollierten, mehr von Leidenschaft und gutem Willen als von konkreten Zielen oder einer Gewißheit über die eigenen Mittel bestimmten Aufbruch ins Expressionistische – der mit dem Tode Wolfgang Borcherts wohl auch schon zu Ende war –, erstickte das deutsche Theater fast an seinen Nachholbedürfnissen. Die ausländischen Dramatiker, jahrelang unzugänglich, Franzosen und Amerikaner vor allem, bestimmten die Spielpläne. Die deutschsprachigen Autoren waren – sowohl formal wie gesellschaftlich – eher verunsichert. Brecht, wenn überhaupt schon zur Kenntnis genommen, blieb ohne Wirkungen, die Autoren retteten sich in spielerische Allegorien, in poetische Scheinwelten, in absurde Parabeln und allzu gleichnishafte, an der Realität vorbeiredende politische Fiktionen. Die Stücke von Hey, Hildesheimer, Dorst, Moers, Lenz, Asmodi, Wünsche und einigen anderen hatten wohl mancherlei formale Reize, oft sprachlichen Witz und ein Gefühl für die spielerische Entfaltung von szenischen Details – aber eine gesellschaftliche Kraft, eine das Glasperlenspiel aufbrechende, realistisch zupackende Energie hatten sie nicht. Sie schienen an der Wirklichkeit gar nicht interessiert oder ihr zumindest nicht gewachsen; was in diesem Land vor sich ging und was da gewesen war, wie die Menschen neu zu leben versuchten, welche Veränderungsprozesse sich abspielten – in ihnen und um sie herum –, das blieb diesen Dramatikern der fünfziger Jahre undurchschaubar. Die Realität eines sich neu formierenden Staatsgebildes und der aus Schuld und Trümmern sich befreienden Menschen wurde auf lange Zeit nicht wahrgenommen, jedenfalls nicht auf dem Theater.

3.

Auch *Andorra* ging nicht ohne Umschweife auf die Wirklichkeit los, der Autor selber nannte das Stück »ein Modell« und wies ihm damit einen gleichnishaften Charakter zu. Er schrieb es ohnehin als ein Schweizer, den deutschen Verstrickungen naturgemäß eher distanziert gegenüberstehend. Schon im Vokabular der Überschriften vieler Aufsätze zu *Andorra* wird deutlich, daß die Rezeption des Stückes nicht in erster Linie auf unmittelbare politische Anwendbarkeit zielt. Betroffenheit, persönliche, gewiß auch elementare, sucht sich sofort den Ausweg ins Allgemeine: »Das Gleichnis vom verfälschten Leben« steht da zum Beispiel geschrieben, oder »Andorra, der gnadenlose Ort«. Den Betrachtern, den Rezensenten drängt sich ein eher biblisches Vokabular auf, da ist immer wieder von den »mörderischen Bildern« die Rede, von einem »ausgeglühten Ort«, der zwar ein »gottloser« sei, doch an »Golgatha« erinnert er schon, und Andris Hinrichtung ist »stellvertretend«: Andorra ist der Ort, an dem »wir alle« leben. Geradezu beschwörend taucht in den Aufführungsberichten und den Aufsätzen über das Stück die Formel »wir alle« auf; oder es heißt, Andorra sei »bei uns«, es liege »in uns«.

Ich denke, da hat sich ein Vorgang gleichsam moralischer Umarmung des Lesers vollzogen, der den Impetus des Stückes schlicht reproduzierte: noch vor aller Analyse des Stückes stellte sich eine persönliche Betroffenheit ein, das ist an allen, auch den kritischen Berichten abzulesen, und die versuchte, sich anderen, den Lesern dieser Berichte, mitzuteilen. Das mag von heute aus etwas emphatisch wirken – aber es deutet hin auf jene Lücke gesellschaftlicher Moral, die da war und in die – man nahm es dankbar, überschwänglich auf – einer hineindrängte, der etwas zu sagen hatte und es zu Bildern über Schuld und Sittlichkeit theatralisieren konnte.

4.

Andorra, das Modell, beschreibt eine Wirklichkeit, die in der Gefahr ist, sich außerhalb der Bühne zu realisieren. Eine Vor-Wirklichkeit also, eine Versuchsanordnung zwischen Menschengruppen. Es ist ein soziologisches Modell, von Theaterfiguren durchgespielt; es ist das genaue Gegenteil des wenige Jahre später um sich greifenden Dokumentarischen

Theaters. Die Dokumentaristen bildeten erfahrene Wirklichkeit, gelebte Geschichte so genau wie möglich nach; Frisch bildet Wirklichkeit *vor;* er beschreibt das Mögliche: was passiert, wenn die Repräsentanten gesellschaftlicher Gruppen in die Krise geführt werden, in eine Entscheidungs-Situation. Frisch führt in seinem theatralischen Soziogramm das Unausweichliche vor, im Falle von *Andorra* den tödlichen Mechanismus des Vorurteils. Die Fabel hat eine kalte Zwangsläufigkeit, die Figuren sind Stellvertreter von Handlungsweisen, die in der Summe auf den kollektiven Mord hinauslaufen. Sie handeln so, weil sie in diesem Modell nicht anders handeln können – Max Frisch läßt ihnen im Grunde während des Verlaufs der Geschichte keine Möglichkeit, sich anders zu entscheiden.

An diesem Punkt hat Frisch sich von Brecht getrennt: Er scheint beim Schreiben von *Andorra* geglaubt zu haben, daß nicht die sanfte Überredung zur Einsicht mit Hilfe von Parabeln, welche eine gute und eine schlechte Möglichkeit erkennen lassen, daß Bewußtsein des Zuschauers mobilisiert – sondern der Schock der Unausweichlichkeit, die Hartnäckigkeit, mit der das Unbelehrbare, der sture Gang des Vorurteils sich tödlich durchsetzt. Seine Skepsis in die »Belehrbarkeit« eines Publikums scheint groß gewesen zu sein: im Grunde setzt er in *Andorra* auf die gute alte kathartische Wirkung, auf eine Veränderung durch Erschütterung. Und der Tenor der Rezeption hat ihm wohl recht gegeben.

Dennoch war *Andorra* natürlich ein Stück wenn nicht in der Tradition des Brechtschen Dramas, so doch in der Auseinandersetzung damit. Wo freilich Brecht die Parabel so sehr ins Exotische trieb, daß der Zuschauer die Nähe zu den Figuren verlor und das Politische sich ins Märchenhafte verdünnte, da bleibt Frisch hart am Erfahrungsbereich der Zeitgenossen. Er zeichnet ihnen vor, wozu sie imstande sein werden oder sein können, und erschreckt sie damit. Das Heil ist, anders als bei Brecht, nicht in Sicht, die Auflösung kann nur eine tragische sein, unversöhnlich. Frisch ist mit *Andorra* sicher über Brechts politisches Märchentheater hinausgegangen, der Preis dafür war: es blieb ein Weg in die Abstraktion. Die Figuren wurden – schärfer noch als bei Brecht – prototypische; nicht menschlicher als die Brechts, sondern unfreier. Das machte sie in der Konfrontation mit dem gebrandmarkten »anderen«, dem vom gesellschaftlichen Vorurteil Verfolgten zunächst wahrhaftiger. Denn *Andorra* ist ohne Beschönigungen geschrieben, Frisch nimmt niemanden – nicht einmal sich selbst – von der gesellschaftlichen Ansteckungsgefahr aus. Aber war nicht *Andorra* vielleicht auch ein Stück, mit dem nun alles gesagt war, ein Stück, das Fortsetzungen kaum mehr ermöglichte? Der Aburteilung der Gesellschaft und ihres Verfolgungswahns konnte logisch eigentlich nur noch die Beschreibung privater Wahnvorstellungen folgen, der Beschreibung des schrecklichen Menschen-Ortes Andorra, dieses Gesellschaftsknotenpunktes, nur mehr die Beschreibung der eigenen Person, die *Biographie.* So war *Andorra* Stimulans einer Theaterbewegung einerseits, aber zugleich ein Endpunkt.

Fragen von Ernst Wendt

1.
Als Sie *Andorra* schrieben – welche Beziehung, welche Widerstände hatten Sie da zu den Stücken und zu der Theaterarbeit Brechts?

2.
Brecht war zu der Zeit ein für alle ernsthaften Dramatiker und Theaterleute kaum zu umgehender Bezugspunkt. War vielleicht *Andorra* ein Anlaß, ein Versuch, über Brecht hinauszugehen, andere Wirkungsmöglichkeiten auszuprobieren, größere Aktualität ins Modellhafte einzubringen? Wie skeptisch standen Sie zu der Zeit den brechtschen Rezeptionsvorstellungen über Theater – damals viel diskutiert – gegenüber?

3.
Wie sehen Sie, von heute aus, Ihre damalige, doch recht scharfe Haltung dem absurden Theater gegenüber? War ds auch eine »theaterpolitische« Haltung, also eine kämpferische Attitüde bei der Durchsetzung einer eigenen dramatischen Theorie? Oder würden Sie die von Ihnen als dubios beschriebene politische Haltung etwa eines Autors wie Ionesco heute milder betrachten können?

4.
Könnten Sie der Meinung zustimmen, daß *Andorra* – bei allem Modell-Charakter – doch in erster Linie ein Zeitstück war: nicht denkbar ohne das politische Klima der ausgehenden fünfziger Jahre, der Versuche von Geschichts-Aufarbeitung, der NS-Prozesse?

5.
Oder ist es eigentlich (heimlich) ein recht sehr schweizerisches Stück? Und schließt das eine das andere vielleicht nicht aus?

6.
Würden Sie sich für Ihre Arbeit als Dramatiker, besonders für *Andorra*, das Etikett des Moralisten gefallen lassen? Oder

würden Sie darauf bestehen, daß ästhetische Entscheidungen so sehr mit moralischen verknüpft sind, daß das eine aus dem andern hervorgeht, und sich deshalb gegen solche Festlegungen verwahren?

7.
Darf man sagen, daß *Andorra* in der Reihe Ihrer Stücke das am entschiedensten politische war?

8.
Und könnten Sie erläutern, warum Sie sich danach auf dem Theater in eher privat erscheinende, biographische Konflikt- und Spielsituationen »zurückgezogen« haben, zu einer Zeit, da das Politische Theater, das durch *Andorra* vielleicht nicht zuletzt seinen Anstoß erhielt, besonders eskalierte? Oder ist das falsch gesehen?

9.
Wie wichtig waren für Sie als Theaterautor die Nähe und die Zusammenarbeit mit einem bestimmten Theater, also dem Zürcher, mit Leuten, die Sie kannten, Regisseuren sowohl wie Schauspielern? War diese Zusammenarbeit vielleicht bei *Andorra* – oder in der Zeit, als Sie das Stück schrieben – besonders intensiv und ergiebig? Und hat Ihre gegenwärtige Zurückhaltung dem Theater gegenüber mit dem Verlust einer solch gewachsenen Theater-Heimat zu tun?

Antworten von Max Frisch

1.
Beziehung zu Brecht damals: das schlichte Bewußtsein, daß ich von ihm gelernt habe. Die Konzeption geht auf 1958 zurück, kurz zuvor die erste Übung in Brecht-Dramaturgie: *Biedermann*, Verwendung des komischen Chors im Sinn der »Großen Form«, die Brecht bei einem früheren Stück *(Als der Krieg zu Ende war)* vermißt hat; dazu ein Brief von Brecht in den Anmerkungen der *Werkausgabe*.

2.
Kein Versuch über Brecht hinauszugehen, hingegen ein Versuch mit dem Epischen Theater, ohne die ideologische Position von Brecht zu übernehmen; das Modell als Mittel, eine Thematik durch Entaktualisierung freizulegen.

3.
Es ist ein Mißverständnis, daß ich das Absurde Theater scharf abgelehnt habe. Ich sah es, im Gegenteil, als dringliche Erfrischung des Theaters und genoß es, ein Theater jenseits meiner Begabung. Dann allerdings Skepsis gegenüber der Rezeption, ich erinnere mich etwa an Karl Korn: die Wonne des bourgeoisen Publikums, das sich damit von politischer Diagnose dispensiert fühlt. Daher der sinnlos oft zitierte Satz: Wenn ich Diktator wäre, würde ich nur Ionesco spielen. Die Mißbrauchbarkeit eines Produktes der Kunst spricht nicht gegen den Künstler. Mein Satz also eine Publikumsbeschimpfung.

4.
Ich stimme zu.

5.
Das ist, wie Sie es selber schon andeuten, kein Oder. *Andorra* hat das schweizerische Publikum getroffen (siehe Karl Schmid: *Unbehagen im Kleinstaat*, Kapitel: *Andorra oder die Entscheidung*, Artemis Verlag Zürich) – und dies nicht unbeabsichtigt; eine Attacke gegen das pharisäerhafte Verhalten gegenüber der deutschen Schuld: der tendenzielle Antisemitismus in der Schweiz. Und noch eine Intention: zu zeigen (wie in *Furcht und Elend des dritten Reiches*) die kleinen und scheinbar noch harmlosen Ansätze, die ersten Risse in der Mauer; das bedenkenlose Mitmachertum, die Feigheit, lange bevor Widerstand nur noch für Märtyrer-Typen in Frage kommt. Insofern nicht Rückblick auf das Großverbrechen, sondern didaktisch in der Untersuchung, wie kann das anfangen.

6.
Moralist ja: im Fall *Andorra*. (Nicht bei *Graf Öderland*.)

7.
Ich glaube nicht. Ich halte *Graf Öderland* (als Kritik an einer gesellschaftlichen Ordnung, in der Vitalität und Lustbedürfnis zur Kriminalität führen, zur Erruption) für politischer.

8.
Ja eben: das Private und das Öffentliche, beides bedingt einander. Vielleicht entstand, als das deutsche Feuilleton endlich wieder das Politische der Literatur entdeckt hat, das Bedürfnis zum Widerspruch. Was auch zur Domäne der Literatur gehört: die Einzel-Biographie, im Gegensatz zu *Andorra* und *Öderland*, nicht als politisches Exempel. Sie sagen zu Recht: privat erscheinend. Das halte ich nicht unbedingt für einen Rückzug. Ein Stellungswechsel. Ein französischer Kommunist, ein militanter, der jetzt *Montauk* übersetzt, nachdem er das *Tagebuch* übersetzt hat, sagte mir neulich, daß ihn *Montauk*, diese Privat-Erzählung, politisch mehr interessiere als das *Tagebuch*, das über Politisches redet; wogegen *Montauk* erzählt – zum Beispiel das klassenbedingte Scheitern einer Freundschaft, ohne politisch zu kommentieren.

9.
Das war sehr wichtig. Tatsächlich fehlt mir, seit das Zürcher Schauspielhaus für mich irgendein Theater ist, der Impuls. Ich habe (wenn auch in der Hoffnung, daß andere Theater nachspielen) für ein Theater geschrieben, nicht weil ich es für das beste hielt; nur kannte ich es. Andere brauchen das offenbar weniger oder gar nicht. Einige der Großen, wie Molière oder Shakespeare, hatten diese Situation, als sie schrieben. Es kam vor, daß ich später die besseren Aufführungen anderswo sah, in München, in London, aber beim Schreiben hatte ich (brauchte ich) die Vorstellung einer bestimmten Bühne mit bestimmten Schauspielern (oft spielten dann andere!), vor allem aber: ich kannte das Klima, das Publikum (seine Tabus) und meine Feinde, denen ich viel Anreiz verdanke. Weil Sie sich grad mit *Andorra* befassen: da gibt es Dialoge, die mir, wenn ich sie in Berlin oder in Paris höre, unmotiviert vorkommen. Sicher entwickelt sich ein Stück, einmal in Arbeit genommen, nach anderen Zwängen und Reizen; nur eben das Startloch war Zürich.

(Aus einem Brief vom 5. 5. 1976)

II. Lernschritte:
Max Frisch und *Andorra*

Max Frisch
Der andorranische Jude

In Andorra lebte ein junger Mann, den man für einen Juden hielt. Zu erzählen wäre die vermeintliche Geschichte seiner Herkunft, sein täglicher Umgang mit den Andorranern, die in ihm den Juden sehen: das fertige Bildnis, das ihn überall erwartet. Beispielsweise ihr Mißtrauen gegenüber seinem Gemüt, das ein Jude, wie auch die Andorraner wissen, nicht haben kann. Er wird auf die Schärfe seines Intellektes verwiesen, der sich eben dadurch schärft, notgedrungen. Oder sein Verhältnis zum Geld, das in Andorra eine große Rolle spielt: er wußte, er spürte, was alle wortlos dachten; er prüfte sich, ob es wirklich so war, daß er stets an das Geld denke, er prüfte sich, bis er entdeckte, daß es stimmte, es war so, in der Tat, er dachte stets an das Geld. Er gestand es; er stand dazu, und die Andorraner blickten sich an, wortlos, fast ohne ein Zucken der Mundwinkel. Auch in Dingen des Vaterlandes wußte er genau, was sie dachten; sooft er das Wort in den Mund genommen, ließen sie es liegen wie eine Münze, die in den Schmutz gefallen ist. Denn der Jude, auch das wußten die Andorraner, hat Vaterländer, die er wählt, die er kauft, aber nicht ein Vaterland wie wir, nicht ein zugeborenes, und wie wohl er es meinte, wenn es um andorranische Belange ging, er redete in ein Schweigen hinein, wie in Watte. Später begriff er, daß es ihm offenbar an Takt fehlte, ja, man sagte es ihm einmal rundheraus, als er, verzagt über ihr Verhalten, geradezu leidenschaftlich wurde. Das Vaterland gehörte den anderen, ein für allemal, und daß er es lieben könnte, wurde von ihm nicht erwartet, im Gegenteil, seine beharrlichen Versuche und Werbungen öffneten nur eine Kluft des Verdachtes; er buhlte um eine Gunst, um einen Vorteil, um eine Anbiederung, die man als Mittel zum Zweck empfand auch dann, wenn man selber keinen möglichen Zweck erkannte. So wiederum ging es, bis er eines Tages entdeckte, mit seinem rastlosen und alles zergliedernden Scharfsinn entdeckte, daß er das Vaterland wirklich nicht liebte, schon das bloße Wort nicht, das jedesmal, wenn er es brauchte, ins Peinliche führte. Offenbar hatten sie

23

recht. Offenbar konnte er überhaupt nicht lieben, nicht im andorranischen Sinn; er hatte die Hitze der Leidenschaft, gewiß, dazu die Kälte seines Verstandes, und diesen empfand man als eine immer bereite Geheimwaffe seiner Rachsucht; es fehlte ihm das Gemüt, das Verbindende; es fehlte ihm, und das war unverkennbar, die Wärme des Vertrauens. Der Umgang mit ihm war anregend, ja, aber nicht angenehm, nicht gemütlich. Es gelang ihm nicht, zu sein wie alle andern, und nachdem er es umsonst versucht hatte, nicht aufzufallen, trug er sein Anderssein sogar mit einer Art von Trotz, von Stolz und lauernder Feindschaft dahinter, die er, da sie ihm selber nicht gemütlich war, hinwiederum mit einer geschäftigen Höflichkeit überzuckerte; noch wenn er sich verbeugte, war es eine Art von Vorwurf, als wäre die Umwelt daran schuld, daß er ein Jude ist –

Die meisten Andorraner taten ihm nichts.

Also auch nichts Gutes.

Auf der andern Seite gab es auch Andorraner eines freieren und fortschrittlichen Geistes, wie sie es nannten, eines Geistes, der sich der Menschlichkeit verpflichtet fühlte: sie achteten den Juden, wie sie betonten, gerade um seiner jüdischen Eigenschaften willen, Schärfe des Verstandes und so weiter. Sie standen zu ihm bis zu seinem Tode, der grausam gewesen ist, so grausam und ekelhaft, daß sich auch jene Andorraner entsetzten, die es nicht berührt hatte, daß schon das ganze Leben grausam war. Das heißt, sie beklagten ihn eigentlich nicht, oder ganz offen gesprochen: sie vermißten ihn nicht – sie empörten sich nur über jene, die ihn getötet hatten, und über die Art, wie das geschehen war, vor allem die Art.

Man redete lange davon.

Bis es sich eines Tages zeigt, was er selber nicht hat wissen können, der Verstorbene: daß er ein Findelkind gewesen, dessen Eltern man später entdeckt hat, ein Andorraner wie unsereiner –

Man redete nicht mehr davon.

Die Andorraner aber, sooft sie in den Spiegel blickten, sahen mit Entsetzen, daß sie selber die Züge des Judas tragen, jeder von ihnen.

Du sollst dir kein Bildnis machen, heißt es, von Gott. Es dürfte auch in diesem Sinne gelten: Gott als das Lebendige in

jedem Menschen, das, was nicht erfaßbar ist. Es ist eine Versündigung, die wir, so wie sie an uns begangen wird, fast ohne Unterlaß wieder begehen –
    Ausgenommen wenn wir lieben.

(Aus: Tagebuch 1946-1949)

Collage I: Mühe mit *Andorra.*
Zur Entstehungsgeschichte des Stückes*

VERHÄLTNIS DER TAGEBUCH-VERSION »DER ANDORRANISCHE
JUDE« ZU ANDORRA

Eine erste Grundskizze, gekritzelt auf eine Zigarettenschachtel, und dann die vergrößerten Baupläne mit genauen Maßen
und genauen Materialangaben, das ist der Unterschied. [1]

ARBEITSBEGINN ANDORRA: MAI/JUNI 1958 (ÜBERARBEITUNG
DES TAGEBUCHS 1946-1949 FÜR EINE SONDERAUSGABE ALS SUHR
KAMP-HAUSBUCH); URAUFFÜHRUNG ZUM JUBILÄUM DES SCHAU
SPIELHAUSES ZÜRICH IN DER SPIELZEIT 1958/59 GEPLANT. INSGE
SAMT 5 VORFASSUNGEN.

Erst nach Jahren, nachdem ich die erwähnte Tagebuchskizze
mehrere Male vorgelesen hatte, entdeckte ich, daß das ein großer
Stoff ist, so groß, daß er mir Angst machte, Lust und Angst zugleich – vor allem aber, nachdem ich mich inzwischen aus meinen bisherigen Versuchen kennengelernt hatte, sah ich, daß dieser Stoff *mein* Stoff ist. Gerade darum zögerte ich lang, wissend,
daß man nicht jedes Jahr seinen Stoff findet. [2]

Der Roman war bereits angefangen, als ich, kurz vor einer
Reise nach Rom, im Zürcher Schauspielhaus ein sehr eindrucksvolles Theatererlebnis hatte. So legte ich noch einige
längst abgeschlossene dramatische Skizzen in mein Reisege-

---

* *Nachweise zu den Zitaten:*
Horst Bienek. »Max Frisch.« In: H. B. *Werkstattgespräche mit Schriftstellern.*
  München: Deutscher Taschenbuch Verlag 1965. S. 23-37. – [1]: S. 32; [2]: S. 32;
  [5]: S. 32; [7]: S. 33.
Gespräch mit Nöhbauer (vgl. i. d. B. die *Kommentierte Bibliographie,* 2.1. *Interviews*). – [3].
Gespräch mit Suter (vgl. i. d. B. die *Kommentierte Bibliographie,* 2.1. *Interviews*).
  – [4].
Max Frisch. Brief an Siegfried Unseld v. 27. 1. 1960. – [6].
Max Frisch. Brief an Siegfried Unseld v. 27. 8. 1961. – [8].
Max Frisch. Gespräch mit Walter Schmitz v. 27. 4. 1978. – [9].

päck. Obenauf. Sieben Wochen arbeitete ich am Tiber nochmals an *Andorra*. Kurt Hirschfeld wollte das Stück bereits eine Saison früher in Zürich aufführen. Aber ich ließ es liegen, ließ Zeit vergehen, wollte nicht vorzeitig damit herauskommen. [3]

Die erste Fassung befriedigte mich nicht, aber das Stück war schon angezeigt; es folgte eine zweite Fassung, eine dritte, dann Rückzug des Stückes, um frei zu werden für andere Arbeiten. Inzwischen war das Jubiläum des Zürcher Schauspielhauses vorbei. Zeitraubend ist weniger das Warten auf Einfälle als der Verzicht auf Einfälle, die durch andere überholt sind. [4]

Ich habe das Stück fünfmal geschrieben, bevor ich es aus der Hand gab. [5]

ABSCHLUSS DES MANUSKRIPTS IM DEZEMBER 1960. DER TITEL WURDE ENDGÜLTIG IM JANUAR 1961 FESTGELEGT.

Wäre ich nicht verrucht als ein didaktischer (im Gegensatz zu den visionären) Autoren, mag sein, *Beispiel Andorra* wäre gut. Nicht aber für mich. Das Wort Beispiel wird als Zeigefinger gelesen. *Modell Andorra*, das wäre in fünf Jahren schon peinlich, weil Modell zwar etwas Richtiges bezeichnet, aber ein Modewort des Literaturgeredes geworden ist, datiert, wie Struktur, Anti-Roman etc., ferner den Scharfschwachsinn der Kritik beschäftigen wird wie »Lehrstück ohne Lehre«, damit man sich nicht mit dem Stück beschäftigen muß. Bleibt also *Andorra*. [6]

Andorra ist kein guter Titel, der bessere fiel mir nicht ein. [7]

WEITERE TEXTÄNDERUNGEN SEIT AUGUST 1961, BESONDERS INTENSIV WÄHREND DER PROBENZEIT (VGL. I. D. B. MAX FRISCHS »NOTIZEN VON DEN PROBEN« UND DEN BERICHT DES DAMALIGEN REGIEASSISTENTEN MICHAEL HAMPE). FOLGENDE ÄNDERUNGEN AN DER SPIELVORLAGE SIND NACHWEISBAR:

a)
Vordergrund

(Der Wirt tritt an die Rampe.)
WIRT Es ist nicht wahr, daß ich den Stein geworfen habe.
  Damals. Das ist einfach nicht wahr. Ich bin nicht schuld,
  daß sie damals gekommen sind, ich nicht.
  *(Auftreten der Soldat mit aufgepflanztem Bajonett und die
  Männer von Andorra, die mit Gewehren ausgerüstet
  werden.)*
SOLDAT Es wird nicht geschossen, bevor die Armee schießt.
  Laut Tagesbefehl. Es wird nicht geschossen, bevor die
  Armee schießt.
DOKTOR Wieso schießt die Armee nicht?
SOLDAT Ruhe.
  (Der Idiot will ein Gewehr.)
  Mach, daß du verschwindest, Idiot!
DOKTOR Ich kann nicht schießen.
SOLDAT Jeder Andorraner bekommt ein Gewehr.
DOKTOR Ich bin Arzt.
SOLDAT Einer nach dem andern.
GESELLE Jemand sagt, ihre Panzer fahren gar nicht über die
  Kornfelder, 's ist überhaupt nicht wahr, was unsre Zeitun-
  gen immer geschrieben haben, sie fahren mitten auf der
  Straße und sind bekränzt.
JEMAND *(lacht.)*
GESELLE Bekränzt, jawohl, jemand habe es selbst gesehen, und
  in den Dörfern, wo sie Halt machen, nehmen sie die
  andorranischen Kinder auf den Arm.
SOLDAT Ruhe.
GESELLE Von Plünderung keine Rede.
JEMAND *(lacht.)*
SOLDAT Es wird nicht geschossen, bevor die Armee schießt.
  Laut Tagesbefehl. Es wird nicht geschossen, bevor die
  Armee schießt . . .
  (Der Wirt bleibt allein an der Rampe.)
WIRT Niemand weiß, wie alles gekommen ist damals. Gesche-

hen ist geschehen. Einmal muß man auch vergessen können. Finde ich.

[Ursprünglich vor dem Zehnten Bild; ersetzt durch die Zeugenaussage des Jemand]

b)
Vordergrund
(Der Pater tritt an die Rampe.)
PATER Ich konnte nichts dagegen tun. Als sie ihn holten, habe ich gebetet, die ganze Nacht für ihn und für mich und für alle, daß Gott sich erbarme unsrer Schwäche. Ich konnte nichts andres tun.

[Ursprünglich vor dem Zwölften Bild; ersetzt durch die Zeugenaussage des Doktors]

2) DER AUFTRITT DES LEHRERS (BILD V, S. 497) WURDE HINZUGESCHRIEBEN.

3) FRÜHERE VORDERGRUND-SZENEN UM DIE SENORA WURDEN DURCH DIE ZEUGENAUSSAGEN AN DER RAMPE ERSETZT.

Ich habe also, wie geplant, *Andorra* nochmals genau angeschaut nach langer Pause, also frisch. Das Ergebnis schicke ich mit gleicher Post. Die im Vordergrund, sozusagen prologisch, vorgelesenen Senora-Lehrer-Briefe sind weg; das ging nicht. Ich habe jetzt eine Lösung, die mich überzeugt, eine sehr selbstverständliche, indem jeder Andorraner (Wirt, Tischler, Geselle, Soldat, Doktor, Pater) einmal die Gelegenheit hat, heute vor die Öffentlichkeit zu treten und sich von heute her, als Überlebender, herauszuschwatzen, jeder in seiner Art. Damit wird erreicht, daß man die Geschichte, die sich auf der Bühne abspielt, vom Ende her sieht; daß die Vorgeschichte (Lehrer-Senora) auf eine Szene zwischen Lehrer und Senora reduziert wird, also nicht als Geheimnis der alten Mamsell lange darüber schwebt. Durch den Zeitbruch, ich meine dadurch, daß die Szenen und die Intermezzi nicht in der gleichen Zeit stattfinden, wird der Szenen-Vorfall entrückt, und darum ging es mir ja. Außer der willkommenen Möglichkeit, daß mit diesem Mittel erst bevorstehende Szenen (Schlägerei etwa) angesagt werden können, habe ich plötzlich auch die krampflose Gelegenheit, zu antworten auf die statthafte Frage, wie sich die Andorraner wohl später dazu stellen, wenn sie als Überlebende den Ausgang wissen. Ich bin glücklich über diese Lösung. Um noch vom Handwerk zu reden: wichtig ist, daß der Ansatz, der Auftritt des ersten, der seine öffentliche Erklärung abgibt, selbstverständlich geschieht; ich beginne mit dem Wirt, der sich in der ersten Szene gegenüber dem mißtrauischen Lehrer kurz rechtfertigt, dann, nach der Szene, an der Rampe seine fade Selbstrechtfertigung wiederholt und erweitert. Der zweite ist der Tischler; dann ist es schon eine Institution im Sinne: der nächste, bitte. Im zweiten Teil, nach der Pause, wird das Mittel etwas variiert, um nicht mechanisch zu werden; die Unmittelbar-Betroffenen (die Lehrerfamilie) treten nie an die Rampe. – Außerdem mußten einige Passagen besser geschrieben werden; diese Änderungen stellen keinen Umbau dar, ausgenommen vielleicht der Lehrer, dessen Charakter etwas umgezeichnet werden mußte; im allgemeinen sind es (so hoffe ich) einfach dialogische und szenische Verbesserungen. [8]

4) ANDRIS HINRICHTUNG AM PFAHL VOLLZIEHT SICH NICHT AUF DER BÜHNE (Vgl. i. d. B.: »NOTIZEN VON DEN PROBEN«).

5) DIE STILISTISCHE UMARBEITUNG DES GESAMTTEXTS FÜR DIE URAUFFÜHRUNG WURDE IN DER BUCHAUSGABE RÜCKGÄNGIG GEMACHT, DIE ÄNDERUNGEN (1)-(4) HINGEGEN ÜBERNOMMEN.

[Es war damals so], daß der lange Text vorgelegt wurde den Schauspielern und dem Regisseur, und daß sie diesen längeren Text nicht halten konnten und dann mit meinem Einverständnis gekürzt haben und ich doch fürs Buch wieder die ausführlichere Fassung zur Verfügung gestellt habe. [9]

DIE WICHTIGSTEN VARIANTEN ZWISCHEN DER »ZÜRCHER FASSUNG« UND DER BUCHFASSUNG VERZEICHNET DIE FOLGENDE SYNOPSE.

Mit der Bühne arbeiten. Von der Spielvorlage (Druckfassung) zum Uraufführungstext (»Zürcher Fassung«).

Druckfassung	Zürcher Fassung

463 SOLDAT: ⟨...⟩
Vielleicht ein Engel! Daß ich ihn
noch nie gesehen hab'.

463-464
TISCHLER: Wo ist mein Stock?
ANDRI: Hier, Herr Tischlermeister.
TISCHLER: Eine Plage, immer diese
Trinkgelder, kaum hat man den
Beutel eingesteckt.
[ORCHESTRION]

464 SOLDAT: Ich hab Urlaub. — SOLDAT: Ich hab Urlaub. *[singt]*
Wenn einer seine Liebe hat/und
einer ist Soldat, Soldat/das heißt
Soldatenleben. lacht

468 TISCHLER: ⟨...⟩ Tischler — TISCHLER: ⟨...⟩ Tischler werden,
werden, das ist nicht einfach, das ist nicht einfach, wenn's einer
wenn's einer nicht im Blut hat. nicht im Blut hat.
Und woher soll er's im Blut
haben.

473 SOLDAT: ⟨...⟩ Ich riech — SOLDAT: ⟨...⟩ Ich riech nichts.
nichts.
Andri lacht.
's ist nicht zum Lachen, wenn
einer ein Jud ist, 's ist nicht zum
Lachen, du, nämlich ein Jud muß
sich beliebt machen.
ANDRI: Warum?

477 WIRT: Ich gebe zu: — WIRT: Hoher Gerichtshof! Meine
Name ist Gaudenz. Beruf: Wirt.
Ich gebe zu:

478 ANDRI: Findest du, sie haben — ANDRI: Findest du, sie haben recht?
recht?

31

BARBLIN: Fang jetzt nicht wieder an.
ANDRI: Vielleicht haben sie recht.
Barblin beschäftigt sich mit ihrem Haar.
ANDRI: Vielleicht haben sie recht.

478 ANDRI: Manche.
                                 ANDRI: Manche.

BARBLIN: Jetzt schau dir meine Bluse an.
ANDRI: Alle.
BARBLIN: Soll ich sie ausziehen?
Barblin zieht ihre Bluse aus.
ANDRI: Meinesgleichen, sagen sie, ist geil, aber ohne Gemüt, weißt du –

480 BARBLIN: Und jetzt will ich einen Kuß.   BARBLIN: Und jetzt will ich einen Kuß.
Andri gibt ihr einen Kuß.
    Viele, viele Küsse!
Andri denkt.
    Ich denke nicht an die andern, Andri, wenn du mich hältst mit deinen Armen und mich küssest, glaub mir, ich denke nicht an sie.
ANDRI: – aber ich.
BARBLIN: Du mit deinen andern die ganze Zeit!

481 TISCHLER: Ich gebe zu: TISCHLER: Hoher Gerichtshof! Mein Name ist Prader. Beruf: Tischler. Ich gebe zu:

483 *Der Tischler nimmt einen Stuhl.*
[ANDRI:] Nicht dieser, Meister, der andere!

485-486
ANDRI: . . . ich nehm's nicht zurück, was ich gesagt habe. Sie sitzen auf meinem Stuhl, ⟨ . . . ⟩ Wieso hab ich kein Recht vor euch? ⟨ . . . ⟩ Sie machen sich nichts aus Be-

                                 ANDRI: Sie sitzen auf meinem Stuhl, ⟨ . . . ⟩ Wieso hab ich kein Recht vor euch? ⟨ . . . ⟩ Sie machen sich nichts aus Beweisen. Ich kann tun, was ich will, ihr dreht es immer gegen mich. Ich kann

weisen. Sie sitzen auf meinem Stuhl. Das kümmert Sie aber nicht? Ich kann tun, was ich will, ihr dreht es immer gegen mich, und der Hohn nimmt kein Ende. Ich kann nicht länger schweigen, es zerfrißt mich. ⟨...⟩ Was hab ich Ihnen zuleid getan? Sie wollen nicht, daß ich tauge. Warum schmähen Sie mich? Sie sitzen auf meinem Stuhl. Alle schmähen mich und frohlocken und hören nicht auf. Wieso seid ihr stärker als die Wahrheit?

nicht länger schweigen, es zerfrißt mich. ⟨...⟩ Was hab ich Ihnen zuleid getan? Sie sitzen auf meinem Stuhl. Wieso seid ihr stärker als die Wahrheit?

489 DOKTOR: ⟨...⟩ Ein Teufelskerl. Die Damen waren scharf auf ihn –

DOKTOR: ⟨...⟩ Ein Teufelskerl.

490 DOKTOR: ⟨...⟩ Dabei habe ich nichts gegen den Jud. Ich bin nicht für Greuel. Auch ich habe Juden gerettet, obschon ich sie nicht riechen kann. Und was ist der Dank? Sie sind nicht zu ändern. Sie hocken auf allen Lehrstühlen der Welt. Sie sind nicht zu ändern.

DOKTOR: ⟨...⟩ Dabei habe ich nichts gegen den Jud.

493 MUTTER: Was hältst du denn für Reden! Man könnte meinen, du redest vor einem Publikum.

MUTTER: Was hältst du denn für Reden!

493 LEHRER: Dieser Patriot, der unser Amtsarzt geworden ist, weil er keinen Satz bilden kann ohne Heimat und Andorra.

LEHRER: Dieser Patriot, der keinen Satz bilden kann ohne Heimat und Andorra.

498 ANDRI: Jetzt bin ich wieder so wach ⟨...⟩

499 ANDRI: Haß macht stolz. Eines Tags werde ich's ihnen zeigen. Seit ich sie hasse, manchmal

ANDRI: Haß macht stolz. Und hart.

33

möcht ich pfeifen und singen,
aber ich tu's nicht. Haß macht
geduldig. Und hart.

499 ANDRI: Gestern hab ich diesen
Peider gesehen, weißt du, der ein
Aug hat auf dich, der mir das
Bein gestellt hat, jetzt grinst er
jedesmal, wenn er mich sieht,
aber es macht mir nichts aus
– ⟨...⟩ Glaub mir, es gibt eine
andre Welt, wo niemand uns
kennt und wo man mir kein Bein
stellt,

ANDRI: ⟨...⟩ Glaub mir, es gibt
eine andre Welt, wo niemand uns
kennt.

501 ANDRI: Ich schau dich an. Das
ist alles. Ich habe dich verehrt.

ANDRI: Ich habe dich verehrt.

503 SOLDAT: Ich gebe zu: Ich hab
ihn nicht leiden können. Ich habe
ja nicht gewußt, daß er keiner ist,
immer hat's geheißen, er sei einer. Übrigens glaub ich noch
heut, daß er einer gewesen ist.

SOLDAT: Hoher Gerichtshof! Mein
Name ist Peider. Beruf: Soldat.
Ich gebe zu: Ich hab ihn nicht
leiden können. Ich habe ja nicht
gewußt, daß er keiner ist, immer
hat's geheißen, er sei einer.

505 ANDRI: ⟨...⟩ Niemand mag
mich. Der Wirt sagt, ich bin vor-
laut, und der Tischler findet das
auch, glaub ich. Und der Doktor
sagt, ich bin ehrgeizig und meinesgleichen hat kein Gemüt.
PATER: Setz dich!

ANDRI: Niemand mag mich.
PATER: Setz dich.

505 ANDRI: Und Peider sagt, ich
bin feig.
PATER: Wieso feig?
ANDRI: Weil ich ein Jud bin.
PATER: Was kümmerst du dich um
Peider.
Andri schweigt.
PATER: Andri, ich will dir etwas
sagen.
ANDRI: Man soll nicht immer an
sich selbst denken, ich weiß.

ANDRI: Und Peider sagt, ich sei feig.
PATER: Was kümmerst du dich um
Peider!
ANDRI: Alle legen ihre Hände auf
meine Schulter.

34

Aber ich kann nicht anders, Hochwürden, es ist so. Immer muß ich denken, ob's wahr ist, was die andern von mir sagen: daß ich nicht bin wie sie, nicht fröhlich, nicht gemütlich, nicht einfach so. Und Hochwürden finden ja auch, ich hab etwas Gehetztes. Ich versteh schon, daß niemand mich mag. Ich mag mich selbst nicht, wenn ich an mich selbst denke.
Der Pater erhebt sich.
Kann ich jetzt gehn?
PATER: Jetzt hör mich einmal an!
ANDRI: Was, Hochwürden, will man von mir?
PATER: Warum so mißtrauisch?
ANDRI: Alle legen ihre Hände auf meine Schulter.

509 PATER: Du sollst dir kein Bildnis machen ⟨...⟩	PATER: Lang ist's her und ich bin alt geworden. Herr, mein Gott, ich knie Tag für Tag. Du sollst dir kein Bildnis machen ⟨...⟩
512 GESELLE: Und wenn sie Klotz hat!	GESELLE: Besonders, wenn sie Geld hat!
517 WIRT: Sie haben ihn mit Stiefeln getreten, ich hab's mit eigenen Augen gesehen, ich war drin. ⟨...⟩	WIRT: Aber sie haben ihn mit Stiefeln getreten, das hab ich mit eigenen Augen gesehen. ⟨...⟩
WIRT: Immer geht er an die Klimperkiste, ich hab's ihm noch gesagt, er macht die Leute rein nervös.	DOKTOR: Blut? Eine peinliche Sache.
DOKTOR: Blut?	WIRT: Aber er hat angefangen.
WIRT: Ich hab es kommen sehen.	DOKTOR: Ich habe nichts wider dieses Volk, aber wie man sich verhält, ist's falsch. Immer verlangen sie, daß unsereiner sich an ihnen bewährt.
Doktor raucht.	
WIRT: Sie sagen kein Wort.	
DOKTOR: Eine peinliche Sache.	
WIRT: Er hat angefangen.	
DOKTOR: Ich habe nichts wider die-	

ses Volk, aber ich fühle mich nicht wohl, wenn ich einen von ihnen sehe. Wie man sich verhält, ist's falsch. Was habe ich denn gesagt? Sie können's nicht lassen, immer verlangen sie, daß unsereiner sich an ihnen bewährt.

519 SENORA: Du hast mich gehaßt, ⟨...⟩. Weil ich Angst hatte vor meinen Leuten. Als du an die Grenze kamst, sagtest du, es sei ein Judenkind, das du gerettet hast vor uns. Warum? Weil auch du feige warst, ⟨...⟩

SENORA: Du hast mich gehaßt, ⟨...⟩. Weil ich Angst hatte vor meinen Leuten. Warum? Weil auch du feige warst, ⟨...⟩

527 ANDRI: ⟨...⟩ Ich möchte, daß es bald geschehe. Ich bin alt. Meine Zuversicht ist ausgefallen, eine um die andere, wie Zähne. Ich habe gejauchzt, die Sonne schien grün in den Bäumen, ich habe meinen Namen in die Lüfte geworfen wie eine Mütze, die niemand gehört, wenn nicht mir, und herunter fällt ein Stein, der mich tötet. Ich bin im Unrecht gewesen, anders als sie dachten, allezeit. Ich wollte recht haben und frohlocken. Die meine Feinde waren, hatten recht, auch wenn sie kein Recht dazu hatten, denn am Ende seiner Einsicht kann man sich selbst nicht recht geben. Ich brauche jetzt schon keine Feinde mehr, die Wahrheit reicht aus. Ich erschrecke, sooft ich noch hoffe. Das Hoffen ist mir nie bekommen. Ich erschrekke, wenn ich lache, und ich kann nicht weinen. Meine Trauer erhebt mich über euch alle, und so werde ich stürzen. Meine Augen sind groß von Schwermut, mein

ANDRI: ⟨...⟩ Ich möchte, daß es bald geschehe. Ich bin alt. Ich habe gejauchzt, die Sonne schien grün in den Bäumen, ich habe meinen Namen in die Lüfte geworfen wie eine Mütze, und herunter fällt ein Stein, der mich tötet. Ich erschrecke, wenn ich lache, und ich kann nicht weinen. Meine Trauer erhebt mich über euch alle, und so werde ich stürzen. Ich möchte tot sein. Aber mir graut vor dem Sterben. Es gibt keine Gnade –
PATER: Ich verbiete dir, so zu sprechen. Du versündigst dich. Du redest wie dein Vater.

Blut weiß alles, und ich möchte tot sein. Aber mir graut vor dem Sterben. Es gibt keine Gnade –
PATER: Jetzt versündigst du dich.

529 JEMAND: Ich gebe zu: ⟨...⟩ Weltenrichter. Was den jungen Bursch betrifft: natürlich erinnere ich mich an ihn. Er ging oft ans Orchestrion, um sein Trinkgeld zu verklimpern, und als sie ihn holten, tat er mir leid. Was die Soldaten, als sie ihn holten, gemacht haben mit ihm, weiß ich nicht, wir hörten nur seinen Schrei ... Einmal muß man auch vergessen können, finde ich.

JEMAND: Hoher Gerichtshof! Ich bin nur – jemand und ich gebe zu: ⟨...⟩ Weltenrichter. Das ist alles, was ich dazu sagen kann, ohne bloße Gerüchte zu verbreiten. Was den jungen Burschen betrifft: natürlich hab ich ihn gekannt, sehr gut. Er kam immer zum Orchestrion, um sein Trinkgeld zu verklimpern, und als sie ihn holten, tat er mir sehr leid. Niemand kann sagen, wie alles gekommen ist, damals. Einmal muß man auch vergessen können, finde ich.

537-538
ANDRI: Hast du viele Male geschlafen mit ihm?
BARBLIN: Andri.
ANDRI: Ich frage, ob du viele Male mit ihm geschlafen hast, während ich hier auf der Schwelle hockte und redete. Von unsrer Flucht!
Barblin schweigt.
ANDRI: Hier hat er gestanden: barfuß, weißt du, mit offnem Gurt –
BARBLIN: Schweig!
ANDRI: Brusthaar wie ein Affe.
Barblin schweigt.
ANDRI: Ein Kerl!
Barblin schweigt.
ANDRI: Hast du viele Male geschlafen mit ihm?
Barblin schweigt.
ANDRI: Du schweigst ... Also wovon sollen wir reden in dieser Nacht? Ich soll jetzt nicht daran denken, sagst du. Ich soll an

ANDRI: Hier hat er gestanden, hier unter dieser Tür: barfuß, mit offenem Gurt –
Hast du viele Male geschlafen mit ihm? Wozu eigentlich möcht ich das wissen! Was geht's mich an! Bloß um noch einmal ein Gefühl für dich zu haben.
BARBLIN: So ist doch alles gar nicht. Du bist ungerecht, so ungerecht.
ANDRI: Wieso ungerecht? Ich frag ja bloß, wie das ist, wenn einer ein Kerl ist. Das kannst du mir doch sagen, jetzt wo du dich als mein Schwesterlein fühlst.

meine Zukunft denken, aber ich
habe keine ... Ich möchte ja nur
wissen, ob's viele Male war.

Barblin schluchzt.

ANDRI: Und es geht weiter?

Barblin schluchzt.

ANDRI: Wozu eigentlich möcht ich
das wissen! Was geht's mich an!
Bloß um noch einmal ein Gefühl
für dich zu haben.

Andri horcht.

Sei doch still!

BARBLIN: So ist ja alles gar nicht.

ANDRI: Ich weiß nicht, wo die mich
suchen –

BARBLIN: Du bist ungerecht, so ungerecht.

ANDRI: Ich werde mich entschuldigen, wenn sie kommen ...

Barblin schluchzt.

ANDRI: Ich dachte, wir lieben uns.
Wieso ungerecht? Ich frag ja
bloß, wie das ist, wenn einer ein
Kerl ist. Warum so zimperlich?
Ich frag ja bloß, weil du meine
Braut warst. Heul nicht! Das
kannst du mir doch sagen, jetzt
wo du dich als meine Schwester
fühlst.

539-540
ANDRI: ⟨ . . . ⟩ So küß mich doch!

BARBLIN: Andri –

ANDRI: Zieh dich aus!

BARBLIN: Du hast den Verstand verloren, Andri.

ANDRI: Jetzt küß mich und umarme
mich!

Barblin wehrt sich.

ANDRI: 's ist einerlei.

Barblin wehrt sich.

ANDRI: Tu nicht so treu, du –
Klirren einer Fensterscheibe

BARBLIN: Was war das?

ANDRI: ⟨ . . . ⟩ So küß mich doch!

BARBLIN: Andri – Was war das?

ANDRI: Warum haben wir uns nich
vergiftet, Barblin ⟨ . . . ⟩

ANDRI: Sie wissen's, wo ich bin.

BARBLIN: So lösch doch die Kerze!

Klirren einer zweiten Fensterscheibe

ANDRI: Küß mich!

BARBLIN: Nein. Nein . . .

ANDRI: Kannst du nicht, was du mit jedem kannst, fröhlich und nackt? Ich lasse dich nicht. Was ist anders mit andern? So sag es doch. Was ist anders? Ich küß dich, Soldatenbraut! Einer mehr oder weniger, zier dich nicht. Was ist anders mit mir? Sag's! Langweilt es dein Haar, wenn ich es küsse?

BARBLIN: Bruder –

ANDRI: Warum schämst du dich nur vor mir?

BARBLIN: Jetzt laß mich!

ANDRI: Jetzt, ja, jetzt und nie, ja, ich will dich, ja, fröhlich und nackt, ja, Schwesterlein, ja, ja, ja –

Barblin schreit

ANDRI: Denk an die Tollkirschen.

Andri löst ihr die Bluse wie einer Ohnmächtigen.

Denk an unsere Tollkirschen –

BARBLIN: Du bist irr!

Hausklingel

BARBLIN: Hast du gehört? Du bist verloren, Andri, wenn du uns nicht glaubst. Versteck dich!

Hausklingel

ANDRI: Warum haben wir uns nicht vergiftet, Barblin, ⟨. . .⟩

42 DOKTOR: Ich möchte mich kurz fassen ⟨. . .⟩

DOKTOR: Hoher Gerichtshof! Mein Name ist Ferrer. Beruf: Amtsarzt. Ich möchte mich kurz fassen ⟨. . .⟩

44 WIRT: Hier an dieser Stelle. Erwiesen? Er fragt, ob das erwiesen sei. Wer sonst soll diesen Stein geworfen haben?

WIRT: ⟨. . .⟩ Hier an der gleichen Stelle. Bitte sehr, hier, genau an der gleichen Stelle. Hier lag der Stein ⟨. . .⟩

39

JEMAND: Ich frag ja bloß.
WIRT: Einer von uns vielleicht?
JEMAND: Ich war nicht dabei.
WIRT: Aber ich!
⟨ ... ⟩
WIRT: Hab ich vielleicht den Stein
  geworfen?
DOKTOR: Still.
WIRT: – ich?
DOKTOR: Wir sollen nicht sprechen.
WIRT: Hier, genau an dieser Stelle,
  bitte sehr, hier lag der Stein
  ⟨ ... ⟩

556 *Mutter tritt vor und nimmt*
  ihr Tuch ab.
SOLDAT: Was will jetzt die?

MUTTER: Andri ist der Sohn von
meinem Mann! Laßt ihn los!

Max Frisch
Anmerkungen zu *Andorra*

Der Name

Gemeint ist natürlich nicht der wirkliche Kleinstaat dieses Namens, nicht das Völklein in den Pyrenäen, das ich nicht kenne, auch nicht ein anderer wirklicher Kleinstaat, den ich kenne; Andorra ist der Name für ein Modell. Es gibt ja noch eine andere Weltkarte; auf ihr, und nirgends sonst, finden wir das Illyrien von Shakespeare, das Güllen von Dürrenmatt, das Sezuan von Brecht, Das Troja von Giraudoux usw.

Die Fabel

Sie ist erfunden, und ich erinnere mich in diesem Fall sogar, wann und wo sie mir eingefallen ist: 1946 im Café de la Terrasse, Zürich, vormittags. Geschrieben als Prosaskizze, veröffentlicht im *Tagebuch 1946-1949,* betitelt: »Der andorranische Jude«.

Die Arbeit

1957, als das Zürcher Schauspielhaus zur Feier seines zwanzigjährigen Bestehens sich nach neuen Stücken umsah, schien mir das Thema für den Anlaß geeignet. Ich hatte aber viele Jahre nicht mehr für die Bühne gearbeitet, eine Einübung schien vonnöten. Zu diesem Zweck entstand *Biedermann und die Brandstifter,* 1958, als Versuch, auf der Bühne konkreter zu werden, dinglicher, die Reflexion zurückzunehmen zugunsten des theatralischen Augenscheins. Unmittelbar darauf begann die Arbeit am neuen Stück, zufällig auf Ibiza; daher die weißen kahlen Kulissen. Die erste Fassung befriedigte mich nicht, aber das Stück war schon angezeigt; es folgte eine zweite Fassung, eine dritte, dann Rückzug des Stückes, um frei zu werden für andere Arbeiten. Inzwischen war das Jubiläum des Zürcher Schauspielhauses vorbei.

Zeitraubend ist weniger das Warten auf Einfälle als der Verzicht auf Einfälle, die durch andere überholt sind. Im vorigen Herbst, als ich den Wohnsitz wechselte, wollte ich das

Stück nicht in den Koffer packen, aber offenbar tat ich es doch; eigentlich schon in einem andern Unternehmen, nicht aus Mangel an Plänen also, schrieb es nochmals sozusagen hinter meinem Rücken, so, wie es jetzt vorliegt und wie ich es verantworten will, nachdem sich bei den Proben nochmals das eine und andere verwandelt hat aus den Widerständen und Möglichkeiten der Bühne selbst.

Widmung

Das Stück ist dem Zürcher Schauspielhaus gewidmet in alter Freundschaft und Dankbarkeit.

(*Aus: Programmheft der Zürcher Uraufführung* 1961)

Max Frisch
Notizen von den Proben

Für Kurt Hirschfeld in Freundschaft

Die Geste

Beim Sprechen erst – nicht im Leben, wo wir die Menschen meistens schon zu einem gewissen Grad kennen und selbst in die Situation verstrickt sind, uns also in erster Linie auf die Mitteilung selbst ausrichten und erst in zweiter Linie darauf, Menschen zu beobachten; aber auf der Bühne, wo wir nur beobachten und die Menschen beim Aufgehen des Vorhangs überhaupt noch nicht kennen – zeigt sich, wie sehr die Geste vonnöten ist, um die fast uferlose Mißdeutbarkeit unserer Worte einzuschränken. Das schauspielerische Talent: die Geste zu finden, dadurch die Lesart der Worte. Wer schreibt, hält die Lesart immer schon für gegeben. Er hört von innen, was jetzt von außen hörbar werden muß. Daß unsere Sprache, die geschriebene, immer erst ein Raster der Möglichkeiten darstellt, das ist der Schock der ersten Proben: man findet sich selber mißverständlich. Dann plötzlich eine Geste, und die Figur ist da, die die Worte auf sich zu beziehen vermag, nicht nur die Worte, auch das Schweigen, das in jeder Figur ein so großer Raum ist, aber kein leerer und kein beliebiger Raum sein darf; die Geste, die wir im Leben kaum beachten, die Art schon, wie einer zum Glas greift oder wie er geht, ich sage nicht, daß sie wichtiger ist als die Worte, aber entscheidend dafür, ob die Worte zu einem Menschen gehören, den es gibt, oder ob sie auf der Bühne verloren sind. Dabei kann die Geste, die der Schauspieler anbietet, für den Verfasser sehr unerwartet sein. Nur in wenigen Punkten, oft in nebensächlichen, weiß ich, wie eine Figur sich bewegt; ich kenne die Figur oder meine sie zu kennen, aber erst der Schauspieler zeigt sie mir von außen, und es ist ein Gefühl, wie wenn ein Mensch, dessen Schicksal ich insgeheim kenne und vielleicht sogar besser als er, ins Zimmer tritt, und man wird einander vorgestellt. Ist er's wirklich? Manchmal muß ich auch meine Kenntnis ändern; seine Geste widerlegt mich, belehrt mich, und sein Text (mein Text) hat unrecht. Oder umgekehrt: der Text verwirft die Geste wie von selbst, bis sie stimmt.

Text:

Sätze, die ursprünglich in einem andern Kontext gestanden haben, fallen schon bei den ersten Proben heraus; ein richtiger Bezug, ein logischer etwa, genügt noch lange nicht; viele Bezüge (oft sehr unlogische) tragen das Wort, oder genauer gesagt: sie erlauben die Geste, die das Wort trägt. Eine Szene ist bei aller nötigen Bewußtheit doch nur aus der Geste heraus zu schreiben, einer Geste, die ich nicht vormachen kann; aber sie muß dem Text zugrunde liegen, damit er spielbar sei. Dann, wenn er sich als spielbar erweist, staune ich oft über Bezüge, die mir nie bewußt gewesen sind; der Text stimmt, wenn er eine Geste zuläßt, die seine Bezüge umfaßt.

Der Schrei

Andri vor der Kammer der Barblin, der Soldat kommt, Andri schläft; laut Text: nachdem der Soldat seine Stiefel abgestreift hat, steigt er über Andri hinweg und verschwindet in der finstern Kammer. – Das geht nicht, das Ausziehen der Stiefel; schon beim bloßen Markieren denkt man an Fußschweiß. Überhaupt hängt von dieser Pantomime, wie der Soldat über den schlafenden Andri in die Kammer kommt, vieles ab. Hat Barblin ihn bestellt? Oder kann der Soldat auch nur hoffen, daß sie ihn uneingestandenerweise erwartet? Da kein Text gesprochen wird, ist alles offen. Kommt der Soldat zum erstenmal? Als Vergewaltiger? Oder ist das schon ein Brauch (nur Andri und wir wissen's noch nicht, was sich tut) mit Einverständnis? Der stumme Gang, den der Soldat hier zu spielen hat, entscheidet über das Wesen der Barblin. Ein lehrreicher Fall: Barblin, in dieser Szene nicht sichtbar, kann vorher und nachher spielen, wie sie will, unsere Meinung über sie wird entstehen in einer Szene, da sie selbst nicht auf der Bühne ist, also ohnmächtig, in einer Pantomime zudem, also zwischen den Zeilen. Die Schauspielerin Barblin ist dem Schauspieler Soldat ausgeliefert. Ob sie eine Hure ist, schnöd, oder eine Verzweifelte, die es in eine Art von Selbstzerstörung drängt, oder nur ein Opfer, eine Vergewaltigte, hier wird es nicht gesagt, aber gezeigt, und das Gezeigte wird stärker als das Gesagte oder Verschwiegene. Ich habe am Schreibtisch gewußt, wie ich's meine, aber nicht, daß hier, im Gang des Soldaten, ganz andere Meinungen aufkommen können. Wir machen es so: der Soldat, als er den schlafenden Andri sieht, erschrickt, zögert, sieht sich um, zeigt, daß er zum erstenmal hier ist, ein dreister Einbrecher, ängstlich, daß er ertappt werde; aber Andri schläft, der Soldat hat sich so weit genähert, daß er, wenn Andri jetzt erwacht, jedenfalls ertappt wäre, Pech, dazu Neugierde, ob es wirklich die Kammer der Barblin ist, er versucht die Türe lautlos zu öffnen, dazu muß er über Andri hinwegschreiten, Girren der Türe, jetzt ist er schon so weit, daß er, verlockt vom Gelingen, aber nicht ohne einen bänglichen Blick in die finstere Kammer, wo er nicht weiß, was ihn erwartet, plötzlich in ihre Kammer tritt, atemlos, Flucht ins Dunkle, Stille, und so weiter.

Ferner:

Am Schluß derselben Szene, als Andri die Türe aufsprengen will, hat Barblin, laut Buch, einen Schrei auszustoßen. – Auch das geht nicht. Die Schauspielerin, die hinter der Wand steht, um diesen Schrei zu liefern, ist unglücklich, ohne zu wissen warum. Es sei ihr nicht wohl bei diesem Schrei, und sie hat recht. Wir sitzen vorne und erleben (einmal mehr) den Unterschied zwischen Bühne und Erzählung; dieser Schrei, ausgeführt, hat eine unvermutete Wirkung: ihre Stimme, wie immer sie sei, liefert den Körper des Mädchens in einem Grad, der jetzt unerträglich ist, der Schrei zieht sie aus, und ich frage mich, wie sie auf dem Bett liegt, das ist unvermeidlich. Das will ich aber nicht wissen; die Szene, jetzt, will etwas andres zeigen: wie Andri sich verraten fühlt, was immer auch dahinten geschehen sein mag oder nicht. (»Barblin schreit«, ein Satz, der in der Erzählung überhaupt keine Leiblichkeit herstellt; als Erzähler brauchte ich ganz andere Sätze, um so viel körperliche Nacktheit zu beschwören, wie der bloße Schrei einer Unsichtbaren, ausgeführt auf der Bühne, es vermag.) Also der Schrei wird gestrichen.

PS.

Nach der Aufführung melden sich Zuschauer bekümmert, was sie von dieser Barblin nun zu halten haben, und wenn die Unklarheit, ob sie den Soldaten hat haben wollen oder nicht, meines Erachtens auch nicht einen Schwerpunkt der Fabel betrifft, so ist sie doch bedauerlich; sie schwächt, wie jede noch so nebensächliche Unklarheit, das Interesse für das Klare und erlaubt dem Zuschauer, daß er sich mit Nebensachen befaßt. Der Schrei, der nicht ging, fehlt nun doch. Ihr Stummbleiben ist mißdeutbar. Ich ändere nochmals: Barblin schreit – aber zu einem andern Zeitpunkt, nicht am Ende der Szene, sondern kurz nach dem Eintritt des Soldaten, sie will schreien, der Soldat hält ihr den Mund zu; das kennzeichnet ihn als Vergewaltiger, ohne daß ihr Schrei jetzt, bevor etwas geschehen sein kann, die nackte Leiblichkeit anliefert, und am Schluß der Szene, wenn der Soldat in die Türe tritt, erscheint er als ein Einbrecher, der nicht zu seinem Ziel gekommen ist, gerade deswegen bösartig.

Links und rechts

Als Student hörte ich eine Vorlesung von Professor Wölfflin, eine der letzten, die er hielt: Das Links und Rechts im Bilde. Eine berühmte Radierung von Rembrandt, seitenverkehrt auf die Leinwand projiziert, war ein schlagendes Beispiel dafür, daß Links und Rechts nicht vertauschbar sind; abgesehen davon, daß die Komposition plötzlich nicht mehr überzeugte, vielleicht weil man an die andere schon gewöhnt ist, das Bild mit den Bäumen vor dem großen Himmel hatte plötzlich keine Tageszeit mehr, Abend von der falschen Seite, eine rätselhafte Wetterstimmung, und so weiter. Ein andres Beispiel liefert bekanntlich der Prado: im Saal, wo das berühmte Ateliergemälde von Velazquez zu sehen ist, steht in der Ecke ein Spiegel, und was der Betrachter im Spiegel wiedersieht, verblüfft nicht durch die Verkleinerung, es ist ganz einfach nicht mehr das Bild, das lebt, formtreu und farbtreu, aber in sich selbst verrückt, unselbstverständlich, zufällig, beliebig. Es gibt eine Richtung des Lesens, des Schauens, eine Richtung des Eintritts und eine Richtung des Austritts, das heißt nicht, daß die Bewegung im Bild nicht widerläufig sein kann, aber dann ist sie anders eben dadurch, daß sie widerläufig ist; wie ein Mensch sich anders bewegt, ob er mit dem Wind oder gegen den Wind geht. In der Architektur dasselbe; jeder Photomacher weiß, daß eine berühmte Baugruppe, seitenverkehrt kopiert, manchmal kaum wiederzuerkennen ist, und nicht nur das, sondern vor allem: dieselbe Treppe, die von links oben nach rechts unten fällt (jeder Betrachter wird sagen, sie führe von oben nach unten), steigt im seitenverkehrten Bild von links unten nach rechts oben (jeder Betrachter wird sagen, die Treppe steige), und das wiederum bedeutet, daß ich zu den Menschen, die sich auf der Treppe bewegen, ein andres Verhältnis habe ... Dasselbe gilt auf der Bühne. Es gibt Schauspieler, die das spüren. Heute ein gutes Beispiel: eine kleine Szene, die eigentlich keine ist, nicht unwichtig, aber eine Szene, die nicht aus Handlung, sondern nur aus Mitteilung und Frage besteht, also nicht durch Bewegung auffallen soll, wird aus überzeugenden Gründen probeweise umgestellt, nicht in Bewegung gebracht, nur seitenverkehrt gestellt – und es ist schlecht, man erwartet jetzt Handlung, die nicht kommt, und sieht nur, daß keine Szene entsteht, und die Mitteilung fällt durch, wie trefflich sie auch gesprochen würde; man vermißt, was nicht gewollt ist; man ist ungeduldig und unbefriedigt, weil die Stellung jetzt, wenn auch noch so reglos, schon Bewegung enthält und Bewegung erwarten läßt. Also: man muß auf die erste Stellung zurück. Hirschfeld hatte recht. Die unbewußte Empfindung hatte recht.

Der Pfahl

Lange Zeit, jahrelang, wollte ich, um die große Form herzustellen, einen Häftling am Pfahl – als chorisches Element durch das ganze Stück: seine Arie der Verzweiflung. In der Oper, mag sein, wäre es möglich, nicht im Schauspiel, auch nicht, wenn die Überhöhung durch Verse hinzukäme. Ich mußte das aufgeben, und es blieb der leere Pfahl auf der Bühne, wartend auf den Verfolgten, der am Schluß daran gerichtet wird. So das Buch. Als die Proben begannen, brauchte Hirschfeld nicht lang zu reden, um mich zu überzeugen, daß die Hinrichtung des Helden, vorgeführt auf der Bühne, nur eine Schwächung wäre durch Gruseligkeit; wir wissen ja, daß der Darsteller Peter Brogle nicht getötet wird durch den Schuß, den wir hören, und es genügt zu wissen, daß Andri getötet wird. Die Hinrichtung wurde gestrichen; es blieb der leere Pfahl auf der Bühne. Ich habe auch den Pfahl gestrichen – im Augenblick, da die Bühnenarbeiter ihn hinstellten – und bin froh drum, er hat mich jahrelang viel Arbeit gekostet, viel Text. Aber vor allem: gerade dadurch, daß wir den Pfahl nicht mehr mit Augen sehen, sondern nur noch durch die Worte des bestürzten Vaters, wird der Pfahl wieder, was er sein sollte, Symbol.

Die Schuhe

Von einem Paar Schuhe, die allein auf der Bühne stehen, verlangt das Stück, daß sie den Verschleppten, dem diese Schuhe gehört haben, gegenwärtig machen. Man stellt die Schuhe hin, und ich bin enttäuscht; die erhoffte Wirkung bleibt aus. (Der Verfasser, wenn er sein Stück zum erstenmal sieht, ist auf viele Ausfälle gefaßt; ich habe mich halt wieder getäuscht . . .) Eines Tages nimmt ein Schauspieler, ein wirklicher, diese Schuhe zur Hand, weil er sie anderswohin stellen soll, und stellt sie nicht nur anderswohin, sondern anders: nicht parallel, sondern verschoben. Wir verstehen den Unterschied erst, als wir ihn sehen. Zwei Schuhe, parallel, sind Schuhe im Kleiderschrank oder im Schaufenster, nichts weiter. Jetzt aber, plötzlich, sind sie mehr: ich sehe Standbein und Spielbein, ich sehe den Menschen, der geholt und getötet worden ist. Rührt seine Schuhe nicht an!

Stellprobe

Das ist mein achtes Stück, das ich in Proben sehe – mein Kardiogramm verläuft wie immer: Ausschläge großen leichten Entzückens am Anfang der Proben, wenn vieles sich bewährt, wenn die Bühne, jetzt noch im Arbeitslicht und ohne Dekoration, den Plan bewahrheitet. Es ist das Entzücken am Rohbau. Zum Beispiel: Hirschfeld stellt oder setzt die Figuren der ersten Szene auf der Piazza, der Lehrer sitzt, und sein Text verrät noch nicht das Gewicht der Figur, einer unter andern, aber er bleibt sitzen, die andern gehen und kommen und gehen, der Tischler, der Wirt, der Pater, die Tochter, die Prozession. Einmal, im Tasten der ersten Proben, erhebt sich der Darsteller des Lehrers zu einem augenblicklich sinnvollen Gang; es erweist sich als falsch, er muß (das Buch behält hier recht) sitzen bleiben, um zur Achse des kommenden Geschehens zu werden, vorerst nur optisch. Später schreibe ich, vom Angebot des Darstellers beglückt, eine kleine Szene dazu, die nichts andres leistet als eine spätere Wiederholung seines Sitzens am selben Ort, verbunden mit der Wiederholung eines Ganges, den mir der Darsteller (Ernst Schröder) als Grundgestus der Figur angeboten hat. Änderungen im Zustand des Rohbaus, nicht anders als in der Architektur: man sieht und setzt eine Wand ein oder ein Fenster. Der Ablauf des Spiels, so roh es noch ist, regt an. Die neue Szene (sechstes Bild) wird vom Blatt probiert; der Gewinn: die Handlung erfrischt sich, indem einmal nichts geschieht, die Stagnation tut wohl, es geschieht ja nicht immer etwas. Das Nichtige, zeigt sich, verschärft das Wichtige, und so weiter.

Probieren ist herrlich!

Kostüme

Ein andrer Darsteller (Rolf Henniger) kommt mit einem Fahrrad und mit einem Taschentuch in der Hand, es genügt, um ihn als Pater zu sehen. Ohne Kostüm; die sorgliche Ohnmacht des guten Willens, die Altjüngferlichkeit eines jungen Geistlichen, er macht es durch Darstellungskunst, und es fehlt nichts. Es ist schön, Spiel, ein lauteres Spiel. Noch sind die Kostüme nicht geschneidert. Er spielt einen Pater, der sich, während er spricht, zur Messe umkleidet: mit Gesten, nichts weiter. Der Sinn ist da; es genügt, daß der Darsteller, in seinem privaten Straßenanzug, eine Bibel zur Hand nimmt und ein Darsteller ist, der seine Figur sieht. (Ich habe ähnliches auch bei Proben fremder Stücke erlebt: ein Orestes spielt die Hauptprobe, da die Schneiderei versagt hat, im Trainingsanzug und ist stärker als alle, die ihm im Kostüm entgegentreten.) Aber dann, nach Wochen des Entzückens, kommen die Kostüme – es muß ja sein – und damit jedesmal mein Nervenzusammenbruch, obschon genau wie besprochen. Der Pater kommt in schwarzer Soutane, der Soldat mit Stiefeln und Gurt, und ich komme mir vor wie Kaiser Wilhelm, als er sagte: »Das habe ich nicht gewollt!« Ich kann's nicht fassen. Ihr wart doch so gut, Freunde, fünf Wochen lang! Und übermorgen ist die Premiere. Ich möchte abreisen, nichts mit Theater zu tun haben, ich schweige und schäme mich. So war es jedesmal, ich vergesse es, und dann ist es wieder so, Theater ohne Magie, unwürdig, eine kindische Verstellerei, Mummenschanz, Klamotte – Teo Otto wird mich nicht mißverstehen ... Ich finde die Kostüme trefflich, die wir haben. Aber müssen sie sein? Orest im Trainer, das wäre eine Marotte, Hamlet im Frack, alles schon dagewesen. Dennoch träume ich nach diesem Schock (man hat ihn freilich nur, wenn man die Proben gesehen hat und den Verlust an Magie sieht aus dem Vergleich) jedesmal von einem Theater, das um der Wahrheit willen, die nur durch Spiel herzustellen ist, nichts vorgibt; wir wissen's ja, daß nicht ein Pater auftritt, sondern Herr Henniger, nicht ein Soldat, sondern Herr Beck. Vor allem sind es die Kostüme eines Amtes, die mich erschrecken wie etwas Unanständiges, genauer: die Vollständigkeit der Insignien. Verfremdung ist ein Slogan geworden, doch meine ich nichts andres, nichts Neues, wenn ich an die großen (verlorenen) Wirkungen der Proben denke; man müßte dahin zurück, ohne freilich einen »Einfall« daraus zu machen, ohne nouvelle vague, ohne programmatischen Aufhebens, zurück zu der Wirkung: zehn Statisten, teils in Pullovern und teils in Lumberjacks, halten ihre hölzernen und gegen alle Wahrscheinlichkeit mit roter Farbe bemalten Maschinenpistolen, schauerlich. Das Unglaubhafte, beispielsweise ein Schauspieler in einer Bekleidung, die kein Kostüm ist, versehen aber mit einer Krone, um den König zu spielen, ist Theater; alles Weitere, was an königlichem Kostüm hinzukommt, verweist ihn in den Bezirk peinlicher Unglaubwürdigkeit. Brecht hat einmal, zusammen mit Neher, einen Versuch in diese Richtung gemacht, als er die Figuren seiner *Antigone* in einer Bekleidung auftreten ließ, die nicht bedeutend ist, nur fremd, nämlich in Sacktuch. Die meisten Kostüme nehmen etwas vorweg, verdecken die Figur durch unser Vorurteil und verschütten das Lebendige, das nur durch Wort und Geste zu erspielen ist. Ich weiß nicht, wie man es machen soll; ausgehen von der Erfahrung bei Proben –

Die Schranke

Das Buch verlangt, daß jeder Andorraner einmal aus der Handlung heraustritt, um sich von heute aus zu rechtfertigen oder – formal gesprochen – um die Handlung, die eben auf der Bühne vor sich geht, in die Ferne zu rücken und dem Zuschauer zu helfen, daß er sie von ihrem Ende her, also als Ganzes, beurteilen kann: ... Ja, sagt ein Schauspieler, aber wie wird das dem Zuschauer klar? Wir beraten, was der Verfasser noch nicht bedacht hat, die Machart, daß es keine Conférence wird, sondern daß die Figur sich selbst bleibt, spricht, als stünde sie an einer Zeugenschranke. Also: nehmen wir eine Schranke. Wo soll sie stehen? Der erste Schauspieler, der, nur um zu probieren, mit einer losen Schranke auftritt, überzeugt uns, daß die Schranke nicht verschraubt, sondern lose sein muß; das hebt die Illusion auf, die falsch wäre, die Illusion, daß die Rechtfertigung und die Geschichte gleichzeitig stattfinden. Die Zeitspanne dazwischen läßt sich verdeutlichen durch das Kostüm: der Soldat ist nicht mehr Soldat, erscheint als Zivilist im Regenmantel, den er sich rasch überzieht. Wohin sprechen? Die Andorraner sitzen im Parkett, nicht Richter, sondern ebenfalls Zeugen; der Zeuge, der spricht, wendet sich also nicht an den Zuschauer, sondern spricht parallel zur Rampe. Später dann, bei der Beleuchtungsprobe, ergibt sich ein Weiteres: wenn das Licht von der Szene verschwindet, Dunkel, bis der Scheinwerfer auf den Zeugen fällt, entsteht erstens ein Loch, eine schwarze Pause, zweitens erscheint jetzt der Zeuge (anders als bisher bei Arbeitslicht, wo es uns gefallen hat) wie in einem metaphysischen Raum, und das ist nicht gemeint. Vorschlag des Bühnenbildners: wir lassen die Szene, die eben zu Ende ist, nicht ins Dunkel fallen, sondern halten sie in gedämpftem Licht, davor der Zeuge im Scheinwerfer. Und man hat genau, was der Verfasser gemeint hat – gemeint, ja, aber nicht in der Machart entworfen – nämlich: Konfrontation des heutigen Zeugen mit dem geschichtlichen Tatort.

Solche Arbeit ist vergnüglich.

Neuralgische Punkte

Der betrunkene Soldat schlägt dem »Jud« sein Geld aus der Hand; laut Buch: Andri starrt den Betrunkenen an, dann kniet er aufs Pflaster und sammelt sein Geld. Dazu sagt der Soldat: So ein Jud denkt alleweil nur ans Geld! In diesem Augenblick kennen wir Andri noch kaum; die Art und Weise, wie er nun sein Geld sammelt – gierig oder beiläufig, in seinem

Schweigen beschäftigt mit dem Geldverlust oder mit der Kränkung durch Vorurteil –, prägt die Figur in wenigen Sekunden, das heißt, in diesen Sekunden wird das Vorzeichen zu seinem späteren Text gesetzt. So viele Vorzeichen werden pantomimisch gesetzt! – richtig oder verhängnisvoll ... Regie: ihre besten Leistungen sind unauffällig und bestehen darin, daß der Zuschauer, sofern er klug und willig ist, auf dem laufenden gehalten wird, ohne sich belehrt zu fühlen, wie selbstverständlich.

(Aus: »Theater – Wahrheit und Wirklichkeit«. Zum 60. Geburtstag von Kurt Hirschfeld, Zürich 1962, S. 79-89; und M. Frisch, GW IV, S. 562-571)

Collage II: Enttäuschte Hoffnung?
Über Absicht, Dramaturgie
und Wirkung von *Andorra*

I Das Thema

Das Stück handelt (soweit es nicht nur das Stück von Andri
ist) *nicht von den Eichmanns, sondern von uns und unsern
Freunden, von lauter Nichtkriegsverbrechern, von Halbspaß-
Antisemiten,* d. h. von den Millionen, die es möglich machen,
daß Hitler (um schematisch zu reden) nicht hat Maler werden
müssen. Die Andorraner, denen ich nicht ohne Noblesse mehr
schweizerische als deutsche Töne verliehen habe, werden nie
einen Jud abschlachten, nicht einmal regelrecht foltern; das
mit dem kleinen Finger geht ihnen schon zu weit. Ein Steinwurf, mag sein, das kommt in der besten Gemeinde einmal
vor. Daß sie, schuldig durch diesen anonymen Steinwurf, den
Schwarzen einen Sündenbock abzuliefern haben, ist das nicht
klar? Die Schwarzen sind hier nichts als eine Maschine,
stumm, es interessiert mich überhaupt nicht, wer die sind; die
haben keine Sprache. Schuld? Hauptschuld? Keine Spur. Das
würde [...] so passen: Eichmann als der Schuldige. Drum
ziehen sie die Eichmann-Sache doch so groß auf, diese [...]
Andorraner. Darum schiene [dies] mir vollkommen verkehrt,
[...], nämlich verkehrt in der Wirkung: Die Andorraner
erschlagen ihren Jud. Schweine! sagt sich jeder Zuschauer und
ist ausgenommen, denn die meisten Zuschauer haben ja keinen Jud umgelegt. Bitte! Dank dieses Endes geht das Ganze
sie nichts an, d. h. es befriedigt sie der Unterschied, der denn
doch da ist zwischen diesen Andorranern und ihnen selbst.
Für mich, wenn ich das sagen darf, *gehört es zum Wesentlichen
des Einfalls, daß die Andorraner ihren Jud nicht töten, sie
machen ihn nur zum Jud in einer Welt, wo das ein Todesurteil
ist.* So sehr ich dafür wäre, daß die Eichmanns, die Vollstrek-
ker, gehängt werden, so wenig interessieren sie mich, genauer:
ich möchte die Schuld zeigen, wo ich sie sehe, unsere Schuld,
denn wenn ich meinen Freund an den Henker ausliefere,
übernimmt der Henker keine Oberschuld. Kann sein, daß ich

hier mißverstanden werde vom Zuschauer, ich glaube es aber nicht einmal, da ich ihm weder den Gefallen erweise, Interesse zu haben für Eichmann, noch den Gefallen, einen Unterschied zu machen zwischen Zuschauer und Andorraner, indem ich die Andorraner eigenhändig töten lasse. [1]

Warum ich den »Jud« zum Beispiel nahm? Sein Schicksal liegt uns doch am nächsten, macht die Schuldsituation am deutlichsten. Außerdem ist es wirklich an der Zeit, den Stier bei den Hörnern zu packen und das Wort »Jude« zu entschärfen. Morgen kann es ein anderer sein, der als andersartig angeprangert wird. [2]

Ich meine nicht die SS – nicht weil ich sie schonen oder die Verbrechen verharmlosen wollte [...] aber was in *Andorra* geschieht, das könnte sich überall ereignen, wenn die Voraussetzungen gegeben sind. So sind die exekutierenden Soldaten denn auch anonym, ohne Sprache. Sie sind nicht nur ein Teil der NS-Vergangenheit. [3]

Warum habe ich alle bekannten Schlagwörter der Nazis vermieden, warum die Vergasungsöfen nicht erwähnt? *Das Stück ist nicht eine allegorische Illustration der Geschichte, sondern es greift hinter die Geschichte.* Reden [wir] aber von Gasöfen, so sagt jeder: Weiß ich, jaja, entsetzlich. Warum habe ich den Pfahl erfunden, statt vom Massengrab zu reden? Warum die Judenschau, statt von der Kristallnacht zu reden? Warum überhaupt dieses Stück, statt die Dokumente vom Warschauer-Ghetto vorzulegen, die ich hier zur Hand habe? [4]

Eigentlich handelt das Stück gar nicht vom Antisemitismus. Der Antisemitismus ist nur ein Beispiel. [5]

Jeder Mensch ist verpflichtet, jeden seiner Mitmenschen ohne Vorurteil zu betrachten. [6]

Der Punkt, der einzige richtige Punkt, an dem man »Nein« sagen müßte, ist in der Wirklichkeit nicht da. Man hat das ja an sich selber erfahren: wie man die ersten peinlichen Anzeichen hinnimmt, vor sich selber verharmlost, wie dann spätere

Greuel, durch die Gewöhnung gar nicht mehr so grauenhaft wirken, und wie dann – langsam und plötzlich – die Katastrophe da ist. [7]

Meine Stücke sind keine Zeitstücke im landläufigen Sinn. Es sind immer wiederkehrende Muster, tragische Muster. [. . .] Für ein aktuelles Stück braucht man Distanz. Mich interessiert der Beginn einer Katastrophe. Wann ist der Punkt des Neinsagens? Wenn man die Katastrophe erkennt, ist es meist viel zu spät. Das Schlimmste ist, sich daran zu gewöhnen. Gewöhnen wir uns nicht schon wieder an die Atombomben? [. . .] Es ist doch im Politischen genauso wie im Privaten, Persönlichen. Wer vermag genau den Anfang zu fixieren, an dem eine Ehe, eine Freundschaft in die Brüche geht. [8]

Vielleicht zum Thema Gewalt – Macht ist typisch das [. . .] Beispiel [. . .] von *Andorra*, von der feigen, kollektiven Gewalttätigkeit. Wir wissen alle, daß wir gewalttätiger, grausamer sein können in einem Kollektiv, insbesondere in einem uniformierten, aber auch in einem nicht uniformierten. [9]

II Das Stück

1. Die Sprache

Für den Ort Andorra habe er eine eigene Sprache finden müssen, sagt Max Frisch; der Zuschauer sollte das Gefühl haben: so sprechen die Leute in Andorra, sie sprechen nicht wie aus einem Buch, sondern wie Einheimische. Und um eine gesprochen und nicht schriftlich wirkende Sprache zu erreichen, habe er bewußter als früher – allerdings ohne Studium – seine mundartliche Redeweise nachgeahmt. Wie Brecht für Finnland erfindet Frisch für Andorra eine Art nicht existierende Umgangssprache. Sie ist zwar hochdeutsch, soll aber doch so sein, wie sich Frisch erinnert, daß die Leute bei uns reden. [10]

Mauscheln; sollte keinesfalls sein, ausgenommen die Stelle, wo Andri vor dem Lehrer den Verkäufer imitiert [; entsteht der

Eindruck irgendwo sonst, dann kommt das] daher, daß ich in diesem Stück, dessen Sprache mir eine Not war, bewußter denn je auf unsere Mundart zurückgegriffen habe. Sie wissen, daß Schweizerdeutsch, wie das Jiddische, eine Abzweigung von der Hochsprache ist, daher gewisse Ähnlichkeiten. [11]

2. Die Figuren

Ferner, [. . .] mit sieben Männchen ein ganzes Volk darzustellen. Gibt es keinen Bürgermeister in Andorra? Wer regiert in Andorra? Wie? Jedes Stück besteht ja auch aus enormen Auslassungen, die nicht als solche bewußt werden dürfen. [12]

Die Vorgeschichte, d. h. die Figur des Lehrers, der die Fabel startet, war die Crux von Anfang an; ich glaube, es läßt sich hier [. . .] noch einiges abfangen, ohne daß es zu einer vollen Lösung kommt; man müßte das Stück neu erfinden, dazu ist es für mich zu alt. [Folgendes] scheint mir nützlich: daß der Lehrer früher von seinem wirklichen Motiv her glaubhaft werden müßte. Richtig (wichtig) auch [der Einwand]: die Enthüllung, daß Andri kein Jud ist, kommt gar nicht zum Austrag, und die nicht nur berechtigte, sondern vor der Pause ausdrücklich aufgeworfene Frage, wie sich die Andorraner dazu stellen werden, bleibt in der Schwebe. Wie soll der Lehrer, da Andri auf seinem Judsein besteht, vors Volk gehen? Dennoch wäre das, was fehlt, möglich gewesen als groteske Szene: der Lehrer sagt es den Andorranern, sie verhalten sich teils so, teils so, hinzukommt Andri, der die Enthüllung annulliert. Das ist, in dem jetzigen Stück, nur in verborgener Weise enthalten. Das Stück dreht sich um; es kommt nicht zu dem, was zu erwarten stand, und darin lag für mich immer ein besondrer Reiz: wie die Andorraner sich verhalten, wenn sie die »Wahrheit« vernehmen müssen, wird irrelevant, da es die Wahrheit, wie der Lehrer meint, nicht mehr gibt, da Andri tatsächlich kein Andorraner mehr ist. Die Frage, die jene erste (dramaturgisch anvisierte) Frage überholt, nämlich: Wie verhält Andri sich zur »Wahrheit« seiner Herkunft und Person? ist im Stück mit Absicht nicht so vorbereitet, daß man sie im Mittelpunkt erwartet. Sie sollte uns überraschen, nicht als Kniff, sondern als Vorstoß zum Ganzen des Problems. Im ersten Teil sehen wir es, ohne mit den Andorranern einverstanden zu sein, von den Andorranern her. [13]

Andri ist kein Musterknabe. Er soll uns auch manchmal schokieren wie jeder andere Mensch. [14]

Der Pater ist einer unter andern. Er vertritt die Kirche, mag sein, aber die Kirche vertritt nicht uns, nicht für mich. [15]

Bin ich auch der Meinung, daß die Senora eine schwache Figur ist. [16]

Wichtig ist nicht die Senora, sondern das Problem Andri–Andorra. [17]

3. Der Aufbau

a) Erstes Bild

Ich habe mir natürlich sehr genau überlegt, wo und aus welchem Mund das Wort Jud zum erstenmal ausgesprochen wird. Das ist heikel und wichtig. Ich halte es für gut, daß Barblin als erste es ausspricht, nämlich als Liebende und in Angst. Das zweite Mal spricht es dann der Wirt: als negatives Vorurteil. Wenn Sie das ändern, ist es der Wirt, der das Wort Jud zum erstenmal ausspricht, also negativ. Warum auch soll Barblin das Wort meiden? Es ist dramaturgisch notwendig, daß wir wissen, um was es sich handelt bei der Angst von Barblin und bei dem Vorurteil des Schreiners und beim Lehrer, der schon den Pfahl sieht, und dann trifft es, wenn der Wirt seine dumme Redensart macht mit dem Wort Jud. [18]

Die Prozession ist eine normale Prozession, und sie soll schön sein. Diese Prozession hat unter anderem die Funktion, das Volk von Andorra zu zeigen, mehr als nur die handelnden Charaktere; sonst kommen die andern Andorraner erst bei der Judenschau plötzlich auf die Bühne, und das wäre schlecht. [19]

b) Viertes Bild

Dieser Ausbruch des Lehrers, dem das Wort Jud über den Kopf wächst, das er in die Welt gesetzt hat, ist unerläßlich. Und zwar unerläßlich erstens für ihn; nach diesem hilflosen Ausbruch, der ihn verrät, rennt er davon, um sich zu betrinken. Unerläßlich auch für das Publikum; mehr und mehr wird von Jud gesprochen, es ist eine Erlösung, wenn einer auf der Bühne darüber die Nerven verliert. [20]

Das ist der Punkt, wo der Lehrer in der Falle ist, und von jetzt an taumelt er. [21]

c) Sechstes Bild

Die stumme Szene: Andri schläft vor der Kammer der Barblin, wie er es jetzt jede Nacht tut, und dann erscheint der Soldat, zögert, sieht aber, daß Andri schläft, und steigt über Andri hinweg in die Kammer. [. . .] Wie die bisherigen Aufführungen zeigen, kann diese Pantomime sehr stark sein. Sie ist sinnvoll. [. . .] *Andri bewacht Barblin, aber vergeblich, das Böse schreitet über ihn weg.* [22]

Andri ist verblüfft, als er den Riegel hört; er hat keinen Kommentar dazu, vielleicht eine Sekunde des Verdachts. Schweigen. Dann setzt er seinen Gedanken fort. [. . .] auf diese Überraschung hat man nicht sofort ein Wort. Er verdrängt sie. [23]

d) Siebentes Bild

Im Original schreit Andri: Weil ich Jud bin. [. . .] Mir wäre es lieber, wenn Andri es wirklich aussprechen würde, schreiend, gehetzt von dem Wort, aggressiv gegen den Padre, der das Wort nicht auszusprechen wagt, bevor Andri es ausgesprochen hat. [24]

e) Neuntes Bild

Er wählt sich jetzt erst als Jud, er lehnt es ab, Eltern zu haben, die man ihm vorsetzt. [25]

Das Stück hat *eine* Pause [. . .] und zwar hier: nach der Begegnung Lehrer–Senora. Jetzt wissen wir alles über die Vorgeschichte, wir gehen in die Pause mit der Frage: Wie verhalten sich die Andorraner zur Wahrheit, wie verhält sich Andri dazu? –

Climax:

Andri und der Pater, der ihm die Wahrheit sagen muß, das ist die wichtigste Szene des Stückes [. . .] Die Ironie: der Pater hat Andri gelehrt, er soll es annehmen, ein Jud zu sein, und jetzt hat Andri es angenommen, und der Pater scheitert an seiner eignen Lehre. [. . .] Es gibt an dieser Szene (Original: neuntes Bild) nichts zu ändern, jedenfalls nicht vom Auftritt des Paters an. Hier, und nur hier und nicht in der Judenschau, hat Andri seine einzige große Rede, Original Seite 84-86. [. . .] Im Original bleiben wir mit unserem Interesse immer bei Andri–Andorra. Die Rede von der gefährlichen Abreise kommt *vor* der climax (die übrigens auch sprachlich die größte Stilisierung hat, [. . .] und unmittelbar nach der climax kommt, kurz wie ein Schlag, die Meldung vom Steinwurf gegen die Senora. [. . .] Im Original bezieht sich dieser Steinwurf sofort auf Andri, und damit geht das Stück weiter mit der Schnelligkeit der Tragödie. [. . .] [26]

f) Zehntes Bild

Was den Überfall der Schwarzen betrifft, so merke ich plötzlich wieder einmal, daß ich Schweizer bin; der Gedanke, eines Morgens überfallen zu werden, wurde uns so vertraut, daß ich als Dramatiker diesen Teil der Fabel so wenig begründe wie den Geschlechtstrieb einer Person. Sehen Sie diese Perversion durch Herkunft! [27]

g) Elftes Bild

Barblin will Andri verstecken. Sie nimmt ihn als ihren Bruder. Andri weiß, daß er geholt wird. Jetzt kommt ihm die große Todesangst. [. . .] Reflex der Todesangst: er will leben, er hat nicht gelebt, Eifersucht auf die, die Barblin umarmt haben, er will Barblin umarmen. [...] Er wird geholt, und der sein Versteck verraten hat, ist der [Soldat], der die Kammer kennt. Er wird geholt und Barblin beschimpft als Judenhure, beschimpft von dem, der mit ihr geschlafen hat. [28]

Die Schwarzen suchen den Jud (als Sündenbock für ihren Überfall auf Andorra), alle müssen antreten, es darf sich keiner verstecken. Sie können sich nicht auf die Andorraner verlassen; die einen sagen, der sei ein Jud, die andern sagen, der sei kein Jud. *Was ein Jud ist, bestimmten die Schwarzen.* Zu diesem Zweck machen sie die Judenschau. Also: die Verhaftung ist nicht eine Vorwegnahme der Verurteilung. Die Verhaftung muß sein, weil einer sich verstecken will und nicht antreten will. Er macht sich dadurch verdächtig, ja, aber beweisen wird es erst die Judenschau. Die Schwarzen sind »korrekt«, sie hören nicht auf die Andorraner, sie haben ihre eigne Methode.

[...] die Verhaftung [ist nötig]. Und damit [...] die Zeilen: »Alle müssen vor die Judenschau.«

(Hier hören wir das seltsame Wort erstmals.)

Und:

»Judenhure.« [29]

h) Zwölftes Bild

Die Judenschau (eine Erfindung, eine freie Erfindung, um so unheimlicher, je weniger sie an historische Fakten erinnert) ist »mystisch«, mittelalterlich wie der Antisemitismus überhaupt, legendär; der Zuschauer soll das Gefühl haben und hat es auch, das sei ein Brauch, den nur er nicht kennt. [30]

Ferner: die Judenschau [...] als Erfindung, die dem Zuschauer, wenn die Erfindung als solche gut ist, hinnehmen soll wie einen Brauch, den nur er nicht gekannt hat. Man könnte vorher darauf anspielen, gewiß, ich tue es mit Absicht nicht: es ist, meine ich, stärker im erwähnten Sinn, wenn die Judenschau plötzlich einfach da ist, sich in sich selbst erläutert; jede dramaturgische Vorbereitung (man hört, die Schwarzen machen's so und so) entblößt die Erfindung als eine solche, ich brauche hier die Überraschung, um die Judenschau zu einer Gegebenheit zu machen. [31]

Die Judenschau ist eine große Pantomime. Der Hauptvorgang ist optisch, oft lautlos. Gesprochen wird meist im Flüsterton, oder im Befehlston. Was gesprochen wird, sind nur Fußnoten zu der Pantomime. Keine Sprech-Szene. Es geht um Leben und Tod, aber gesprochen werden nur Banalitäten. Das ist die Paradoxie der Szene. Das ist ihr Realismus: [. . .] wie oft reden wir Nebensächliches oder nicht, während das Ungeheure geschieht, und wir reden, als wäre es Alltag. Es bleibt den Leuten die Sprache weg, die Nervosität explodiert in Lappalien, Ferrer mit seinen Schuhen etc. Und das Opfer, Andri, schweigt fast vollkommen. Der hält jetzt keine Rede (Seite 3/47). Der einzige, der für seine Verzweiflung noch Worte sucht, ist der Vater, und er spricht vergeblich. – Das ist das Muster dieser schweren Szene; sie ist nur von daher zu inszenieren. [32]

[. . .] es scheint mir besser, wenn die unheimliche Szene lautlos beginnt, Stille der Angst und der Ungewißheit. Niemand, nicht nur der Zuschauer, weiß, was da kommen soll. Die Sache erläutert sich Punkt für Punkt, indem sie vollstreckt wird, und das ist unheimlicher, als wenn der Lautsprecher vorher das Programm verkündet. [33]

Hier ist der Punkt, wo der Sergeant, wie im Original, die Anweisung verliest. Statt Lautsprecher. Jetzt müssen wir wissen, was eigentlich geschehen soll. Nicht vorher. Lautsprecher versteht man auf der Bühne sowieso fast nie; wenn der Sergeant das liest, verstehen wir es, und es ist besser auch darum: der Sergeant in der miesen Rolle des Quisling, er liest schroff, weil er Angst hat vor den Andorranern. Das ist für seine Rolle wichtig.

Ferner:

Der [Judenschauer] ist jetzt noch nicht auf seinem Sessel, wie vorher gesagt; aber darüber hinaus: Der braucht keine Karte mit Füßen. Das macht die Figur klein. Seine Unheimlichkeit: er hat den Blick. Ohne Hilfsmittel. [34]

[...] wir haben es bei den letzten Proben geändert: der Inspektor pfeift nicht selbst, er gibt nur ein kleines Zeichen mit der Hand, und ein Soldat neben ihm pfeift. [35]

Ich denke, daß kein Andorraner es wagt, den Inspector anzusprechen. (Auch Ferrer nicht.) Wir wissen doch, wie das ist; man kann mit einem SS-Sturmführer nicht sprechen. Da ist keine Sprache hinüber. Artistisch: der Jew-Inspector wird dadurch ein Monstrum, weil er selbst nicht spricht und von niemand direkt angesprochen wird. [36]

Der Judenschauer setzt sich nicht, sondern geht vorbei und verschwindet. Das ist stärker; wir haben ihn gesehen, vernehmen durch Ferrer, wer das ist, und sehen ihn nicht mehr. Das macht ihn geheimnisvoll. Es wäre schlecht, wenn der Judenschauer während der ganzen Vorbereitung zugegen ist; seine Erscheinung verbraucht sich. Und was soll [er] in dieser Zeit denn tun? Er kommt wieder, wenn seine Arbeit beginnt, wenn alles bereit ist, angekündet dadurch, daß die Schwarzen stramm stehen. Jetzt geht es los! Jetzt erst setzt er sich. [37]

[...] es [ist] Barblin, die eine Resistance anzuzetteln versucht, und das ist besser aus vielen Gründen. Es ist ein romantisches Unternehmen, ein Mädchen kann das tun, ein Mann kaum. Auch gehört es zu Barblin: sie fühlt sich schuldig und will retten, und das Kind hat am meisten Mut. [...] [dazu] die Aktion: Barblin wird von den Schwarzen weggeschleppt, das ist der erste schwere Schock in der Szene, die erste offene Brutalität. [...] Bis dahin ist alles fast militärisch-alltäglich, nicht so schlimm, nur lästig wie eine amtliche Veranstaltung. Nach der Brutalität ist die Stimmung anders, man weiß: hier herrscht die blutige Gewalt. [38]

Wenn die Andorraner jetzt sprechen, entsteht im Zuschauer der falsche Verdacht, daß der Jew-Inspector darum seinen Entscheid fällt, weil die Andorraner den Andri bezeichnen. Das ist aber nicht der Sinn. Der Jew-Inspector erkennt Andri als Jud, weil er durch die Andorraner dazu gemacht worden ist. Das ist der Sinn des Stücks. [39]

Andri wird weggeschleppt, stumm nach seinem Schmerzschrei, die Schwarzen ziehen ab, es bleiben die betretenen Andorraner, und wir sehen, wie sie sich abfinden, eben mit dem ungeheuerlichen Satz: Das mit dem Finger ging zu weit! Das ist es doch; die Meldung, daß fünf Millionen vergast worden sind, erträgt fast jedermann, aber nicht die Grausamkeit am kleinen Finger, die für alles steht. [40]

III Die Wirkung

Die Quintessenz: die Schuldigen sind sich keiner Schuld bewußt, werden nicht bestraft, sie haben nichts Kriminelles getan. Ich möchte keinen Hoffnungsstrahl am Ende, ich möchte vielmehr mit diesem Schrecken, ich möchte mit dem Schrei enden, wie skandalös Menschen mit Menschen umgehen.

Die Schuldigen sitzen ja im Parkett. Sie, die sagen, daß sie es nicht gewollt haben. Sie, die schuldig wurden, sich aber nicht mitschuldig fühlen. Sie sollen erschrecken, sie sollen, wenn sie das Stück gesehen haben, nachts wachliegen.

Die Mitschuldigen sind überall. [41]

[Prozesse der Bewußtseinsklärung einleiten] tut es [das Theater] schon, das unbedingt. Das würde ich auch von meinen Stücken zum Teil denken. Auch vom *Andorra*-Stück: Das ist für viele Zuschauer doch, wenn auch ein Anfängerkurs, aber doch ein Kurs gewesen in der Beschäftigung mit dem Phänomen Vorurteil, Massenvorurteil – das hat wohl schon ein gewisses Bewußtsein geschärft. Was nun diese Leute mit dem Bewußtsein machen – aktiv politisch in ihrem Leben – das ist schwer abzuschätzen. [55]

Auch wenn das in Schulen gelesen wird, ohne daß man sich allzuviel davon verspricht, glaube ich doch, daß einigen Schülern etwas aufgeht, nicht nur im Zusammenhang mit der düstersten Seite der deutschen Geschichte in diesem Jahrhundert; die Schüler verstehen das auch an anderen Modellen: In der Klasse ist einer der outcast, der Jude, der Sündenbock – dieser Mechanismus spielt immer. Daß man diesen Mechanismus einmal theatralisch möglichst durchsichtig durchführt, hat einen Zweck. [43]

Das ist ein Optimismus, den ich nicht habe. [. . .] Es ist dort [in *Andorra*] der Rassismus als ein allerdings umfänglicheres Phänomen herangezogen worden, sehr lapidar, klar, schultheaterhaft, wie immer wir dazu stehen; und was nachher erfolgte – das Stück wird in den Schulen gelesen, es gab nicht nur Aufführungen, es ist einigermaßen bekannt geworden – war die völlige Hilflosigkeit in der Gastarbeiterfrage und die zum Teil (wenn auch nicht nur) rassistischen Reflexe darauf. Der Gegenbeweis, daß da etwas gelehrt wurde, das eine Wirkung gezeitigt und Früchte getragen hat, wäre damit widerlegt. [44]

IV Unbehagen an der Parabel

Gewisse Einflüsse Brechts sind sicher da, z. B. *Biedermann* steht unter seinem Einfluß, *Andorra* steht unter seinem Einfluß, rein stilistisch. [45]

Im direkt brechtischen Sinne kommt es [das Verfremdungsverfahren] zweifellos vor [. . .] im *Andorra*-Stück durch das Vortreten der einzelnen Protagonisten, die zwar keinen Song haben, aber Statements von sich geben – da ist ganz sicher, daß ich das von Brecht übernommen habe. [46]

In *Andorra* the parable goes so far as to set up Antisemitism as an example only – »only« of course being a strange word in relation to the tragedy which in this century is connected with it. But it is not a play about antisemitism: the latter is used as an exemplary motive, yet the spectator tends to focus on antisemitism as topic (at least in those countries where it exists). When the play was performed in South America, the accent was placed differently. The outcast, the scapegoat, was identified there with the leftist minority – again, an example of how the parable can be easily applied in different ways. [47]

Biedermann und *Andorra* sind Parabeln. [. . .] Das Verfahren der Parabel: Realität wird nicht auf der Bühne imitiert, sondern kommt uns zum Bewußtsein durch den ›Sinn‹, den das Spiel ihr verleiht; die Szenen selbst geben sich offenkundig als ungeschichtlich, als Beispiel fingiert, als Modell und somit aus Kunst-Stoff. [48]

Biedermann und die Brandstifter sowie *Andorra* haben sich vor dem Imitiertheater zu retten versucht in die Parabel. Ein erprobtes Verfahren nicht erst seit Brecht. Sinn-Spiel: Realität, die gemeint ist, wird nicht auf der Bühne imitiert, sie kommt uns zum Bewußtsein lediglich durch den Sinn, den das Spiel produziert; [. . .] Das verleitet kaum zur Imitation von barem Leben, oder wenn's der Schauspieler trotzdem nicht lassen kann, widerlegt ihn der *Chor* oder der *Song* oder eine andere Art von Intermezzo, das abstrahiert. Das geht; das hat nur einen Nachteil: die Parabel strapaziert den Sinn, das Spiel tendiert zum Quod-erat-demonstrandum. [. . .] Die Parabel impliziert Lehre – auch wenn es mir nicht um eine Lehre geht und vielleicht nie in erster Linie darum gegangen ist. Daher das Unbehagen in der Parabel. Und daher die Suche nach einem anderen Verfahren. [49]

Ich bin froh, daß ich [. . .] [*Andorra*] geschrieben habe, ich bin froh, daß es sehr viel aufgeführt worden ist – ich habe nicht allzu viele Aufführungen gesehen. Es ist nicht so, daß ich es mir jetzt noch sehr gerne anschauen würde; es ist mir zu durchsichtig [. . .]; aber dann [wenn es nicht durchsichtig wäre,] wäre es vielleicht nicht mehr wirkungsvoll [. . .] Es ist mir nicht geheimnisvoll genug, für mich selber. [50]

Nachweise zu den Zitaten:
Rolf Kieser. *Max Frisch. Das literarische Tagebuch.* Frauenfeld: Huber 1975. – [47]: S. 2.
Walter Schenker (vgl. i. d. B. die *Kommentierte Bibliographie*). – [10]: S. 31.
Heinz Ludwig Arnold. »Gespräch mit Max Frisch.« In: H. L. A. *Gespräche mit Schriftstellern.* Beck'sche Schwarze Reihe 134. München: Beck 1975, S. 9-73. – [42]: S. 37; [43]: S. 38; [45]: S. 26; [46]: S. 26; [50]: S. 38.

Peter André Bloch u. Rudolf Bussmann. »Gespräch mit Max Frisch.« In: P. A. B. u. Edwin Hubacher (Hg.). *Der Schriftsteller in unserer Zeit. Schweizer Autoren bestimmen ihre Rolle in der Gesellschaft.* Bern: Francke 1972. S. 17-35. – [44]: S. 21.

Werner Koch. »Selbstanzeige. Max Frisch im Gespräch.« Köln, Westdeutsches Fernsehen, Sendung v. 15. 10. 1970. – [9].

Gespräch mit Nöhbauer (vgl. i. d. B. die *Kommentierte Bibliographie*). – [3].

Gespräch mit Riess (vgl. i. d. B. die *Kommentierte Bibliographie*). – [5]; [6]; [41].

Gespräch mit von Wiese (vgl. i. d. B. die *Kommentierte Bibliographie*). – [2]; [8].

Dieter E. Zimmer. »Noch einmal anfangen können. Ein Gespräch mit Max Frisch.« *Die Zeit* v. 22. 12. 1967. – [48].

Max Frisch. Theaterprobleme. Unv. Vortrag 1967. – [49].

Max Frisch. Brief an das Lektorat des Suhrkamp Verlages v. 10. 1. 1961. – [1]; [11]; [12]; [13]; [27]; [31].

Max Frisch. Brief an George Tabori v. 25./26. 10. 1962. – [4]; [14]; [26]; [28]; [30]; [32] – [40].

III. Zum Thema »Vorurteil«

Max Frisch »Du sollst dir kein Bildnis machen.«
Aus dem *Tagebuch 1946-1949*

Du sollst dir kein Bildnis machen

Es ist bemerkenswert, daß wir gerade von dem Menschen, den wir lieben am mindesten aussagen können, wie er sei. Wir lieben ihn einfach. Eben darin besteht ja die Liebe, das Wunderbare an der Liebe, daß sie uns in der Schwebe des Lebendigen hält, in der Bereitschaft, einem Menschen zu folgen in allen seinen möglichen Entfaltungen. Wir wissen, daß jeder Mensch, wenn man ihn liebt, sich wie verwandelt fühlt, wie entfaltet, und daß auch dem Liebenden sich alles entfaltet, das Nächste, das lange Bekannte. Vieles sieht er wie zum ersten Male. Die Liebe befreit es aus jeglichem Bildnis. Das ist das Erregende, das Abenteuerliche, das eigentlich Spannende, daß wir mit den Menschen, die wir lieben, nicht fertig werden: weil wir sie lieben; solang wir sie lieben. Man höre bloß die Dichter, wenn sie lieben; sie tappen nach Dingen im All, nach Blumen und Tieren, nach Wolken, nach Sternen und Meeren. Warum? So wie das All, wie Gottes unerschöpfliche Geräumigkeit, schrankenlos, alles Möglichen voll, aller Geheimnisse voll, unfaßbar ist der Mensch, den man liebt –

Nur die Liebe erträgt ihn so.

Warum reisen wir?

Auch dies, damit wir Menschen begegnen, die nicht meinen, daß sie uns kennen ein für allemal; damit wir noch einmal erfahren, was uns in diesem Leben möglich sei –

Es ist ohnehin schon wenig genug.

Unsere Meinung, daß wir das andere kennen, ist das Ende der Liebe, jedesmal, aber Ursache und Wirkung liegen vielleicht anders, als wir anzunehmen versucht sind – nicht weil wir das andere kennen, geht unsere Liebe zu Ende, sondern umgekehrt: weil unsere Liebe zu Ende geht, weil ihre Kraft sich erschöpft hat, darum ist der Mensch fertig für uns. Er muß es sein. Wir können nicht mehr! Wir künden ihm die Bereitschaft, auf weitere Verwandlungen einzugehen. Wir verweigern ihm den Anspruch alles Lebendigen, das unfaßbar bleibt, und zugleich sind wir verwundert und enttäuscht, daß unser Verhältnis nicht mehr lebendig sei.

»Du bist nicht«, sagt der Enttäuschte oder die Enttäuschte, »wofür ich dich gehalten habe.«

Und wofür hat man sich denn gehalten?

Für ein Geheimnis, das der Mensch ja immerhin ist, ein erregendes Rätsel, das auszuhalten wir müde geworden sind. Man macht sich ein Bildnis. Das ist das Lieblose, der Verrat. [1]

Kassandra, die Ahnungsvolle, die scheinbar Warnende und nutzlos Warnende, ist sie immer ganz unschuldig an dem Unheil, das sie vorausklagt?

Dessen Bildnis sie entwirft.

Irgendeine fixe Meinung unserer Freunde, unserer Eltern, unserer Erzieher, auch sie lastet auf manchem wie ein altes Orakel. Ein halbes Leben steht unter der heimlichen Frage: Erfüllt es sich oder erfüllt es sich nicht. Mindestens die Frage ist uns auf die Stirne gebrannt, und man wird ein Orakel nicht los, bis man es zur Erfüllung bringt. Dabei muß es sich durchaus nicht im geraden Sinn erfüllen; auch im Widerspruch zeigt sich der Einfluß, darin, daß man nicht so sein will, wie der andere uns einschätzt. Man wird das Gegenteil, aber man wird es durch den andern. [2]

In gewissem Grad sind wir wirklich das Wesen, das die andern in uns hineinsehen, Freunde wie Feinde. Und umgekehrt! auch wir sind die Verfasser der andern; wir sind auf eine heimliche und unentrinnbare Weise verantwortlich für das Gesicht, das sie uns zeigen, verantwortlich nicht für ihre Anlage, aber für die Ausschöpfung dieser Anlage. Wir sind es, die dem Freunde, dessen Erstarrtsein uns bemüht, im Wege stehen, und zwar dadurch, daß unsere Meinung, er sei erstarrt, ein weiteres Glied in jener Kette ist, die ihn fesselt und langsam erwürgt. Wir wünschen ihm, daß er sich wandle, o ja, wir wünschen es ganzen Völkern! Aber darum sind wir noch lange nicht bereit, unsere Vorstellung von ihnen aufzugeben. Wir selbst sind die letzten, die sie verwandeln. Wir halten uns für den Spiegel und ahnen nur selten, wie sehr der andere seinerseits eben der Spiegel unsres erstarrten Menschenbildes ist, unser Erzeugnis, unser Opfer – [3]

Was mich an dem Fall [der »Geschichte aus der Russenzeit«, die den Stoff des Schauspiels *Als der Krieg zu Ende war* abgab] fesselt:

Daß er eine Ausnahme darstellt, ein Besonderes, einen lebendigen Widerspruch gegen die Regel, gegen das Vorurteil. Alles Menschliche erscheint als ein Besonderes. Überwindung des Vorurteils; die einzig mögliche Überwindung in der Liebe, die sich kein Bildnis macht. In diesem besonderen Fall: erleichtert durch das Fehlen einer Sprache. Es wäre kaum möglich gewesen, wenn sie sich sprachlich hätten begegnen können und müssen. Sprache als Gefäß des Vorurteils! Sie, die uns verbinden könnte, ist zum Gegenteil geworden, zur tödlichen Trennung durch Vorurteil. Sprache und Lüge! Das ungeheure Paradoxon, daß man sich ohne Sprache näherkommt. Und wichtig scheint mir auch, daß es eine Frau ist, die diese rettende Überwindung schafft; die Frau: konkreter erlebend, eher imstande, einen einzelnen Menschen als solchen anzunehmen und ihn nicht unter einer Schablone zu begraben. Sie geht zu einem Russen, einem Feind, sie hat bereits eine Waffe unter ihrem Kleid, aber da sie einander nicht verstehen können, sind sie gezwungen, einander anzusehen, und sie ist imstande, wirklich zu sehen, den einzelnen Menschen zu sehen, wirklich zu werden, ein Mensch zu sein gegen eine Welt, die auf Schablonen verhext ist, gegen eine Zeit, deren Sprache heillos geworden ist, keine menschliche Sprache, sondern eine Sprache der Sender und eine Sprache der Zeitungen, eine Sprache, die hinter dem tierischen Stummsein zurückbleibt. [4]

(Nachweise zu den Zitaten: GW II. S. 347-755. – [1]: S. 369-370; [2]: S. 370-371; [3]: S. 371; [4]: S. 536-537.)

Bertolt Brecht
Über das Anfertigen von Bildnissen

Der Mensch macht sich von den Dingen, mit denen er in
Berührung kommt und auskommen muß, Bilder, kleine Modelle, die ihm verraten, wie sie funktionieren. Solche Bildnisse
macht er sich auch von Menschen: Aus ihrem Verhalten in
gewissen Situationen, das er beobachtet hat, schließt er auf
bestimmtes Verhalten in anderen, zukünftigen Situationen.
Der Wunsch, dieses Verhalten vorausbestimmen zu können,
bestimmt ihn gerade zu dem Entwerfen solcher Bildnisse. Den
fertigen Bildnissen gehören also auch solche Verhaltensarten
des Mitmenschen an, die nur vorgestellte, erschlossene (nicht
beobachtete), vermutliche Verhaltensarten sind. Dies führt oft
zu falschen Bildern und auf Grund dieser falschen Bilder zu
falschem eigenen Verhalten, um so mehr, als sich alles nicht
ganz bewußt abspielt. Es entstehen Illusionen, die Mitmenschen enttäuschen, ihre Bildnisse werden undeutlich; zusammen mit den nur vorgestellten Verhaltensarten werden auch
die wirklich wahrgenommenen undeutlich und unglaubhaft;
ihre Behandlung wird unverhältnismäßig schwierig. Ist es also
falsch, aus den wahrgenommenen Verhaltensarten auf vermutliche zu schließen? Kommt nur alles darauf an, richtiges
Schließen zu lernen? Es kommt viel darauf an, richtiges Schließen zu lernen, aber dies genügt nicht. Es genügt nicht, weil die
Menschen nicht ebenso fertig sind wie die Bildnisse, die man
von ihnen macht und die man also auch besser nie ganz
fertigmachen sollte. Außerdem muß man aber auch sorgen,
daß die Bildnisse nicht nur den Mitmenschen, sondern auch
die Mitmenschen den Bildnissen gleichen. Nicht nur das
Bildnis eines Menschen muß geändert werden, wenn der
Mensch sich ändert, sondern auch der Mensch kann geändert
werden, wenn man ihm ein gutes Bildnis vorhält. Wenn man
den Menschen liebt, kann man aus seinen beobachteten Verhaltensarten und der Kenntnis seiner Lage solche Verhaltensarten für ihn ableiten, die für ihn gut sind. Man kann dies
ebenso wie er selber. Aus den vermutlichen Verhaltensarten
werden so wünschbare. Zu der Lage, die sein Verhalten

bestimmt, zählt sich plötzlich der Beobachter selber. Der Beobachter muß also dem Beobachteten ein gutes Bildnis schenken, das er von ihm gemacht hat. Er kann Verhaltensarten einfügen, die der andere selber gar nicht fände, diese zugeschobenen Verhaltensarten bleiben aber keine Illusionen des Beobachters; sie werden zu Wirklichkeiten: Das Bildnis ist produktiv geworden, es kann den Abgebildeten verändern, es enthält (ausführbare) Vorschläge. Solch ein Bildnis machen heißt lieben.

(Aus: Bertolt Brecht, GW Bd. 20, S. 168 ff.)

Gordon W. Allport
Stereotyp und Vorurteil

Ob günstig oder ungünstig, *ein Stereotyp ist eine überstarke Überzeugung, die mit einer Kategorie verbunden ist. Sie dient zur Rechtfertigung (Rationalisierung) unseres diese Kategorie betreffenden Verhaltens.*

[...] Kategorie, kognitive Struktur, linguistisches Etikett und Stereotyp sind alle verschiedene Aspekte eines komplexen geistigen Prozesses.

Vor mehr als einer Generation schrieb Walter Lippmann über Stereotype; er nannte sie einfach »Bilder in unseren Köpfen«. Die Einführung dieses Begriffes in die moderne Sozialpsychologie ist Walter Lippmanns Verdienst.[1] So ausgezeichnet seine Abhandlung war, seine Beschreibungen waren in der Theorie etwas unbestimmt. Er neigt zu einer Verwechslung von Stereotyp und Kategorie.

Ein Stereotyp ist aber nicht identisch mit einer Kategorie; es ist mehr eine feste Vorstellung, die eine Kategorie begleitet. So kann zum Beispiel die Kategorie »Neger« einfach als ein neutraler, tatsächlicher wertfreier Begriff aufgefaßt werden und einen rassischen Stamm meinen. Zum Stereotyp kommt es, wenn zur ursprünglichen Kategorie »Bilder« und Urteile hinzutreten. Neger seien musikalisch, faul, abergläubisch und was sonst immer.

Ein Stereotyp ist keine Kategorie, sondern eher ein festes Merkzeichen an der Kategorie. Sage ich: »Alle Rechtsanwälte sind Rechtsverdreher«, so äußere ich eine stereotypisierte Verallgemeinerung über eine Kategorie. Das Stereotyp bildet nicht den Kern des Begriffes, aber es wirkt in einer Weise, daß es differenziertes Denken über den Begriff verhindert.

Das Stereotyp wirkt in zweierlei Weise: als Entwurf zur Rechtfertigung für kategorische Annahme oder Ablehnung einer Gruppe und als Prüfungs- oder Auswahlentwurf, um Denken und Wahrnehmen einfach zu halten.

Wieder müssen wir auf das komplizierte Problem von echten Gruppeneigenschaften hinweisen. Ein Stereotyp braucht nicht völlig falsch zu sein. Wenn wir von Iren annehmen, daß sie eher zu Alkoholismus neigen als etwa Juden, so haben wir nach den Regeln der Wahrscheinlichkeit eine richtige Feststellung gemacht. Doch wenn wir, wie manche Leute, sagen: »Juden trinken nicht« und »Iren sind dem Whisky verfallen«, so übertreiben wir offensichtlich die Tatsachen und bauen ein ungerechtfertigtes Stereotyp auf. Wir können aber zwischen einer gültigen Verallgemeinerung und einem Stereotyp nur unterscheiden, wenn wir verläßliche Daten über das Vorkommen von echten Gruppeneigenschaften (oder ihre Wahrscheinlichkeit) haben. [1]

Das (englische) Wort *prejudice* ist von dem lateinischen Substantiv *praejudicium* abgeleitet und hat seit der Antike wie die meisten Wörter einen Bedeutungswandel erfahren, der in drei Schritten vor sich ging.[2]

1. Für die Alten bedeutete *praejudicium* das, was *vorausgeht* (praecedens), ein Urteil, das auf vorangegangenen Erfahrungen und Entscheidungen basiert.

2. Später nahm, im Englischen, das Wort die Bedeutung eines Urteils an, das vor genauer Prüfung und Berücksichtigung der Tatsachen gefällt wird – ein vorschnelles oder hastiges Urteil.

3. Schließlich gewann der Begriff noch die gegenwärtige gefühlsbetonte Bedeutung des Günstigen oder Ungünstigen dazu, die das vorschnelle und unbegründete Urteil begleitet.

Vielleicht lautet die kürzeste aller Definitionen des Vorurteils: *Von anderen ohne ausreichende Begründung schlecht denken.*[3] Diese knappe Formulierung enthält die beiden wesentlichen Elemente aller einschlägigen Definitionen: den Hinweis auf die Unbegründetheit des Urteils und auf den Gefühlston. Er ist jedoch für völlige Klarheit zu kurz.

Zuerst einmal bezieht sich diese Formulierung auf das *negative* Vorurteil. Aber manche Leute haben auch positive Vorurteile über andere. Sie denken *gut* von anderen ohne ausreichende Begründung. Das *New English Dictionary* bietet in seiner Definition sowohl positives wie negatives Vorurteil an:

Ein zustimmendes oder ablehnendes Gefühl gegenüber einer Person oder Sache, das der tatsächlichen Erfahrung vorausgeht, nicht auf ihr gründet.

Es ist sicher wichtig zu berücksichtigen, daß Voreingenommenheit sowohl *für* wie *gegen* etwas sein kann, aber das *ethnische* Vorurteil ist zumeist negativ.[4] Eine Gruppe von Studenten wurde aufgefordert, ihre Einstellungen zu bestimmten ethnischen Gruppen zu beschreiben. Dabei wurde keinerlei Hinweis gegeben, der sie zu negativen Äußerungen veranlassen konnte. Trotzdem gaben die Studenten achtmal soviel negative Einstellungen zu Protokoll wie positive. Entsprechend werden wir uns [. . .] mehr mit Voreingenommenheit *gegen* ethnische Gruppen beschäftigen als mit begünstigenden Vorurteilen.

Die Redewendung »schlecht von anderen denken« ist offensichtlich eine Abkürzung. An sich umgreift sie Gefühle der Verachtung und Mißbilligung, der Angst und Ablehnung sowie auch die verschiedensten Formen von ablehnendem Verhalten wie: über andere schlecht reden, sie diskriminieren, sie mit Gewalt angreifen.

Auch die Redewendung »ohne ausreichende Begründung« müssen wir weiter fassen. Ein Urteil ist immer dann unbegründet, wenn ihm die Grundlage der Tatsachen fehlt. Ein witziger Kopf definierte Vorurteile als »etwas heruntermachen, über das man nicht auf der Höhe ist«.

Nun ist es nicht leicht zu sagen, wie viele Tatsachen nötig sind, um ein Urteil zu rechtfertigen. Ein voreingenommener Mensch wird fast immer behaupten, daß er genügend Beweise für seine Ansichten hat. Er wird von den schlechten Erfahrungen berichten, die er mit Flüchtlingen, Katholiken oder Orientalen gemacht hat. Aber in den meisten Fällen sind die Tatsachen dürftig und an den Haaren herbeigezogen. Der Voreingenommene bedient sich einer Auswahl von wenigen eigenen Erinnerungen, mischt sie mit dem, was er nur gehört hat, und verallgemeinert beides sehr großzügig. Niemand kann alle Flüchtlinge, Katholiken oder Orientalen kennen. Insofern ist jedes negative Urteil über diese Gruppen *als ganze* – strenggenommen – immer ein Beispiel für schlecht über jemand denken ohne ausreichende Begründung.

Manchmal hat derjenige, der schlecht von anderen denkt, überhaupt keine eigenen Erfahrungen, auf die er sein Urteil gründen kann. [. . .]

Gewöhnlich äußert sich das Vorurteil im Umgang mit einzelnen Mitgliedern der abgelehnten Gruppen. Wenn wir einen

Neger als Nachbar meiden oder »Mr. Greenbergs« Zimmerreservierung ablehnen, passen wir unser Handeln einer kategorialen Verallgemeinerung gegen eine Gruppe als ganze an. Wir kümmern uns wenig oder gar nicht um individuelle Unterschiede, und wir übersehen die wichtige Tatsache, daß der Neger X, unser Nachbar, nicht der Neger Y ist, den wir aus guten und hinreichenden Gründen ablehnen, und daß Mr. Greenberg, der ein netter Herr sein mag, nicht Mr. Bloom ist, den wir vielleicht aus guten Gründen nicht leiden mögen.

So allgemein ist dieser Vorgang, daß wir Vorurteil auch so definieren könnten: eine ablehnende oder feindselige Haltung gegen eine Person, die zu einer Gruppe gehört, einfach deswegen, weil sie zu dieser Gruppe gehört und deshalb dieselben zu beanstandenden Eigenschaften haben soll, die man dieser Gruppe zuschreibt.

Diese Definition betont die Tatsache, daß das ethnische Vorurteil, wenn es auch im alltäglichen Umgang mit einzelnen Leuten eine Rolle spielt, doch immer auch eine unbegründete Vorstellung von einer Gruppe als ganzer umfaßt.

Wenn wir zur Frage der »ausreichenden Begründung« zurückkehren, dann müssen wir zugeben, daß nur wenige, wenn überhaupt, einige menschliche Urteile auf absolute Sicherheit gegründet sind. Wir können nur sehr bestimmt, aber nicht absolut sicher sein, daß morgen die Sonne aufgehen wird und daß Mühsal und Tod uns am Ende überwältigen werden. Die ausreichende Begründung für jedes Urteil ist immer eine Frage der Wahrscheinlichkeit. Meistens gründen sich unsere Urteile über Naturereignisse auf sichere und höhere Wahrscheinlichkeiten als unsere Urteile über Menschen. Nur selten haben unsere Urteile über Nationen oder ethnische Gruppen eine Fundierung hoher Wahrscheinlichkeit.

Nehmen wir die feindselige Einstellung gegen Nazi-Führer, die die meisten Amerikaner während des Zweiten Weltkrieges hatten. War das ein Vorurteil? Die Antwort lautet nein; denn es gab genügend verfügbares Beweismaterial über die üble Politik und üblen Maßnahmen, die von der Partei als offizielles Programm angenommen worden waren. Sicher mögen auch in der Partei gute einzelne gewesen sein, die das abscheuliche Programm ablehnten; aber die Wahrscheinlichkeit war so hoch, daß die Gruppe der Nazis tatsächlich eine Bedrohung des Weltfriedens und der menschlichen Werte darstellte, daß ein realistischer und berechtigter Konflikt entstand. Die hohe Wahrscheinlichkeit einer Gefahr verwandelt einen Antagonismus von einem Vorurteil in einen realistischen sozialen Konflikt.

[. . .]

[Indessen] jemanden abzulehnen, weil er vorbestraft ist, hat [zwar] eine gewisse Wahrscheinlichkeit für sich, denn manche Kriminelle werden nie wirklich resozialisiert; aber es liegt auch ein Element unbegründeter Voreingenommenheit darin. Wir haben hier einen echten Grenzfall.

Es besteht gar keine Hoffnung, daß es uns gelingt, eine scharfe Trennungslinie zwischen »ausreichender« und »unzureichender« Begründung zu ziehen. Deshalb können wir auch nie völlig sicher sein, ob wir es mit einem Fall von Vorurteil oder Nichtvorurteil zu tun haben. Aber keiner wird leugnen, daß wir oft Urteile bilden, die auf nur dürftigen oder nichtexistierenden Wahrscheinlichkeiten gründen.

Überkategorisierung ist ein weitverbreiteter Trick des menschlichen Geistes. Aus einem Fingerhut voll Tatsachen machen wir eilig eine Verallgemeinerung, so groß wie eine Badewanne. [. . .]

Diese Neigung hat eine natürliche Begründung. Unser Leben ist so kurz, und die Forderung nach angepaßtem Handeln ist so groß, daß wir uns im täglichen Umgang nicht durch unsere Unwissenheit stören lassen dürfen. Wir müssen nach Klassen entscheiden, was für uns gut oder schlecht ist. Wir können nicht jeden Gegenstand dieser Welt im einzelnen prüfen. Grobe und handliche Einteilungen müssen genügen, so roh und vage sie auch sein mögen.

Nicht jede übertriebene Verallgemeinerung ist ein Vorurteil. Manche sind Mißverständnisse, in denen Informationen falsch geordnet worden sind. [. . .]

Hier haben wir einen Test, der uns hilft, zwischen gewöhnlichen Urteilsfehlern und echtem Vorurteil zu unterscheiden. Wenn ein Mensch in der Lage ist, unter dem Eindruck von neuen Beweisen seine irrigen Urteile zu berichtigen, dann hatte er keine echten Vorurteile. *Voreingenommenheiten sind nur dann Vorurteile, wenn sie angesichts neuer Informationen nicht geändert werden können.* Anders als ein einfaches Mißverständnis widersteht ein Vorurteil hartnäckig allem Beweismaterial, das es widerlegen kann. Wenn einem Vorurteil Widerlegung droht, neigen wir dazu, mit Affekten zu reagieren. So besteht der Unterschied zwischen einer einfachen Voreingenommenheit und einem Vorurteil darin, daß man eine Voreingenommenheit ohne gefühlsmäßigen Widerstand diskutieren und berichtigen kann.

Wenn wir all diese verschiedenen Überlegungen zusammennehmen, so können wir jetzt eine endgültige Definition des ethnischen Vorurteils formulieren [. . .] Jeder Teil dieser Definition stellt eine Zusammenfassung der Punkte dar, die wir diskutiert haben: Ein ethnisches Vorurteil ist eine Antipathie, die sich auf eine fehlerhafte und starre Verallgemeinerung gründet. Sie kann ausgedrückt oder auch nur gefühlt werden. Sie kann sich gegen eine Gruppe als ganze richten oder gegen ein Individuum, weil es Mitglied einer solchen Gruppe ist.

Die Wirkung eines so definierten Vorurteils besteht darin, daß es den Gegenstand des Vorurteils in eine ungünstige Situation bringt, die er sich nicht durch sein eigenes schlechtes Verhalten verdient hat.

Die Wirkung des so definierten Vorurteils läuft faktisch darauf hinaus, daß der Gegenstand des Vorurteils in eine ungünstige Lage gebracht wird, die er nicht selber verschuldet hat. [II]

Anmerkungen

1 W. Lippmann, *Public Opinion*, New York: Harcourt, Brace 1922.

2 Vgl. *A new English Dictionary* (Sir James A. H. Murray, Hg.), Oxford: Clarendon Press 1909, Bd. VIII, Teil II, S. 1275.

3 Diese Definition ist von den Thomistischen Moralisten hergeleitet, die das Vorurteil für ein »vorschnelles Urteil« halten. Der Autor ist Rev. J. H. Fichter, S. J., zu Dank verpflichtet, daß er ihn darauf aufmerksam gemacht hat. Die Definition wird ausführlicher behandelt bei Rev. John LaFarge, S. J., in: The Race Question and the Negro, New York: Longmans, Green 1945, S. 174 ff.

4 Auch die neuere Vorurteil-Literatur behandelt vorwiegend das negative Vorurteil, wenngleich in Definitionen das positive einbezogen wird; vgl. hierzu Klineberg, O.: Prejudice – The concept, in: *International Encyclopedia of the Social Sciences*, Bd. 12, 1968, S. 439-448. [Anm. v. C. F. Graumann].

(Aus: Gordon W. Allport, Die Natur des Vorurteils, [1954], hg. u. kommentiert v. Carl Friedrich Graumann, Köln: Kiepenheuer & Witsch 1971 [I]: S. 200-201; [II]: S. 20-23)

IV. Fragen und Feststellungen

Henning Rischbieter
Andorra, der gnadenlose Ort

Andorra ist ein strenges, ein karges Stück. Es kennt keine Farben, sondern nur Schwarz und Weiß. Am Anfang »weißelt« das Mädchen Barblin das Haus ihres Vaters, des Lehrers. Der Soldat, auf Urlaub, geil, sieht ihr zu. Seiner Zudringlichkeit setzt sie entgegen: »Ich bin verlobt.« Er: »Von Ringlein seh ich aber nix.« (Wo haben wir das schon gehört? Das Ringlein? Ich seh nix? Den knappen bündigen Tonfall, geformte Volkssprache? Bei Büchner, im *Woyzeck*.) Der Pater, sein Rad schiebend, kommt dazu. »Wir werden ein weißes Andorra haben ... wenn bloß kein Platzregen kommt über Nacht.« Barblin fragt, ob nicht die Schwarzen da drüben, im anderen Land, neidisch seien auf die weißen Häuser der Andorraner, ob sie nicht mit Panzern kämen? Der Pater: »Wer unsren Roggen will, der muß ihn mit der Sichel holen ...« Wendet solche Spruchweisheit die Gefahr ab? Der Pater: »Kein Mensch verfolgt euren Andri.« Barblin horcht auf, als der Name ihres Pflegebruders, des jungen Juden, fällt. »Noch hat man eurem Andri kein Haar gekrümmt.« Oh, verräterisches noch! Barblin fragt weiter und nimmt fragend, jetzt gleich zu Anfang, den schlimmen Lauf des Stückes vorweg: »Ist's wahr, Hochwürden, was die Leut sagen? Sie sagen: Wenn einmal die Schwarzen kommen, dann wird jeder, der Jud ist, auf der Stelle geholt. Man bindet ihn an einen Pfahl, sagen sie, man schießt ihn ins Genick ... Und wenn er eine Braut hat, die wird geschoren ...« So, ganz so, wird's sein.

Aber bevor die Schwarzen Andri erschießen und Barblin scheren, hat es der Junge mit den Andorranern zu tun. Die sind gemütliche, durchschnittliche Leute, von durchschnittlicher Trägheit der Hirne und Herzen. Der Tischler will Andri nur für ein Sündengeld, für 50 Pfund, in die Lehre nehmen, der Wirt knöpft Andris Pflegevater, dem Lehrer, für einen Acker gerade die 50 Pfund ab, die der für den Lehrherrn braucht. – Dazu sagt er: »Die Andorraner sind gemütliche Leut, aber wenn es ums Geld geht ... sind sie wie der Jud.«

Andri freut sich, daß er Tischler werden darf und nicht mehr Schankjunge sein muß: »Hier bin ich, Andri. Ich spreche meinen Namen, und er gefällt mir ... so ist Glück.« Glück also ist Einssein, Identität mit sich selbst? Andri wird bald mit sich zerfallen. Der Soldat, gierig nach Barblin, Andris Liebe, drängt auf ihn ein: »Ich bin Soldat, das steht fest, und du bist Jud.« Weiter: »Ein Jud muß sich beliebt machen.« Nachts sitzen Andri und Barblin vor ihrer Kammer. Sie, ihr neunzehnjähriges heißes Blut, verlangt nach ihm. Sie zieht die Bluse aus. »Küß mich.« Andri aber denkt. »Meinesgleichen, sagen sie, hat kein Gefühl.« »Andri, du denkst zuviel!« Er ist nicht lustig, sagt er von sich und fragt, zu oft: »Bist du ganz sicher, Barblin, daß du mich willst?« – Er nimmt sie nicht. Er denkt: ... »das gibt's, Menschen, die verflucht sind ... plötzlich bist du so, wie sie sagen.«

Der Tischlermeister allerdings muß Andri noch zu dem machen, der er in seinen Augen sein soll: Er zerbricht als Andris Stuhl den geschlurten, den der Geselle machte, und beweist damit dem Juden, daß er das Stühlemachen nicht »im Blut« habe. In den Laden soll er, verkaufen. »Für jede Bestellung, die du hereinbringst mit deiner Schnorrerei, verdienst du ein halbes Pfund.« So, als schnorrender Händler, kann er ihn verachten – und nutzen. Überall drängt sich Andri das Bildnis des Juden entgegen, des zerdenkenden, gefühllosen, geldgierigen mit den feuchten Händen. Sie drücken's ihm auf, und selbst der liebreiche, milde, so schwache Pater trägt dazu bei, redet ihm zu, sich als Jude »anzunehmen«. Er weiß nicht, daß er Andri so den Fluch und das Kreuz auferlegt. Er wundert sich: »Andri, du hast etwas Gehetztes.« (Wieder Woyzeck. Zu dem sagt der schwache, milde, verworrene Hauptmann: »Er sieht immer so verhetzt aus, Woyzeck«.) Mit der Liebe ist's aus. Andri verlangte vom Pflegevater Barblin zur Frau, der schlägt's ab. Barblin: »Dann bring ich mich um ... Oder ich geh zu den Soldaten, jawohl.« Jedenfalls wird sie dem Soldaten nicht wehren, als er zu ihr in die Kammer kommt, sie kann nicht gegen ihren Trieb. (Wie Marie, Woyzecks Geliebte, nicht dem Tambourmajor widerstand. Der Soldat in *Andorra* trägt nicht den Tambourstock, doch eine Trommel.) Andri ist nun ganz allein. »Sie kann mich nicht lieben, niemand kann's, ich selber kann mich nicht lieben.« Er nimmt das Zerrbild an, das die andern vom Juden haben. Und auf dem Marktplatz steht schon der Pfahl, daran hängen jetzt der Geselle und die Soldaten das Schild »Jud«.

Inzwischen ist aus dem Lande der Schwarzen die Señora herbeigereist. Das Stück scheint sich zu wenden: Sie ist Andris Mutter, der Lehrer sein richtiger Vater, Barblin seine Schwester. Deshalb versagte sie ihm der Vater. Warum gab er Andri aber als Pflegesohn und als Juden aus? Sein Motiv hat eine Vorder- und Rückseite. Die Vorderseite heißt so: »Ich habe meine Lüge in die Welt gesetzt, um die Welt daran zu entlarven«, oder so: »Ich werde dieses Volk vor seinen Spiegel zwingen, sein Lachen wird ihm gefrieren.« Also wollte er den eigenen Sohn als Prüfstein benutzen, um die dummen, verbrecherischen Vorurteile seiner Landsleute zu entlarven? Nein (oder nicht nur?). Denn die Kehrseite sieht so aus: Das Kind wurde geboren von einer »Schwarzen von drüben«, zu einer Zeit, als die Andorraner eben gefühlvoll aufwallten für die Juden, die von jenen Schwarzen verfolgt wurden. Da war es leichter, sogar rühmlicher, ein Judenkind aufzunehmen, als sich als Vater zum Sohn einer »Schwarzen« zu bekennen.

Das ist Wahrheit. Aber niemand nimmt sie jetzt mehr an – nicht die Andorraner, deren einer die »Schwarze«, die »Spitzelin« aus dem heulenden Mob heraus mit einem Steinwurf erschlägt –, nicht Andri, der ausbricht: »Wie viele Wahrheiten habt ihr? Das könnt ihr nicht machen mit mir.« Er ist längst allein, unerreichbar, er ist mit seiner Sonderlings-, mit seiner Opferrolle identisch. »Meine Trauer erhebt mich über euch alle, mein Blut weiß alles, und ich möchte tot sein . . . Es gibt keine Gnade.« Nein, Gnade gibt es nicht, nur Vollzug. Die Schwarzen kommen, der Soldat führt sie vor Barblins Kammer, sie führen Andri hinweg. Die gräßliche Judenschau wird ins Werk gesetzt, Andri der Finger mit dem Ring der Señora abgehackt, dann ist nur noch sein fast unkenntlicher toter Leib am Pfahl. Der Lehrer hat sich erhängt, Barblin, irre, weißelt: ». . . auf daß wir ein weißes Andorra haben, ihr Mörder.«

Ein unausweichliches Stück, hart, karg. Frisch hat sein Kernthema (mach dir kein Bildnis von irgend etwas Lebendigem, sonst engst du es ein, tötest es) endgültig objektiviert, aus privaten Kümmernissen herausgelöst, in die unerbittliche

Darstellung des gesellschaftlichen Vorgangs Antisemitismus eingebracht. Weiter: Das Stück stellt diesen Vorgang so dar, daß er (Untertitel des Stücks) »ein Modell« wird: Jede Art von gesellschaftlicher Verfehlung, Verfemung, Liquidation des je Besonderen, Ausgesonderten, Individuellen ist mit dargestellt.

Andorra ist, wenn auch ein Modell, so doch ein höchst »konkretes« Stück: ein genau begrenztes, anschauliches, konzentriertes, »dichtes«. Ein Platz, ein Haus, eine Familie, dazu ein paar Figuren aus dem Volk der Andorraner genügen. Alle Aufmerksamkeit ist auf die Fabel und ihren rasend-mörderischen Ablauf gerichtet. Gesellschaftliche Verhaltensweisen werden vorgeführt und im Medium Andri reflektiert. Die Gedanklichkeit des Stückes ragt an keiner Stelle über die Situationen hinaus, aber sie vertieft diese Situationen.

Warum »Andorra«? Nicht der Zwergstaat in den Pyrenäen ist gemeint, sondern jeder Ort auf der Welt. Aber ein südlicher, sinnlich weiß-schwarzer, mit einfachen, anschaulichen Sozialbezügen ist besonders tauglich, den Mechanismus des mörderischen Vorurteils freizulegen. Ein ausgeglühter, kahler Ort, aber kein wesenloser, bloß gedachter.

Frisch hat sich mit *Andorra* als Dramatiker von außerordentlicher Ökonomie erwiesen. Alles ist richtig »gerechnet« in dem Stück. Das Muster (ich deutete es schon an) heißt *Woyzeck*. Um Andri stehen Pater und Soldat, wie um jenen Hauptmann und Tambourmajor. Barblin ist die jüngere Schwester Maries. Auch der Doktor aus Büchners Stück ist da: die »gebildete« Dummheit, die Borniertheit, die sich selbst beschwatzt. Nicht nur in der Figurenkonstellation korrespondieren die Stücke, auch im Sprachgestus manchmal, in der Knappheit, in der nie unsinnlichen Gedanklichkeit. Die Unterschiede allerdings werden deutlich, wenn man Woyzeck selbst, den von Gesichten getriebenen, seiner eigenen Phantasie, seiner Geistes- und Geisterfülle nicht gewachsenen, neben Andri, den knabenhaften Jüngling, den leichten Reinen stellt. Ist er mehr als der Kreuzungspunkt der Widergefühle aller anderen? Er wird mehr, wächst. Er wächst ins Opfer. Das löst ihm die Zunge. Seine Worte haben dann Golgatha-Gewicht.

Doch keine Verwischungen: Andorra ist ein gottloser Ort, pures Diesseits. Der Pater ist »Christ von Beruf«. Max Frisch glaubt, denke ich, nur an den unbekannten Menschen, ihn zu retten, sein freies, geheimes, ungekränktes Wachsen – darum ist das Stück geschrieben. Oder sieht Frisch keine Rettung mehr, nur noch Untergang?

Andorra ist ein gnadenloser Ort. Man funktioniert hier jämmerlich. Und ist nicht der Schullehrer, Andris Vater, der jämmerlichste? Wer ist er? In der Jugend ein Rebell, wie man erfährt, ein Eber, der die Schulbücher zerriß, weil sie unwahr waren. Doch: »Niemand wußte, was er eigentlich wollte«, sagt der Doktor von ihm, und als später die Señora fragt, woher er das Recht nähme, das Leben seines Sohnes aufs Spiel zu setzen, um die Welt zu entlarven, hat er nur zu erwidern: »Was tun die Väter, die ihre Söhne lehren, daß das eigene Volk über allen anderen stehe? Sie setzen nicht nur ihr Leben aufs Spiel, sondern machen sie zu Lügnern und zu Schlächtern. Ich wollte nur das Gegenteil davon.« – Nur das Gegenteil. Zuwenig? Hier jedenfalls setzt die letzte, die rücksichtsloseste Befremdung des Stückes ein: So sehr ist jeder Mensch allein zu sich selbst und so sehr weit von den anderen, so weit jenseits der Bildnisse, daß auch das Bildnis des Vaters vom Sohne nichts taugt. Die Señora sagt: »Ich wollte immer, ich hätte Vater und Mutter nicht gekannt. Kein Mensch, wenn er die Welt sieht, die sie ihm hinterlassen, versteht seine Eltern.« Wer hinterließ uns unsere Welt, wer hinterließ uns Andorra? Die Eltern, die Nazis, die Stalinisten, die Türken, die die Armenier schlachteten, die Südstaatler, die Neger lynchten, die Inquisition? Wer auch immer: Unsere Welt hat Teil an Andorra. So wie Andorra darf unsere Welt nicht bleiben.

(Aus: »Theater heute«, Heft 12, 1961, S. 5 f.)

Rudolf Walter Leonhardt
Wo liegt Andorra?

Es geschah am Ende vergangener Woche, daß ein Schauspiel zum ersten Male gleichzeitig über drei große deutsche Bühnen ging (in München, in Frankfurt und in Düsseldorf), welches uns Deutsche des Jahres 1962 mehr angeht als irgend etwas, was bisher auf deutschen Bühnen zu sehen war – neben, vielleicht, der *Zeit der Schuldlosen* von Siegfried Lenz.

Wer sich Zeitungen vom darauffolgenden Montag angesehen hat, konnte nur schwer den Eindruck gewinnen, daß der 20. Januar 1962 in die deutsche Theatergeschichte eingehen wird. Es war schlimm. Und dort, wo es sich am umfassendsten, tiefstbohrenden, »akademischsten« gab, war es am schlimmsten.

Wie alles, alles in nebuloses Geschwätz aufgelöst wurde! Erfreulichste Ausnahme: die *Süddeutsche Zeitung,* wo wenigstens der Münchener Aufführung (durch Dr. Joachim Kaiser) Gerechtigkeit widerfuhr.

Max Frisch versichert in einer einleitenden Bemerkung zu seinem Stück *Andorra,* von dem hier die Rede ist, es sei nicht das wirkliche Andorra gemeint. Als ob irgend jemand den glücklichen Zwergstaat zwischen Spanien und Frankreich jenes rücksichtslosen Antisemitismus verdächtigen könnte, der eben doch und trotz allen Verharmlosungsversuchen (nur ein »Modellfall«) Hauptthema des Stückes ist! Das historische Modell für *Andorra* ist Deutschland.

Inhalt des Stückes: Ein Jude, wird, stellvertretend, im buchstäblichen Sinne »planmäßig« von den »Andorranern« zu Tode gequält. Der Zuschauer erfährt freilich bald: dieser Andri war gar nicht wirklich ein Jude. Manche Kritiker legen erstaunlich viel Gewicht gerade darauf – und können dann abschwirren in abstraktere Betrachtungen darüber, wie verwerflich doch »Vorurteile« jeder Art seien.

Wir können, wir wollen es niemandem so leicht machen. Das Stück gibt es jetzt. Und wer es auch dann, wenn andere Theater dem Zürcher, Münchener, Frankfurter, Düsseldorfer Beispiel gefolgt sind, nicht selber sehen kann, kann es doch

wenigstens lesen (erschienen im Suhrkamp Verlag, zu haben
für 7,50 DM).

Vielleicht fällt ihm dann auf, was uns auffiel. Über die Bitte,
dies zu bedenken, kann eine Glosse vorerst nicht hinausgehen:

1. In dem Augenblick, wo man anfängt, das Stück vom
»Modellfall« zu lösen, auf den »Fall Deutschland«, der bei
seiner Entstehung zumindest mitgewirkt hat, zu beziehen
– will es nicht mehr recht stimmen (im Gegensatz zu dem
Lenz-Stück, das in der psychologischen Gewichtsverteilung
ganz genau stimmt).

2. Die so einhellig gemeinen, bösartigen Verfolger des Juden
wissen – nach Mustern, die Deutsche geliefert haben – bei
Frisch viele Entschuldigungen *hinterher*. Wahr ist vielmehr:
die Verfolger kommen sich, auch *während* sie dem anderen
die Luft zum Leben nehmen, sehr edel, tüchtig, loyal vor. Die
ausgeklügelte Bosheit um der Bosheit willen gibt es nur bei
Pathologen und auf dem Theater.

3. Einmal fällt auch bei Frisch das Stichwort, das ein Schlüs-
selwort hätte sein können: gesucht wird ein Sündenbock.
Aber nichts im Alltag der Frisch-Andorraner deutet darauf
hin, daß oder warum für diese Leute, denen es ja ganz gut
geht, ein Sündenbock notwendig wäre . . .

4. Erstes Opfer der verhetzten, im Wohlstand überängstli-
chen Andorraner ist übrigens nicht »der Jude« – sondern: die
Frau »von drüben« (die nichts anderes will als ihren Sohn
besuchen, deren Besuch es jedoch einfach nicht erlaubt wird,
ein ganz privater Besuch zu bleiben).

Kurz: Wir haben den Eindruck, daß es sich die Kritik bisher
ein bißchen zu leicht gemacht hat, wenn sie aus einem so hart
treffenden Stück nicht mehr herauslesen konnte als: es ist gut,
sich »kein Bildnis« zu machen, keine Vorurteile zu haben. Der
Autor ist an dieser verharmlosenden Interpretation nicht
schuldlos. Wenn er sagte: Andorra ist Deutschland, wie ich es
erlebt habe, wie ich es sehe – dann müßte man ihm dankbar
sein, dann könnte man endlich einmal wieder ernsthaft, und
das heißt konkret, darüber reden.

(Aus: Die Zeit v. 26. 1. 1962)

Karl Schmid
Max Frisch, *Andorra*

Im Suhrkamp-Verlag ist nun das »Stück in 12 Bildern« er-schienen, das zur Zeit über so viele deutschsprachige Bühnen geht: *Andorra* von Max Frisch. Manches kommt beim Lesen dieses Stückes stärker heraus, als wenn man es auf der Bühne sieht, wo das geschichtliche Thema des Antisemitismus viel-leicht etwas zu sehr in den Vordergrund springt. Scheinbar soll ja das Eindringen des Antisemitismus in diesen Kleinstaat Andorra gezeigt werden. Beim Lesen mag dann deutlicher werden: nicht nur Andorra ist ein »Modell« für irgendeinen Staat, sondern der Antisemitismus als Motiv selber ist ein »Modell« für etwas Allgemeineres, für die allgemeinere Krankheit nämlich, wissen zu wollen, wer und wie der andere ist. Es heißt da an einer Stelle, der Pater sagt es: »Du sollst dir kein Bildnis machen von Gott, deinem Herrn und nicht von den Menschen, die seine Geschöpfe sind. Auch ich habe mir ein Bildnis gemacht von ihm« – von Andri nämlich, dem Helden und Opfer des Stückes – »auch ich habe ihn gefesselt, auch ich habe ihn an den Pfahl gebracht«. Dieses *Sich-ein-Bildnis-machen* ist uns allen eingefleischt; es ist in der Sprache angelegt, in ihren Namen, in ihren Begriffen. Jede Sprache enthält so in ihren Wörtern eine Art von Ideologie, und jede solche Ideologie verhindert uns, wahrzunehmen, was wahr-haft ist. Nach Frisch ist eine solche Ideologie das Gegenteil der Liebe, die annimmt, was ist, und es so annimmt, wie es ist.

Wenn das alte Drama uns den Helden zeigte, die Macht des Starken, des Pioniers, so zeigt uns *Andorra* die *Macht der Feigheit*, die Feigheit des Kollektivs, aber auch die Feigheit des scheinbar Freien – des Lehrers nämlich – der im entscheiden-den Augenblick der Feigheit des Kollektivs auch sein Opfer bringt. Das dritte, was Frisch auf den Nägeln brennt, ist die Gesellschaft in der Form der Nation. Was die Nation dieser Andorraner zusammenhält, ist das Gefühl, anders, nämlich besser zu sein als ihre Nachbarn. Als sie das aber beweisen müßten, zeigt es sich, daß sie gleich sind wie die andern, gleich feig und gleich brutal und gleich schlecht; es ist das, so lange es ihnen gut ging, nur einfach nicht sichtbar geworden.

Frisch ist Schweizer. Und die Frage liegt nahe: gibt es einen Zusammenhang zwischen diesem Stück und der Tatsache, daß Frisch Schweizer ist? Ich glaube schon. Die Nation, der er angehört, macht Frisch offensichtlich außerordentlich zu schaffen – in ihrer bürgerlichen Sicherheit, in ihrer Neigung, pharisäisch zu glauben, sie sei besser als die andern, und in ihrer Unversuchtheit aus Neutralität. In diesem neuesten Stück sagt Frisch dieser Nation der »Andorraner«: »Ihr seid nicht besser als die andern; es ging euch nur besser als den andern«. Sagt dieser Nation weiter: »Eure Neutralität ist eine Gefahr, denn sie fördert das Pharisäische an euch. Ihr seid gewissen Versuchungen nicht erlegen, weil sie überhaupt nicht wirklich an euch herangetreten sind«. Und schließlich – und das ist wohl der eigentliche Schwerpunkt für Frisch –: »Was ihr tut, indem ihr sagt ›die Kommunisten‹, ›die Nazis‹, ›die Deutschen‹ und so fort, ist seinem Wesen nach nichts anderes, als wenn die Deutschen sagten: ›Die Juden‹. Damit nämlich, mit solchem Sprechen fängt das an, was in den Konzentrationslagern endet«.

Das ist so etwa die Moral dieses ernsthaften Dichters, eine ernsthafte, eine fanatische Mahnung zur Vorsicht gegenüber der Sprache, zur Freiheit gegenüber der Sprache und dem kollektiven Denken, das uns so leicht in Fesseln schlägt.

(Das Buch der Woche, Schweizer Fernsehen v. 26. 4. 1962)

Collage III:
Unbehagen im Kleinstaat?

1. Max Frischs idealistische Schweizkritik

In der entscheidenden Auseinandersetzung unserer Zeit sind
wir bis zum heutigen Tag beiseite gestanden, erfüllt von einem
Gefühl, ohnmächtig zu sein im Streit der Großen. Wir haben
uns damit begnügt, allenthalben einen möglichst vorteilhaften
Handel zu treiben, und erleben ein heimliches Unbehagen, das
durch keinen noch so ergötzlichen Wohlstand zu verscheu-
chen ist. Es ist das Unbehagen, zwar die Welt bereisen zu
können, aber als Schweizer nicht wirklich der Welt anzuge-
hören.
[...]
Man hat uns gelehrt: Die Größe unseres Landes ist die
Größe seines Geistes! Man könnte auch sagen: Wir sind zu
klein, um nicht denken zu dürfen. Denn womit könnten wir
sonst bestehen?
[...]
Das Verhältnis des Schweizers zur Idee, ja, das wäre ein
Kapitel für sich. Die Schweiz hat Schwierigkeiten mit der
Idee; genauer: Schwierigkeiten beim Schritt von der Idee zur
Ausführung. Dabei ist die Schweiz nichts anderes als eine
Idee, die einmal realisiert worden ist. Man ist nicht realistisch,
indem man keine Idee hat.
Daher unsere Frage: Hat die Schweiz, die heutige, eine Idee?
Und wenn sie eine hat, wo finden wir die verbindliche Manife-
station dieser Idee?

(Aus: achtung: die Schweiz 1955, GW III. S. 295-297.)

2. Andorra und die Schweiz: Karl Schmids Thesen

Das Erlebnis der Kleinheit und Unbeträchtlichkeit des Kleinstaates ist heute stärker als je. Stärker als je erweist sich auch
die gesellschaftliche Ordnung, die in ihm gilt – noch immer

gilt –, als durch Übereinkünfte und Überzeugungen gesichert, die die übrige Welt mehrheitlich nicht mehr teilt. Die großen Wege, die die schweizerischen Dichter bisher beschritten, sind offenbar schwer begehbar geworden. Die rückhaltlose Beja-hung des kleinen Kreises [...] als eines Menschheits-Modells scheint nicht mehr möglich zu sein, aber auch die spirituellen Überspielungen und ästhetischen Evasionen [...] sind ver-dächtig. Was bleibt, ist das Gefühl der Beengung und die Auffassung der nationalen Wirklichkeit unter dem tragischen Bilde der Haft oder eines ironischen Modells, als eines Bei-spiels mit negativen Zügen. So versteht sich, was gestern schweizerischer Dichter hieß, nun leicht nur mehr als Dichter in der Schweiz. [S. 178]

Was Frisch [schon im *Stiller*, vgl. GW III S. 613 f.] dartun will, ist die These, die Schweiz habe überhaupt nicht vor der *Entscheidung* gestanden, da sie nicht wirklich in der *Versu-chung* gestanden habe. Das führt zur Karikatur des Stückes *Andorra*. [...] Andorra ist besser als die anderen, solange es nicht versucht wurde, und es ist in keiner Weise anders als die anderen in dem Augenblicke, wo es auf die Probe gestellt wird. Gewiß gibt es auch eine Interpretation des Theaterstük-kes *Andorra*, die des Rückgriffes auf den menschlichen Zu-sammenhang Frischs mit der Schweiz entraten kann – Frisch selber bezeichnet Andorra als Modell und nicht als Pseud-onym –, aber der Hinweis auf die Moralität aus Friedlichkeit, die Friedlichkeit aus Verschontheit, läßt keinen Zweifel dar-über zu, welches Land seinerseits für das Modell Andorra Modell stand. [S. 188-189]

Frischs emigrantische Entfernung von der Nation hat – *An-dorra* belegt es – offenbar nichts an der Notwendigkeit verän-dert, daß er sich im Kampfe mit Andorra zu verwirklichen genötigt ist – und zu den Andorranern sprechen will und muß. (S. 192).

Das Land oder die Nation, zu der er sich an der Stelle Andorras politisch entscheiden könnte, *gibt es für Frisch nicht.* [S. 179]

(Aus: Karl Schmid. Unbehagen im Kleinstaat. 2. Aufl. Zürich: Artemis 1978. – Vgl. zum Thema den dort im Anhang mitgeteilten Briefwechsel zwischen Max Frisch und Karl Schmid)

Andorra ist nicht die Schweiz, nur das Modell einer Angst, es könnte die Schweiz sein; Angst eines Schweizers offenbar.

[. . .]

»Unbehagen im Kleinstaat«

das ist es wohl nicht, verehrter Professor Karl Schmid, was dem einen und anderen Eidgenossen zu schaffen macht; nicht die Kleinstaatlichkeit. [. . .] So gefällig sie auch ist, die These, Unbehagen an der heutigen Schweiz können nur Psychopathen haben, sie beweist noch nicht die gesellschaftliche Gesundheit der Schweiz. Wie heimatlich der Staat ist [. . .] wird immer davon abhängen, wieweit wir uns mit den staatlichen Einrichtungen und mit ihrer derzeitigen Handhabung identifizieren können. [. . .] Wage ich es [. . .] mein naives Bedürfnis nach Heimat zu verbinden mit einer Staatsbürgerschaft, nämlich zu sagen: *Ich bin Schweizer* [. . .]; dann gehört zu meiner Heimat auch die Schande, zum Beispiel die schweizerische Flüchtlingspolitik im Zweiten Weltkrieg [. . .] Heimat ist nicht durch Behaglichkeit definiert. Wer *Heimat* sagt, nimmt mehr auf sich.

(Aus: Max Frisch, die Schweiz als Heimat. Rede zur Verleihung des Großen Schillerpreises, 1974. GW VI, S. 514-517)

3. »Unbewältigte Schweizer Vergangenheit«

Warum hat dieser Slogan [. . .] keine Chance, etwas in Bewegung zu bringen? Wer von unbewältigter Vergangenheit hört, denkt an Deutschland; der Begriff ist in Deutschland formuliert worden. Sprechen wir von der unbewältigten Vergangenheit der Schweiz, so wirkt es peinlich, Gewissensqual aus zweiter Hand; [. . .] es wirkt sogar komisch durch die Verspätung. Vor allem verhindert dieser Slogan, daß uns die Dinge, die er etikettiert, wirklich zu schaffen machen. Erstens wird man sagen müssen: Himmler und unser Rothmund, das ist dann immerhin noch ein Unterschied. Die Verweigerung des Asyls (»Das Schiff ist voll«) und der Massenmord, das läßt sich in der Tat nicht unter den gleichen Slogan bringen. Zweitens erscheint ein Gewissen, das sich als Plagiat formuliert, wenig glaubhaft. Wieso formulieren wir's als Plagiat?

Das ist nicht ungeschickt, im Gegenteil, das ist sehr geschickt; spricht man nämlich als Schweizer über die Schweiz, wörtlich von unbewältigter Vergangenheit, so wird eben durch die Übernahme der Terminologie schon der Vergleich mit dem damaligen Deutschland eingebaut, ein Vergleich, der selbstverständlich, was das Ausmaß der Schuld betrifft, zu unseren Gunsten ausfallen muß. Schließlich haben wir niemand vergast. Dies als Ergebnis der schweizerischen Selbsterforschung. Wir sind, indem wir uns terminologisch der deutschen Selbsterforschung anschließen, vergleichsweise immer die Unschuldigen, und was in der Schweiz geschehen oder unterlassen worden ist, scheint nicht der Rede wert.

(Aus: Max Frisch. Unbewältigte Schweizerische Vergangenheit. 1965, GW V, S. 370)

Es genügt, in diesem Zusammenhang auf den Bericht Ludwig über »Die Flüchtlingspolitik der Schweiz in den Jahren 1933 bis zur Gegenwart« hinzuweisen, der mit Nachdruck festhält, daß die Weisungen des Eidgenössischen Justiz- und Polizeidepartements vom 31. März 1933 und der Bundesratsbeschluß vom 7. April 1933 über die Behandlung der politischen Flüchtlinge »speziell gegen den Zuzug von Israeliten gerichtet« war[en]. In welchem Ausmaß hier Schweizer eine an sich nicht verantwortbare Verantwortung auf sich geladen hatten, blieb nicht nur der Öffentlichkeit verborgen, sondern sogar dem Bundesrat – verborgen wenigstens bis Ende März 1954, als der *Schweizerische Beobachter* unter dem Titel »Eine unglaubliche Affäre« und gestützt auf die von den drei Westmächten publizierten »Akten zur deutschen auswärtigen Politik« den Nachweis erbrachte, daß die schimpfliche Kennzeichnung der Pässe jüdischer Staatsbürger direkt auf den damaligen Chef der Eidgenössischen Fremdenpolizei, Dr. Heinrich Rothmund zurückging.

[. . .]

Und so sollen diese Andeutungen hier auch keine andere Funktion haben als die, uns wieder in Erinnerung zu rufen, daß die unbewältigte Vergangenheit, die wir so gerne unsern nördlichen Nachbarn nachsagen, für uns nicht ohne weiteres ein Fremdwort ist – wenn auch selbstverständlich die Proportionen, die hier zur Diskussion stehen, einen Vergleich nicht aushalten.

(Aus: Peter Rippmann. »Unbewältigte Schweizerische Vergangenheit?« Neutralität 8/9, Jg. 2/3, 1965. S. 26-27)

Vor kurzem war ich beim Auschwitz-Prozeß in Frankfurt; wenn ich mich nicht täusche, ist die schweizerische Berichterstattung sehr sparsam, als ginge uns das nichts an. Was geht uns etwas an? Um unsere Vergangenheit, ich meine unsere Maßnahmen und Unterlassungen in der Hitlerzeit, ist es still. War da alles so blitzblank? Darum hat es mich sehr gefreut, als ich Ihre kleine Zeitschrift sah, weil hier ein Versuch gemacht wird, herauszukommen aus einer Lethargie, bei der es niemand wohl ist. Es ist ja nicht einmal Idyll, es ist ja nicht einmal wahr, daß sich die Schweizer dumpf wohlfühlen; sie haben ganz einfach eine konsolidierte Angst.

(Aus: Paul Ignaz Vogel. »Und die Schweiz? Ein Interview mit Max Frisch. Neutralität 2, H. 5, 1964. S. 4)

Unsere unbewältigte Vergangenheit ist unbewältigter denn je. Ich glaubte, mit *Andorra* einen harten Brocken geliefert zu haben. Das Stück ging gut über die Runde, mit Kritik, Beifall und allem, aber es wurde nicht als eigenes Problem erkannt. Man hat die Realität nicht begriffen.

(Aus: Gerardo Zanetti. »Soll der Onkel auf die Barrikade steigen?« [Gespr. m. Max Frisch], Die Woche [Olten] v. 19. 8. 1964)

Hier [in der Schweiz] waren die Leute sehr betroffen von dem Stück, die wußten nämlich, daß sie gemeint waren, und zwar hypothetisch: Wie hättet ihr euch verhalten? Das Stück ist absichtlich so gearbeitet, daß die Schwarzen, die Schlächter die Himmler-Leute nicht in Erscheinung treten: das ist die Maschinerie, der man jemanden ausliefert. Hier, in der Schweiz, waren die Leute sehr schockiert; sie wußten, wo Andorra liegt. In anderen Ländern wieder war es sehr verschieden. Ich habe einmal mit einem brasilianischen Regisseu gesprochen, der *Andorra* dort inszeniert hat und von der großen Wirkung sprach. Auf meine Frage, auf welches Exemplar das Stück angewendet werde – die Schwarzen, die Juden scheiden aus –, sagte er: Dort ist der outcast der Linke. Es ist eben eine Parabel, es ist auswechselbar.

(Aus: Heinz Ludwig Arnold. »Gespräch mit Max Frisch.« In: H. L. A. Gespräche mit Schriftstellern. München: Beck. S. 37-38)

Von den seit Beginn der sechziger Jahre erschienenen Arbeiten schweizerischer Schriftsteller, die sich mit der unbewältigten Vergangenheit des Landes befassen, seien die Essays von Peter Bichsel (Des Schweizers Schweiz. Arche Nova. Zürich: Die Arche 1969) und Friedrich Dürrenmatt (»Zur Dramaturgie der Schweiz. (Fragment).« In: F. D. Dramaturgisches und Kritisches. Theaterschriften und Reden II. Zürich: die Arche 1972. 232-256) hier genannt; außerdem die Romane von Heinrich Wiesner (Schauplätze. Eine Chronik. Zürich: Diogenes 1969) und Walter Matthias Diggelmann (Die Hinterlassenschaft. München: Piper 1965). Diggelmann stellte seinem Buch dies Motto voran:

Auch wenn diese Geschichte in der Schweiz spielt, ist sie weder als Anklage gegen die Schweizer gedacht noch als Exkulpierung jener Deutschen, die sich am Massenmord beteiligt haben. Als Schweizer Bürger, der in der Schweiz lebt und dieses Land beim Namen nennt, statt eine Parabel zu konstruieren, meine ich aber auch, daß die größere Schuld die kleinere nicht kleiner mache.

Helmut Krapp
Das Gleichnis vom verfälschten Leben

Man hat Max Frisch für seine Fähigkeit gerühmt, Fabeln zu erfinden, die so tun, als seien sie Zitate der empirischen Wirklichkeit, während es sich in Wahrheit doch um Fiktionen handelt, die ganz auf sich selbst beruhen. Man hat zum Beispiel bemerkt, daß das zentrale Motiv des *Öderland*-Stoffes die Authentizität einer tatsächlichen Legende vorzuspiegeln vermag, wofür man es bis zur Aufklärung durch den Autor denn auch gehalten hat. Auch von *Andorra* heißt es, daß ihm eine Fabel zugrunde läge, von der man glauben möchte, sie sei schon in der Wirklichkeit vorhanden. Dabei gibt es, sieht man genauer hin, im ganzen Werk Frischs immer wieder einzelne Motive, Sinnbilder und Konstellationen, die eher der Kolportage entlehnt als von der Wirklichkeit abgeschrieben scheinen. Natürlich sind die trivialen Sachverhalte, von denen die große Dichtung genauso zehrt wie der Schund, kein Maßstab für den Wirklichkeitsgehalt des Werks, in das sie eingegangen sind. Auch bei Frisch stehen die Fakten eines Stoffes für mehr als nur für sich selber ein. Aber in einer Zeit, die aus guten Gründen zweifelt, ob die gegenwärtige Welt auf der Bühne überhaupt noch abzubilden sei, die sogar bestreitet, daß sie sich im Sinnzusammenhang einer Fabel überhaupt noch ergreifen läßt, müßte man der lapidaren Erfindungskraft dieses Autors eigentlich mit Mißtrauen begegnen.

In Wahrheit beruht jedoch die scheinbare Nähe zur empirischen Wirklichkeit, die alle Werke Frischs kennzeichnet, auf einem genau berechneten Abstand von ihr. Zwischen beiden herrscht ein Verhältnis nicht der Ähnlichkeit, sondern des Vergleichs. Das ist einer der Gründe, weshalb die Handlungen zumal seiner Stücke so mühelos übers Stoffliche hinauskommen und sich zum Gleichnis, zur Parabel oder – wie in *Andorra*, weil auf ein soziales Gebilde bezogen – zum »Modell« verdichten. Das hat mit dem besonderen, keineswegs nur ästhetischen Begriff von Wirklichkeit zu tun, wie Frisch ihn gelegentlich definiert. »Wirklich nennen wir nicht, was geschieht«, heißt es einmal im *Tagebuch 1946-1949*, »sondern wirklich nennen wir, was ich an einem Geschehen erlebe, und dieses Erleben, wie wir wissen, kümmert sich nicht um die Zeit: es ist möglich, daß wir ein Geschehen immer wieder erleben.« Auf das Problem der künstlerischen Darstellung bezogen, kann das nur heißen, daß die stofflichen Daten, die in einer Handlung untergebracht sind, der Wirklichkeit, die es abzubilden gilt, zwar als Vorwand dienen, etwas Absolutes aber nicht bedeuten. Die Fakten sind austauschbar. Von einer Fabel im herkömmlichen Sinne – als einer kausalen Ereignisreihe, als eines mehr oder weniger rationalen Handlungsschemas – kann denn auch im Hinblick auf Frischs Werk keine Rede sein. Was man so nennt, sind dramatische Metaphern, durch die vorhandene Erlebnisse und Erfahrungen nicht nur gedeutet, sondern auch neu gedichtet werden, vom Leben abgehoben, in das sie als Realität dann wieder zurückfallen. Zu diesem Begriff von Wirklichkeit gehört es, daß viel eher unsere Erlebnisse und Erfahrungen die Vorfälle bewirken, aus denen sie zu folgen scheinen, als umgekehrt. Im Interview mit Horst Bienek äußert Frisch: »Der Vorfall, ein und derselbe, dient hundert verschiedenen Erfahrungen. Offenbar gibt es kein anderes Mittel, um Erfahrung darzustellen, als das Erzählen von Geschichten: als wären es die Geschichten, aus denen unsere Erfahrungen hervorgegangen sind. Es ist umgekehrt. Die Erfahrung erfindet sich ihren Anlaß.« Sätze, die über den ästhetischen Bezirk weit hinausreichen. Wirklichkeit, müßte man folgern, ist nicht objektiv gegeben. Sie ist ein Vorgang. Sie entsteht, indem ein Mensch sich selbst mit dem Ereignis, das ihm widerfährt, in Übereinstimmung zu bringen sucht. Wie aber sieht das aus, wenn der Mensch, wie das Werk von Frisch behauptet, nur uneigentlich existiert, wenn die Wahrheit seiner selbst verschüttet ist und nur das Bild noch lebt, das sich die anderen von ihm machen? Dieses große Thema der modernen Literatur wird bei Frisch entschieden ins Tragische gewendet und – da er ein Moralist ist – gesellschaftlich gedeutet. »Jedes Ich«, sagt er in dem erwähnten Interview, »auch das Ich, das wir leben und sterben, (ist) eine Erfindung«. »Je est un autre«, heißt es bei Rimbaud. Und im Tagebuch Pirandellos, des unbestrittenen Ahnherrn der modernen Dramatik, steht der Satz: »Irgendjemand lebt mein Leben; ich weiß nichts davon.« Frischs Grunderfahrung ist der Widerspruch zwischen der möglichen wahren und der tatsächlich gelebten Existenz des Menschen, die Geschichte von Andri und vom antisemitischen Andorra die politische und tragische Metapher dafür. Die erschütterndste und überzeugendste wohl, die sich finden läßt.

Den Vorgang dieses neuen Stückes so betrachten, bedeutet nicht, daß man vor der Rechnung, die es aufmacht, ins Allgemein-Menschliche desertiert, wo es weniger peinlich wäre, nicht antworten zu können als angesichts der konkreten Frage. Im Gegenteil: wahrscheinlich hängt die Unausweichlichkeit des Vorgangs, der hier Antisemitismus heißt, mit seiner Übertragbarkeit und Allgemeinheit ursächlich zusammen. In den Beispielen, die zum gleichen Thema bisher auf die Bühne kamen, im *Tagebuch der Anne Frank,* in *Die Mauer* und in *Korczak und die Kinder,* wurde Zeugnis abgelegt, Wirklichkeit dokumentiert. *Andorra* statuiert das Exempel. Zwar kann man sich an Stelle Andris, des Juden, einen Neger denken, einen Kommunisten, jeden, den eine herrschende Gesellschaft zum Opfer ihres Vorurteils bestimmt – der Jude bleibt das gültigste Beispiel, weil der Antisemitismus ein geradezu archaisches Vorurteil mit katastrophalen Folgen ist, wirklichkeitsträchtig und besudelt wie kein zweites. Hyperbolisch ausgedrückt: jedes Vorurteil, mit dem wir unserem Nächsten verwehren, er selbst zu sein, ist eine nur verdeckte Form des Antisemitismus. Es ist schon der Anfang des Pogroms, in dem er – kommt es so weit – gelyncht werden wird. Antisemitismus also nicht als bezeugtes Faktum, als das er austauschbar wäre, sondern als Metapher: das scheint die Voraussetzung dafür zu sein, daß seine Darstellung mit künstlerischen Mitteln möglich wird, ohne auf ein bloßes Zitat der empirischen Wirklichkeit hinauszulaufen. Darin hat auch die Unerbittlichkeit, mit der das Stück vor sein Publikum tritt, ihren Grund.

Die erste Fassung dieses Stoffes ist eine Tagebuchnotiz von 1946. Liest man sie, weiß man sofort, daß Frisch – wie er später sagte – noch nicht entdeckt hatte, »daß das ein großer Stoff ist«, und auch später erst sah, »nachdem ich mich inzwischen aus meinen bisherigen Versuchen kennengelernt hatte, daß dieser Stoff mein Stoff ist«. Das Politische steht da noch ganz im Hintergrund, ist kaum akzentuiert, im Bild vom grausamen Tod des Jungen allenfalls angedeutet. Die Geschichte wirkt, wie sie da steht, als reine Konfiguration jenes Themas, dem Frisch dann nie mehr entrinnen konnte, und das er wenige Zeilen vor der Tagebuchnotiz so formuliert: »In gewissem Grad sind wir wirklich das Wesen, das die anderen in uns hineinsehen. Freunde wie Feinde. Und umgekehrt! Auch wir sind die Verfasser der andern; wir sind auf eine heimliche und unentrinnbare Weise verantwortlich für das Gesicht, das sie uns zeigen, verantwortlich nicht für ihre Anlage, aber für die Ausschöpfung dieser Anlage ... Wir halten uns für den Spiegel und ahnen nur selten, wie sehr der andere seinerseits eben der Spiegel unsres erstarrten Menschenbildes ist, unser Erzeugnis, unser Opfer –.«

Damit aber der Mensch kein Opfer bleibe, sondern Subjekt werden kann, begibt er sich auf die verzweifelte Suche nach der Identität mit sich selbst. Im *Don Juan* führt Frisch, um das zu demonstrieren, eine sozusagen mythische Figur gegen sich selbst, indem er unterstellt, sie liebe, anstatt Frauen, eigentlich nur die Geometrie. Graf Öderland revoltiert mit der Axt in der Hand, auch er will die Schablone einer Existenz durchbrechen, die nicht die seinige ist. Stiller gibt sich auf, um zu sich selber zu kommen. Und Andri? Auch er erwägt eine Zeitlang, mit Barblin zu fliehen. Auch er hat ein »Santorin«, ein »Peking«, auch er seine Sehnsucht, die Fiktionen, die das Leben sind, auszulöschen – was wird daraus in einer Welt, die so beschaffen ist wie die heutige?

Der Vater, der nicht zuzugeben wagt, daß er ein uneheliches Kind mit einer Frau von drüben hat, gibt den Andorranern gegenüber Andri als Judenkind aus, das er an Vaters Statt angenommen habe. Solange es opportun ist, Juden Gutes zu tun, kann er damit Mut und Wohltätigkeit heucheln. Aber bald ist es wieder soweit. Der Haß gedeiht, man braucht einen Juden, in den sich alle Eigenschaften investieren lassen, vor denen die Gesellschaft, um in Selbstgerechtigkeit zu leben, ihren Abscheu bekunden kann. Und da man in Andri einen Juden sieht, findet man ihn auch in ihm. Er ist klug. Und er hat kein Gefühl. Er ist feig, denn er ist ein Jud. Er denkt alleweil ans Geld. Er hat kein Vaterland, kein Gemüt, sondern Angst, denn er ist ein Jud. Andri, der das Bild von sich nicht annehmen will, das die anderen entwerfen, wird vom Pater ermahnt, sich zu sich selbst zu bekennen. Und so wird er allmählich der, den die anderen in ihm sehen. Er erwägt, ob es sein könne, daß ihr Urteil zutrifft, und da er erwägt, trifft es schon zu, immer deutlicher, bis Andri glaubt, mit ihm identisch geworden zu sein.

Da aber ist, was zunächst nur ein Vorurteil war, schon in Terror umgeschlagen. Zu spät, und nur, weil er Barblin liebt und heiraten will, von der er nicht weiß, daß sie seine leibliche Schwester ist, erfährt er die Wahrheit, wieder vom Pater. Aber die Wahrheit, daß er kein Jude sei, ist jetzt nicht mehr seine Wahrheit, sondern die der anderen. Das ist der ebenso tragische wie paradoxe Kern dieses Stückes: im selben Augenblick, in dem er der Identität mit sich selber innewerden könnte, muß er sie leugnen, um mit sich selbst identisch zu bleiben. »Jetzt ist es an Euch, Hochwürden, euren Jud anzunehmen.« Er macht die Lüge seines Vaters zu *seiner* Wahrheit. Was kommt, ist eine Exekution des Hasses, der als Vorurteil der Andorraner begann und am Ende sich als Macht der Schwarzen installiert. Er hat sein Opfer gehabt. Die aber die Schuld zu tragen hätten, stammeln Ausflüchte, zitieren ihr Alibi – in der Welt, wie sie ist, kommen die Schuldigen mit der Entschuldigung davon. Die Hinrichtung Andris ist das Gericht über Andorra, in dem wir alle leben. Mit allen unseren Vorurteilen. Mit allen unseren tödlichen Vorurteilen.

Die verzweifelte Entscheidung Andris, zu sein, was die andern aus ihm gemacht haben, jeder auf seine Weise, der Vater durch seine Lüge, der Tischler durch seine Ignoranz, der Pater durch seinen guten Glauben, der Doktor durch sein eigenes Versagen, der Soldat durch seine eigene Angst – die verzweifelte Entscheidung Andris, ihr aller Opfer zu sein, bringt ihn über die Uneigentlichkeit seiner Existenz nicht hinaus. Auch das Ich, zu dem er sich bekennt, ist eine Erfindung, die sich von der ersten nur dadurch unterscheidet, daß er sie durchschaut. Deshalb die Verfassung der Melancholie, der Traurigkeit, mit der er seinen Weg zu Ende geht: »Meine Trauer erhebt mich über euch alle, und so werde ich stürzen. Meine Augen sind groß von Schwermut, mein Blut weiß alles, und ich möchte tot sein. Aber mir graut vor dem Sterben. Es gibt keine Gnade –.« So bleibt ihm nur, sich mit den Opfern solidarisch zu erklären, die es nicht gäbe, wenn wir nicht das Lebendige in jedem Menschen – »fast ohne Unterlaß« – dadurch töteten, daß wir ihn nicht zu lieben bereit sind.

(Aus dem Programmheft der Frankfurter Aufführung 1962)

Karlheinz Braun
Andorra, die mörderischen Bilder

Die Fabel des Stückes ist erfunden, sagt Max Frisch, und er erinnert sich sogar, wo sie ihm eingefallen ist: »1946 im Café de la Terrasse, Zürich, vormittags. Geschrieben als Prosaskizze, veröffentlicht im *Tagebuch 1946-1949,* betitelt: ›Der andorranische Jude‹.«

Die Geschichte von einem jungen Mann in Andorra, den man für einen Juden hielt; das fertige Bildnis, das ihn überall erwartete, ihm entgegensprang, ihn schließlich überwältigte, so daß er das Bild annahm als seine eigene Wirklichkeit, dieses Anderssein trug mit einer Art von Trotz – bis zu seinem Tode. Es zeigte sich dann eines Tages, daß er ein Findelkind gewesen, dessen Eltern man erst später entdeckt hat, ein Andorraner – wie alle.

1957, als das Zürcher Schauspielhaus zur Feier seines zwanzigjährigen Bestehens sich nach neuen Stücken umsah, schien Frisch das Thema für den Anlaß geeignet. »Als Einübung dazu entstand 1958 *Biedermann und die Brandstifter,* als Versuch, auf der Bühne konkreter zu werden, dinglicher, die Reflexion zurückzunehmen zugunsten des theatralischen Augenscheins.« Unmittelbar darauf begann Frisch mit der Arbeit am neuen Stück, es entstanden mehrere Fassungen, das Jubiläum des Zürcher Schauspielhauses ging vorbei; im Herbst 1960 nahm Frisch die Arbeit an dem Stück wieder auf und schloß sie im Herbst 1961 ab. Die Uraufführung fand am 2. November im Zürcher Schauspielhaus statt, dem das Stück »in alter Freundschaft und Dankbarkeit« gewidmet ist.

Fünfzehn Jahre beschäftigte sich Frisch mit dem Thema des andorranischen Juden. Aber es ist nicht irgendein Thema, es ist sein Thema, Frischs Thema. Andri, der andorranische Jude, hat in Frischs Werk eine weitläufige Verwandtschaft.

Es ist immer die gleiche Frage, die Frisch sich und uns »im Zeitalter der Reproduktion« stellt, stets mit anderen Mitteln, am anderen Sujet, die Frage: Wie weit kann unser eigenes Ich standhalten einer Welt, die doch wir selbst geformt haben, die aber immer mehr dazu überzugehen scheint, uns zu überformen, ein Abziehbild unseres Selbst herzustellen, das wir, stolz mit unserer Freiheit, unserer inneren Unabhängigkeit prahlend, nicht einmal bemerken, noch als Original bezeichnen? Es ist die Frage nach der Identität des Menschen in einer entfremdeten Welt, in der, wie Simone Weil einmal sagte, die Dinge die Rolle des Menschen und die Menschen die Rolle der Dinge spielen. Frisch setzt ein mit dem Zweifel an der Identität: fast alle Helden seiner Theaterstücke und Romane sehen sich als jenes Abziehbild einer genormten Welt, fühlen sich als »Hampelmann an den unsichtbaren Fäden der Gewöhnung« hängend. Stiller leidet an dieser Gewöhnung ebensosehr wie Graf Öderland; Biedermann zeigt die gefährliche Kehrseite: der, der sich an die Gewöhnung gewöhnt hat und aus ihr erst dann aufschreckt, wenn die Detonationen nicht mehr zu überhören sind. Don Juan flüchtet aus dem Klischee seiner Existenz zur kühlen klaren Geometrie, während Faber (in dem Roman *Homo faber*), der nüchterne Ingenieursmensch, vom Zufall eingeholt wird. Philipp Hotz muß seine große Wut ausnutzen, um den Schritt aus der Gewöhnung zu wagen, der ihm mit einer kleinen nicht mehr gelingen könnte. Die Gewöhnung, das Klischee der Bilder, die Mechanik der menschlichen Beziehungen – alle Helden Frischs leiden daran. Für Andri ist es der Tod.

Die große Wut Frischs wendet sich gegen alles, was in uns das Lebendige zerstört, was uns, dem einzelnen wie der ganzen Gesellschaft, eine Verwandlung unmöglich macht. Leben, das heißt für Frisch immer die Möglichkeit der Verwandlung, des Nicht-festgelegt-Seins. Die große Wut Frischs verbindet sich mit der alttestamentarischen Forderung des »Du sollst dir kein Bildnis machen«. Denn dieses Bildnis, das der eine sich vom anderen macht, das ein Volk sich vom anderen macht, das ein System sich von einem anderen macht – dieses Bildnis kann nur zu einer Statik der bestehenden menschlichen Beziehungen, der gesellschaftlichen Verhältnisse führen. Es macht alles zum starren Schema seiner selbst. Diese Mechanik, dieses starre Knochengerüst der Gewohnheit, wie Virginia Wolfe sie nennt, enträt jeglicher Freiheit, und der so festgelegte Mensch muß notgedrungen in einen Zwiespalt geraten: Bin ich der Mensch, so wie die anderen mich sehen, oder bin ich nicht in Wirklichkeit, in meiner

Wirklichkeit ein ganz anderer? Es ist Andris Frage. Äußere und innere Wirklichkeit fallen auseinander. Aus diesem Zwiespalt resultiert das Leiden an der Identität. Solange ich die Welt überzeugen will, daß ich niemand anderes als ich selbst bin, habe ich notwendigerweise Angst, Angst vor einer Mißdeutung. Auch Andri wird zum Gefangenen dieser Angst, wie Stiller, wie Don Juan, der in der *Chinesischen Mauer* ausruft: »Warum hält alle Welt mich für einen Verführer?« Und Don Juan, der die Geometrie mehr liebt als die Frauen, antwortet: »Ich bin es nicht, bei meiner Ehre. Nur mein Name ist ein Verführer: alle Welt läßt sich von meinem Namen verführen, zu glauben, was nicht Wahrheit ist.« In der Komödie versucht Don Juan dem Namen, der ihn festlegt, zu entfliehen. In der Tragödie wird der Name »Jud« Andri zum Mörder. Das Bildnis, das man sich von ihm und seinem Volke macht, ist zu stark, als daß er ihm noch entfliehen könnte. Das Anderssein, zu dem ihn die Gesellschaft des Modellstaates Andorra stempelte und gegen das er sich sein Leben lang wehrte – er nimmt es endlich an, als seine Realität, als sein Schicksal.

Er wählt sich selbst, wie Stiller sich selbst wählen muß, und in dieser Wahl erwacht die Freiheit »und er kämpft um diesen Besitz als um seine Seligkeit. Und dies ist seine Seligkeit« (Kierkegaard). Deswegen kann er sich nicht von diesem Besitz trennen, Andri, selbst als offenbar wurde, daß er einem Bild erlegen ist, einem Bild, das der äußeren Wirklichkeit nicht mehr länger standhalten kann. Deshalb kann er nicht mehr zurück, nachdem er sich selbst angenommen hatte als eine Wirklichkeit, gegen die jede Faktizität nur Schein sein muß. An Andri, der sein Anderssein schließlich annimmt, sich damit selbst annimmt in einem angeblich von der Natur vorbestimmten Schicksal, wird die Schuld einer Gesellschaft offenbar, die nur noch in einer vorgeformten Begriffswelt zu denken vermag. Als offenbar wird, daß Andri kein Jude ist: an diesem Punkt wird sinnfällig die Wahrheit der Andorraner als eine Ideologie entlarvt. Und dies ist die Wahrheit der mörderischen Bilder. So erhebt sich das Stück zu einer Parabel für alle, die einen Menschen zum Anderssein gezwungen haben, einer Parabel über die Zerstörung der Menschen durch die Ideologie, die die verschiedensten Namen tragen kann. Die Prosaskizze in Frischs Tagebuch schließt mit den Sätzen: »Die

Andorraner aber, sooft sie in den Spiegel blickten, sahen mit Entsetzen, daß sie selber die Züge des Judas tragen, jeder von ihnen. Du sollst dir kein Bildnis machen, heißt es, von Gott. Es dürfte auch in diesem Sinne gelten: Gott als das Lebendige in jedem Menschen, das, was nicht erfaßbar ist. Es ist eine Versündigung, die wir, so wie sie an uns begangen wird, fast ohne Unterlaß wieder begehen – ausgenommen wenn wir lieben.« Allein die Liebe, der alles immer neu, ständiger Veränderung aufgeschlossen ist, vermag aus jeglichem Bildnis zu befreien. Barblin, die Andri liebt und irrsinnig wird, weißelt am Ende der Tragödie das blutbefleckte Pflaster Andorras. Eine Verrückte sucht das Blut im Bild ohnmächtiger weißer Farbe zu sühnen. Der Jude von Andorra, der keiner war, ist untergegangen als tragische Gestalt: weil er mit seiner Wahrheit recht hatte, recht gegen den Augenschein der Bilder, der mörderischen Bilder.

(Aus dem Programmheft der Städtischen Bühnen Augsburg, 1962, S. 114-117)

Karl August Horst
Andorra mit anderen Augen

Nehmen wir an, *Max Frisch* käme mit einem Zuschauer ins Gespräch, der weder ein verstockter noch ein bußfertiger Sünder wäre – mag auch sein Stück *Andorra* im ganzen auf die Farbe der übertünchten Gräber, der »geweißelten« Unschuld abgestellt sein –: welchen Eindruck hätte er von ihm zu erwarten? Da *Andorra* nach Frischs eigenen Worten ein »Modell« ist, muß es als Theaterstück auch jenseits der Moral Stich halten. In den Anmerkungen lesen wir: »Es braucht kein Anti-Illusionismus demonstriert zu werden, aber der Zuschauer soll daran erinnert bleiben, daß ein Modell gezeigt wird, wie auf dem Theater eigentlich immer.« Haben wir unter »Modell« einen Musterfall zu verstehen, der ohne die Beschönigungen jener Realität, die zumeist Vorstellungs- oder Wunschrealität ist, in nackter Folgerichtigkeit den Zuschauer mit nicht mehr und nicht weniger konfrontiert als der Wahrheit? Dann hätte das Modell im Idealfall das präzise Gewicht der Wahrheit. Wenn Frisch diesen Eindruck beim Zuschauer bewirkt, woran hier nicht einmal gezweifelt werden soll, dann hat sein Stück, sollte man meinen, die Probe bestanden.

Trotzdem läßt sich die Frage stellen, ob Frisch uns nicht das eigentliche Drama vorenthält. Ob nicht sein »Lehrstück« das Negativ oder die Folie eines Dramas ist, das den handelnden Personen erlaubt hätte zu handeln, während sie sich in *Andorra* von der eigentlichen Handlung dialektisch absetzen. Dann wäre Andri in der Tat der geflüchtete Judenknabe, als den sein Vater ihn ausgibt, und der Vater böte alles auf, ihn den Andorranern als seinen leiblichen Sohn glaubhaft zu machen – bis zu dem Tage, da seine Mutter, die Señora, auftauchte und wie Teiresias im *Ödipus* dunkle Andeutungen fallen ließe, die Andri dazu brächten, seinem Ursprung nachzuforschen und den Vater zu bedrängen, er solle ihm das Geheimnis seiner Geburt enthüllen – auch des Mädchens Barblin wegen, die er anders und mehr als eine Schwester liebt. Dann wäre er an dem Tag, an dem die Schwarzen über Andorra herfallen, in Wahrheit das auserkorene Opfer, das seine bisherigen Landsleute, um ihr Fell zu retten, aus selbstgerechter Verblendung und entrüstet, daß man ihnen als Andorraner einen Juden aufgeschwatzt hat, in den Tod stießen. Das Stück würde sich in dem gleichen dramatischen Gelenk bewegen, das wir seit Toynbee »challenge« und »response« nennen können: das Schicksal als veranstalteter Probefall, der sowohl bei dem Betroffenen wie in seiner Umwelt exakte Reaktionen hervorruft. Dieses Schema ist auf dem Theater des öfteren verwendet worden, am durchsichtigsten vielleicht in Calderons *Leben ein Traum*.

Zwischen dem Vater und Lehrer bei Frisch, und Basilio, dem Vater und König in Calderons Comedia, besteht eine gewisse Parallelität. In dem großen Monolog, mit dem Basilio sich dem Zuschauer vorstellt, bezeichnet er sich selber als den »hochgelehrten« Basilio; und zwar macht sein Hauptstudium die »feinen Berechnungen der Mathematik«, die er vor allem als Astrologe anstellt. Die Bahnen des Schicksals sind dem Sternkundigen so vertraut, daß er sie wie Figuren von einer Tafel ablesen kann. Aber nicht ihm zum Heil: denn indem er aus ihnen auch seine künftige Tragödie abliest, wird sein gefährdendes Wissen an ihm zum Mörder.

In der Gestalt des Basilio bildet sich dasselbe Dilemma ab wie in der Gestalt des »Lehrers« bei Frisch. (Ein ähnliches Dilemma besteht zwischen *Don Juan* und der *Geometrie*.) Basilio muß wissend oder – wie Calderon sagt – »doctus« sein, weil der Modellfall, den er auf der Bühne zu demonstrieren sich anschickt, sein Vorwissen Zug um Zug beweist. Und er muß anderseits den ausgelösten Vorgang als erster dramatisch auffangen und damit rechnen, daß das Wissen an ihm zum Mörder wird. Was Basilio von sich sagt – »Selbstmörder durch Wissen« – und was sich im weiteren Fortgang des Dramas nahezu erfüllt, das führt bei Frisch der Lehrer aus, indem er sich am Schluß erhängt. In beiden Fällen ist der Werkmeister des Modells als Figur auf der Bühne anwesend, freilich mit dem Unterschied, daß Basilio als geschulter Logiker von vornherein drei mögliche Lösungen ins Auge faßt und dadurch den Zuschauer in einen offenen Vorgang einbezieht.

In *Andorra* weiß nicht nur der Lehrer, weiß nicht nur das Stück, sondern weiß auch der Zuschauer, daß es nicht anders kommen kann, nicht anders kommen darf, als es kommt. Wir stecken in einer psychologischen Zwangsjacke und haben nichts weiter zu tun, als bestätigend mit dem Kopf zu nicken. Das könnte dramatisch wirksam sein, wenn Andri tatsächlich ein Jude und nicht nur das ausgedachte Modell eines Juden wäre. Das heißt: wenn Andri wie Ödipus und Sigismund in einem Zustand der Schicksalsverborgenheit dahinlebte, statt unter der Maske eines plakatierten Schicksals. Andri gerät in Zweifel, ob er Jude ist oder ob er es seiner Umwelt verdankt, daß er sich als Jude fühlt. Dem Zuschauer wird suggeriert, daß der Jude an sich so wenig definierbar ist wie der Mensch. Daß Judesein nichts anderes bedeutet als den fixen Vorstellungen unterworfen zu sein, die die anderen von den Juden haben oder von der Propaganda übernehmen. Das Jüdische bestünde dann in nicht viel mehr als einer Spekulation über mögliche Eigenschaften und Wirkungen einer Erscheinung, die an sich keine Eigenschaften hätte. (Die Namen »Spinoza« und »Einstein« im Munde des Paters klingen wie eine Entschuldigung.)

Zugegeben, daß Frisch das Vorurteil gegen die Juden, daß er die Klischeefigur des Juden treffen wollte; zugegeben auch, daß in zahlreichen Gehirnen das Jüdische in der Hauptsache aus Klischeevorstellungen besteht. Aber heißt es diesem Vorurteil wirksam begegnen, wenn man unterstellt, daß es den Juden sozusagen überhaupt nicht gibt? An einigen Stellen in *Andorra* kommt es zu dem gewiß unbeabsichtigten Eindruck, als gäbe Frisch dem Vorurteil gegen die Juden recht. Andri will Tischler werden. Der Tischlermeister, der ihn wie alle Andorraner für einen Juden hält, ist hartnäckig überzeugt, daß er als Jude ungeschickte Hände hat, sich besser aufs Reden versteht, auf den Schacher usw. Andri liefert den Gegenbeweis: er zimmert einen handfesten Stuhl, und nur die ›mauvaise foi‹ des Meisters bringt ihn um den verdienten Lohn. – Aber – in Wirklichkeit ist Andri ja gar kein Jude. Überschlägt sich nicht an dieser Stelle das lehrhafte Argument? Wenn Andri im weiteren Verlauf des Stücks immer wieder sagt: »Ich wollte aber Tischler werden«, so klingt das beinahe so, als wollte er sagen: »Eigentlich bin ich ja gar kein Jude.« Woraus der Zuschauer den Schluß zieht, daß er als Jude zum Tischler allerdings nicht getaugt hätte.

Andorra ist die Antistrophe des eigentlichen Dramas. Das hat den Nachteil, daß sich das Motiv »challenge and response«

nicht wie ein Gelenk bewegen kann, weil das erste Glied starr ist. Der Lehrer wird von vornherein in die Lage gebracht, widernatürlich handeln zu müssen, indem er ein Experiment anstellt, das seiner Misanthropie recht geben soll und dem er vorwissend den eigenen Sohn opfert. (Wäre es nicht überzeugender gewesen, die Andorraner angesichts eines echten Juden auf die Probe zu stellen?) Vom Modell her gesehen handelt der Lehrer konsequent, vom Menschlichen her gesehen monströs. Außerdem hat er dramatisch keinerlei Spielraum. Er kann (strenggenommen) nicht einmal sagen, er hätte gelogen – obwohl er es an einer Stelle zu Andri sagt. Kann das Modell lügen? Auch für Andri muß sich der Unterschied zwischen Wahrheit und Lüge verwischen, weil er sonst unweigerlich in Gefahr käme, das Modell Lügen zu strafen.

Da der Vater dramatisch ausscheidet, kommt nur die andere Motivhälfte – die Antwort – als Aktionsträger in Frage. Jedoch hier gerät Frisch mit der in seinem Stück angelegten Herausforderung erst recht in Widerspruch. Deshalb hat *Andorra* auf der einen Seite Modellcharakter, auf der anderen Seite expressionistisches Pathos. (Darin lag der unterschiedliche Akzent zwischen der Zürcher und der Münchener Inszenierung.) Zwischen der Andri-Tragödie und Büchners *Woyzeck* besteht eine auffallende Ähnlichkeit: im Thema (die Tragödie eines Menschen, der seiner Umwelt zum Objekt wird), aber auch im Stil. Das geht bis in die Diktion. Der Doktor sagt zu Andri: »Du bist ein strammer Bursch, das seh ich, ein braver Bursch, ein gesunder Bursch, das gefällt mir, mens sana in corpore sano ...« (Büchner: »Gut, Woyzeck. Du bist ein guter Mensch, ein guter Mensch. Aber du denkst zuviel ...«) Auch das dumpf Vergrübelte der Woyzeck-Natur kommt bei Frischs Andri gelegentlich zur Sprache: »Das ist das Böse. Alle haben es in sich, keiner will es haben, und wo soll es hin? In die Luft? Es ist in der Luft, aber da bleibt's nicht lang, es muß in die Menschen hinein, damit sie's packen und töten können.« (Büchner: »Dreht euch, wälzt euch! Warum bläst Gott nicht die Sonn aus, daß alles in Unzucht sich übereinander wälzt, Mann und Weib, Mensch und Vieh? Tut's am hellen Tag, tut's einem auf den Händen wie Mükken! –«) Die Szene zwischen Andri und dem Soldaten gleicht der Szene zwischen Woyzeck und dem Tambourmajor, dem die Marie verfällt wie die Barblin dem Peider. Der Tambour-major hat einen »Bart wie ein Löw«, und Peider hat »Brust-haar wie ein Affe«. All das mag hingehen, zumal das Stück gerade in diesen Partien dramatisch stark ist, vor allem in den Monologen. Es geht aber darum, ob die Frage »schuldig-unschuldig« als inneres Daseinsproblem bei Frisch nicht die Prämissen des vorgezeigten Experiments aus den Angeln hebt. Der Lehrer mutet den Andorranern zu, sie sollen sich an einem gefälschten Juden bewähren, damit die Leute im Zuschauerraum beschämt das Zerrbild eines Massenwahns erkennen lernen. Aber Andri ist im Grunde weder Jude noch Nicht-Jude, sondern »Niemand« – wie Stiller. Seine Tragödie läuft der getroffenen Absprache zuwider. Bei ihm geht es nicht mehr um den Juden, sondern um die Unbeschriebenheit menschlichen Daseins. Zwar ist das Leben nicht Traum (wie bei Calderon), aber die Fixierungen des Ich sind ein Traum. Das Motiv der Herausforderung oder der Daseinsverfügung, das unumgänglich einen schicksalhaften oder theologischen Aspekt hat und das schon bei Brecht lehrhaft zu erstarren droht, ist vorzeigend auf ein »Sic est« gerichtet – bei Frisch jedoch deutet es in ein Vakuum. Büchners Woyzeck hat ein echtes Schicksal, während Frisch seinem Helden ein falsches zudiktiert. Im *Woyzeck* tritt der Mensch an den inneren Abgrund (»Der Mensch ist ein Abgrund«). Bei Frisch wird aus dem Abgrund eine Theaterversenkung, in der sein Held verschwindet, während oben die »Judenschau« vonstatten geht. Auf der einen Seite wird die Verabredung pünktlich eingehalten, fällt die Planung dem dramatischen Impetus in den Arm – eine Figur nach der anderen räumt das Spielfeld: Barblin ergibt sich dem Soldaten, die Señora wird getötet, die Schwarzen überfallen Andorra –; auf der anderen Seite jedoch erblickt Frisch gar nicht in dem, was vorgezeigt wird, den entscheidenden Punkt, sondern in dem blinden Fleck, der uns den Blick auf das eigene Sein verwehrt. Das macht den letzten Akt flach und verwandelt das Drama in eine obszöne »Show«. Läßt sich ein Modell vorzeigen, wenn man es zugleich »in absentiam« erklärt? Gerät das Drama dabei nicht unweigerlich zwischen zwei Stühle? Man kann dem einen so wenig ein Bein ausreißen, wie man auf dem anderen sitzen kann.

(Aus: Merkur 16, 1962, S. 396-399)

Hans Rudolf Hilty
Tabu *Andorra?*

Nun ist ein halbes Jahr verstrichen seit der Uraufführung von
Andorra. Die Premiere war ein Theaterereignis von europä-
ischer Resonanz. Am Erfolg konnte man schon damals nicht
zweifeln, und inzwischen ist er vielfach bestätigt worden. Zu
den Aufführungen in der Schweiz, in Deutschland und Österreich sind solche in Israel und Schweden gekommen. Für mich
steht außer Zweifel, daß das Stück diesen Erfolg verdient.
Dagegen beschäftigt mich die Tatsache, daß es so wenig
Gespräch um dieses Stück gegeben hat, so wenig Für und
Wider. Es wurde »diskussionslos genehmigt«. Ein paar Kritiker stellten rhetorische Fragen, andere sprachen von »Mißverständnissen«; nach der deutschen Erstaufführung im Januar
hielt Rudolf Walter Leonhardt in der *Zeit* fest: »Wir haben
den Eindruck, daß es sich die Kritik bisher ein bißchen zu
leicht gemacht hat, wenn sie aus einem so hart treffenden
Stück nicht mehr herauslesen konnte als: es sei gut, sich ›kein
Bildnis‹ zu machen, keine Vorurteile zu haben.« Doch kaum
jemand schien geneigt, es sich schwerer zu machen.

Max Frisch diskussionslos genehmigt – das erscheint allen,
die den Weg des Autors bisher verfolgt haben, als Widerspruch in sich selbst. Nicht daß Frisch sich je in der großen
Pose des Revolutionärs gefallen hätte. Aber in seinem Schaffen
war stets etwas Inständig-Nonkonformes, das heftiges Für
und Wider provozierte. So hat er vor allem auf uns, die um
einiges Jüngeren, gewirkt. Der Dichter-Maler Robert Konrad
schrieb 1947 in einem Brief: »Frisch hat ein neues Buch
herausgegeben: *Tagebuch mit Marion,* ein gefährliches Buch,
das einem die Axt zur Hand gibt, die Grenzen, die Enge, die
Formulare, Zöllner, die den Geist versperren, niederzuschla-
gen.« Und Alexander Xaver Gwerder schrieb 1952 kurz vor
seinem selbstgewählten Tod in einem kritischen Essay: »Max
Frisch hatte sich bereits zu kommentieren nach der Aufführung seines *Graf Öderland.* Wozu? Er tat gewissermaßen
einen Griff in seelischen Staub mit diesem Schauspiel; das
beunruhigte, und man wollte Näheres wissen. Vielleicht ver-

mutete man Dynamit drin, jedenfalls etwas zu verzollen.« Noch 1955, als er mit zwei jüngeren Baslern zusammen die Streitschrift *Achtung: die Schweiz* veröffentlichte – während eben der Roman *Stiller* seinen Ruhm weit über unser Land hinaus festigte –, fuhren ihm Kritiker über den Mund wie einem ungezogenen Schulbuben.

Mit *Andorra* tat Frisch kaum weniger einen »Griff in seelischen Staub« als seinerzeit mit *Graf Öderland.* Und doch jetzt dieses Ausbleiben der Diskussion. Weshalb wohl? Zur Erklärung bieten sich verschiedene Antworten an.

Einmal: Max Frisch ist älter und nachgerade weltberühmt geworden. »Ich bin nun eben ein Bonz geworden«, sagt er selber mit Selbstironie. Der Suhrkamp Verlag bereitet eine *Gesamtausgabe* seiner Stücke vor, und in einer Besprechung der Buchausgabe von *Andorra* konnte man lesen: »Die theologische Tendenz, die, wie im Spätwerk immer, durchscheint . . .« Im Spätwerk! So schnell geht das. Vor ein paar Jahren noch der zornige junge Mann, dem man aufmunternd oder auch ärgerlich auf die Schultern klopft – und jetzt der berühmte Dichter, über dessen Gedanken man doch nicht mehr diskutiert, mögen sie noch so provozierend sein. Bis 45 »junger Autor« – ab 50 »Spätwerk.« Dazwischen freilich hat Max Frisch den Zürcher Literaturpreis und den Georg-Büchner-Preis, einen der angesehensten Literaturpreise des deutschen Sprachgebiets, erhalten. Man muß sich fragen, wo denn da noch Raum bleibt für ein Gespräch zwischen dem Autor und dem Partner »Öffentlichkeit«, das ein Gespräch »von Mann zu Mann« wäre, nicht schulterklopfend von oben herab und auch nicht heldenverehrend von unten herauf.

Zweite Möglichkeit: die künstlerische Leistung (die Leistung des Dichters und die Leistung der Bühne zusammengerechnet) haben das Publikum so gefesselt, daß es durch den ästhetischen Genuß von der aufstörenden Problematik des Stücks abgelenkt wurde. Zweifellos ist richtig, daß es in *Andorra* Frisch mehr als je bisher gelungen ist, die »Aussage« in reine szenisch-dialogische Gegenwärtigkeit umzusetzen; kein Kritiker konnte ihm hier »leitartikelhafte« Passagen vorwerfen, wie man das bei früheren Stücken getan hat. Als ich vor einem Jahr das vervielfältigte Bühnenmanuskript las, hatte ich sogar Angst, es sei – an diesem Thema gemessen – zu sehr eine gewissermaßen bühneninterne Atmosphäre entstanden, der »Griff in seelischen Staub« komme so zu wenig über die Rampe; durch die Zwischenszenen im Zeugenstand, die Frisch nachträglich eingefügt hat, ist diese Gefahr allerdings aufs glücklichste gebannt worden. Richtig ist auch, daß von Inszenierung und Besetzung bei der Zürcher Uraufführung das Faszinosum des Musterhaften ausstrahlte.

Beides – die Arriviertheit des Autors und die Präpotenz des künstlerischen Theatererlebnisses – mag dazu beigetragen haben, das lebendige Für und Wider um dieses Stück einzudämmen, ja fast zu verhindern. Doch ich glaube, es kam da noch etwas dazu: Man hat das Thema des Stücks als Tabu behandelt. Das Thema? Doch wohl: Antisemitismus als Modell.

Ich muß genauer sein. Man hat das Problem »Antisemitismus« als Tabu behandelt und sich um so mehr an den Modellcharakter geklammert. Da konnte man dann (wie es R. W. Leonhardt ausdrückte) »abschwirren in abstrakte Betrachtungen darüber, wie verwerflich doch ›Vorurteile‹ jeder Art seien«. Allzu gern, allzu leicht hat man eine Fährte verfolgt, auf die nun freilich Frisch selber sein Publikum gesetzt hat. Er hat ja seinen Andri nicht als wirklichen, sondern als »hypothetischen« Juden in die Mitte des Stückes gestellt. Sowohl in der Tagebuchaufzeichnung »Der andorranische Jude« wie im Stück selbst (in der Zeugenstandaussage des Pfarrers) wird auf das Zweite Gebot verwiesen: »Du sollst dir kein Bildnis machen.« Daß es lieblos ist, Sünde ist, sich vom Mitmenschen »ein Bild zu machen«: Dies ist ein zentrales Thema im Schaffen von Max Frisch, ein Thema, das ihn immer wieder umtreibt und immer wieder in seinen Werken anklingt. Wenn man daraus aber bloß eine Ablehnung von »Vorurteilen« sieht, hat man den Ernst dieser Forderung, so wie sie sich für Max Frisch stellt, nicht verstanden. Und zudem: Die Frage bleibt offen, wie tragfähig die Verbindung dieses Themas (»Du sollst dir kein Bildnis machen«) mit dem Problem des Antisemitismus ist.

Johannes Jacobi schrieb in der *Zeit:* »Vor fünfzig Jahren hätte man anstatt des Juden einen Armenier als Beispielfigur nehmen können, zu anderer Zeit Jesuiten oder Freimaurer. In Amerika: die Neger. ›Der Jud‹ Frischs ist ein Symbol.« Und ähnlich Werner Weber in der *Neuen Zürcher Zeitung:*

»Ich sagte, es habe den Anschein, als ob im Stück ›Andorra‹ die Verfolgung der Juden berichtet werde. ›Woher wißt ihr, wie der Jud ist?‹ wird einmal gefragt. Es könnte auch gefragt sein: ›Woher wißt ihr, wie der Neger ist?‹ Das Stück ›Andorra‹ gibt Bericht vom bösen Blick, mit dem sich Mensch und Mensch in eine Rolle schieben.«

Zweimal der Hinweis auf den Neger. Vom Neger aber weiß ich zum Beispiel, daß er eine andere Hautfarbe hat als ich. Kein Vorurteil und kein böser Blick hat seine Haut schwarz gemacht. Da ist eine reale Verschiedenheit. Nicht daß sich das Negerproblem auf den Unterschied der Hautfarbe reduzieren ließe. Aber andrerseits läßt sich aus dem Problem des Antisemitismus die Frage der realen Andersartigkeit auch nicht ausklammern. »Dafür, daß die Menschen verschieden sind, braucht es doch keine Entschuldigung«, sagte ein junger Autor aus Israel zu mir, nachdem er *Andorra* gesehen hatte. Wir sind in die Aufgabe gestellt, mit Menschen, die anders sind als wir (eine andere Hautfarbe haben, eine andere Sprache und so weiter), mit Menschen, die uns fremd sind, menschlich auszukommen. Um mit dieser Aufgabe fertig zu werden, genügt es nicht, sich »kein Bildnis zu machen«. Da muß etwas dazukommen: die freie Bejahung der Verschiedenheit, die aktive Freude an der Mannigfaltigkeit. Gottfried Keller hat das vor hundert Jahren so ausgesprochen: »Wie kurzweilig ist es, daß es nicht einen eintönigen Schlag Schweizer (sagen wir: Menschen) gibt.« Darin steckt auch eine Antwort auf das Problem des Antisemitismus, und zwar gerade die Antwort, die *Andorra* nicht gibt, die in diesem Stück verbaut ist durch die Voraussetzung der Fabel, daß Andri gar nicht wirklich Jude ist.

Frisch hat wohl die Frage der realen Andersartigkeit ausgeklammert, um zu betonen, wie unwichtig die »äußerlichen« Verschiedenheiten sind. Er will sagen: In feindliche Positionen geraten die Menschen nicht durch diese gegebenen Unterschiede, sondern durch eigenen »bösen Blick«. Das ist sicher richtig. Und trotzdem geht hier etwas nicht auf. Das *Andorra*-Modell läßt sich nicht – oder nur ganz indirekt – auf die Negerfrage übertragen; denn es gibt nicht den hypothetischen Neger, wie es den hypothetischen Juden gibt. Und im Stück selber kommt es durch diese Fiktion zu Schwierigkeiten. Wenn die »Judenschau« leicht peinlich wirkt, so doch wohl in erster Linie deshalb, weil hier der historische Ansatzpunkt und der Modellcharakter zu sehr auseinanderklaffen. Hört man das Wort »Judenschau«, erwartet man unter anderem, daß sich die Männer nackt ausziehen und zeigen müssen, ob sie beschnitten sind oder nicht. Das Thema »Beschneidung« würde aber die Fabel zerstören. Da wird dann statt dessen das Theater mit den Tüchern überm Kopf aufgeführt, das zwar in Zürich von der Regie her so gut als überhaupt möglich gemeistert wurde, das aber doch einfach viel zu harmlos wirkt, zu wenig erniedrigend gegenüber dem, was sich dem Zuschauer an historischer Assoziation beim Wort »Judenschau« einstellt. Durch die Tatsache, daß Andri nicht wirklich Jude ist, wird den Andorranern auch die Verteidigung zu leicht gemacht. In den Zwischenszenen an der Schranke reden sich die meisten damit heraus, sie hätten natürlich nicht wissen können, daß Andri kein Jude gewesen sei. Ein so simples Alibi konnte kein Deutscher, der die Judenverfolgungen als Zuschauer miterlebt hat, geltend machen. Wenn der Verfolgte nur ein hypothetischer Jude ist, erscheint die Verfolgung allzu leicht als »tragischer Irrtum«. Frisch hat es nicht so gemeint; natürlich sind für ihn die Verteidigungsreden der Andorraner faule Sprüche. Er weiß, daß die Verfolgung wirklicher Juden genau so schlimm ist wie die Verfolgung des hypothetischen Juden. Aber die Subsumtion des Antisemitismusproblems unter die Forderung »Du sollst dir kein Bildnis machen« hat wohl doch zu einer Verharmlosung des historischen Tatbestandes geführt; das zeigt sich beim Thema »Judenschau« und beim Thema »Verteidigung«.

Auffallend übrigens, daß die Kritiker, die nach weitern »Anwendungsmöglichkeiten« des Modellfalls *Andorra* gesucht haben, zwar die Neger erwähnten, und sogar Armenier, Jesuiten und Freimaurer, jedoch nicht die Kommunisten. Wenn man schon nicht beim Antisemitismus bleiben will, hätte es doch am nächsten gelegen, *Andorra* auch als ein Stück gegen den McCarthyismus zu sehen, in der Nachbarschaft von Millers *Hexenjagd*. Ich kann mir vorstellen, daß man es im Welschland so auffassen wird: die Andorraner als die typischen Deutschschweizer, die jeden politischen Außenseiter (zum Beispiel einen Atomwaffengegner) durch ihren bösen Blick zum Kommunisten oder Kryptokommunisten stempeln. Den hypothetischen Kommunisten gäbe es, während es den hypothetischen Neger nicht gibt. Mag sein, daß der eine oder andere Kritiker an eine solche Deutung gedacht, sie sich aber verboten hat – im Schatten der Berliner Mauer. Da zieht man nur die Parallele zwischen Kommunismus und National-sozialismus (zum Beispiel zwischen der Berliner Mauer und der Warschauer Ghetto-Mauer, wie das anläßlich des Stücks *Die Mauer* von Lampell geschehen ist); die andere, mindestens so tragfähige Parallele zwischen Antisemitismus und Antikommunismus zieht man nicht; das wäre »aufweichlerisch«. Und freilich, beim *Andorra*-Modell käme man damit auch nicht allzu weit. Denn wiewohl es den hypothetischen Kommunisten gibt, kann man nicht wohl hypothetisch als Kommunist geboren sein, wie Andri hypothetisch als Judenkind geboren ist. Kommunismus ist eine ideologische Kategorie. Und da zeigt sich nun, daß Frisch, noch wenn er gewollt hätte, kaum ein anderes Beispiel als das des Juden hätte verwenden können. Als Jude wird man geboren, und doch ist die äußerliche Unterscheidung so wenig zwingend, daß es noch möglich ist, einen hypothetischen Juden einzuführen.

Man kann aus dieser Feststellung entgegengesetzte Schlüsse ziehen: Man kann sagen, gerade weil Frisch dieses Problem auf des Messers Schneide gewählt habe, wirke *Andorra* auf beide Seiten hin (in Richtung auf die angeborenen und in Richtung auf die ideologischen Unterschiede zwischen Menschen) beispielhaft. Man kann daraus aber auch schließen, *Andorra* wirke also nur sehr beschränkt und indirekt als »Modell«, und die Judenfrage sei darin gerade deshalb zu harmlos dargestellt, weil die Fabel Frisch gezwungen habe, sie stets auf dem schmalen, allzu schmalen Grat zwischen angeborenen und ideologischen Unterschieden zu halten.

Vollends schief werden die Proportionen, wenn man das Schicksal Andris einfach als Modellfall für das Schicksal eines »Außenseiters« ansieht. Gewiß hat das Problem des Außenseiters Max Frisch immer wieder auf den Fingern gebrannt, von seinen allerersten Anfängen her (*Antwort aus der Stille* zum Beispiel). Aber der Außenseiter ist dabei stets der Intellektuelle, Anatol Stiller, Don Juan und so weiter. In seiner Darmstädter Rede hat Frisch vom Schriftsteller (also wiederum vom Intellektuellen) als vom hypothetischen Emigranten gesprochen. Der hypothetische Emigrant – der hypothetische Jude: Das scheint ein geringer Unterschied. Aber daß Frisch diesen Unterschied wahrt, zeigt, mit wieviel Scheu und Takt er die Worte wählt. Es wäre absurd, den jungen Andri in eine Linie mit den intellektuellen Außenseitern aus andern Werken Frischs zu stellen. Der hypothetische Emigrant: Darin liegt eine Gebärde der Selbstbehauptung. Der hypothetische Jude kann nur Opfer werden. Den Außenseiter gibt es freilich auch unter den Andorranern, aber er heißt nicht Andri; es ist der Lehrer. In ihm lebt etwas weiter von Stiller und Faber. Und wenn wir so die Linie ziehen, wird eines deutlich, was die Frisch-Interpreten bisher noch kaum beachtet haben: daß neben dem intellektuellen Außenseiter zuletzt immer das Opfer steht: Julika neben Stiller, Sabeth neben Faber, Andri und Barblin neben dem Lehrer. Soll man, darf man von Schuld sprechen? Und wie stünde die individuelle Schuld des Außenseiters zur »Kollektivschuld« der Andorraner?

Ich glaube, man kommt dem Eigenen des Stücks näher, wenn man nicht zu sehr auf dem Modellcharakter besteht und sich nicht durch Frischs eigenen Fingerzeig auf das zweite Gebot (»Du sollst dir kein Bildnis machen«) zu einer allzu einfachen und allzu allgemeinen Interpretation verführen läßt. Man sollte sich nicht scheuen, das Stück als Zeitstück zu nehmen, als politisches Stück, als »Schweizer Spiegel«, und man sollte sich eben so wenig scheuen, das Schicksal des Lehrers und seiner beiden Kinder Andri und Barblin als »Familientragödie« – freilich vor politischem Hintergrund – zu sehen.

Daß Frisch nicht eigens unterstrichen hat, wie sehr seine Andorra-Vision mit seinem Erlebnis der Schweiz verknüpft ist, versteht sich von selbst. In seiner Beziehung zur Heimat ist zuviel verletzliches Engagement, zuviel »J'adore ce qui me brûle«, als daß er darauf mit lehrhafter Eindeutigkeit den Finger legen könnte. So konnte er ins Textbuch schreiben, mit *Andorra* sei »auch nicht ein anderer wirklicher Kleinstaat gemeint«. Er konnte aber auch sagen (zu Curt Riess): »Die Schuldigen sitzen im Parkett. Sie sollen erschrecken: sie sollen, wenn sie das Stück gesehen haben, nachts wachliegen.« Eine der ersten politischen Fragen, die Max Frisch beschäftigt hat, war die Frage: Wie wird die Schweiz bestehen, wenn sie mit in den Strudel gerissen wird? Seine *Blätter aus dem Brotsack* (1940) zeugen von dieser Frage. Die Schweiz ist verschont geblieben, und so hat die Frage keine Antwort gefunden; sie wird auch keine Antwort mehr finden, denn die jetzt noch möglichen politischen Verwicklungen sind ganz anderer Art als damals die Gefährdung durch den Nationalsozialismus. Aber als Gewissensfrage besteht die Frage weiter. Mit *Andorra* hat Frisch ein Zeugnis vom Ernst dieser Frage aufgerichtet. Davon können wir uns nicht dispensieren durch Ausweichmanöver in Richtung Negerfrage. Mit den Schwarzen kamen wir als Volk nie so in Berührung, daß es einen schweizerischen Kolonialimperialismus und eine schweizerische Apartheidspolitik hätte geben können. Doch einen schweizerischen Antisemitismus gab es, mindestens unterschwellig, gibt es vielleicht heute noch. Oder wenn man die Linie literarisch ziehen will: Es führt ein gerader Weg von Seldwyla nach Andorra.

In Deutschland ist (von R. W. Leonhardt in der *Zeit*) die Frage gestellt worden, ob mit dem »Modellfall Andorra« nicht der »Fall Deutschland« gemeint sei. In Stockholm hat man durch eine naturalistische Regie das Stück stimmungsmäßig in die Nähe der *Anne Frank* gebracht. Aber in Israel, wo das Haifa-Theater eine vorbildliche Adaption zeigte, hat man die zeitgeschichtlichen Bezüge richtig verstanden. Die *Jerusalem Post* schrieb: »Here the author undoubtedly points a finger at his Swiss compatriots who have lived through two world-shattering wars, safe and prosperous in their neutral security.« Im gleichen Artikel von Ida B. Davidowitz steht auch ein Seitenhieb auf McCarthy und die John Birch Society; in Israel merkte man (was man sich bei uns im Schatten der Berliner Mauer nicht eingestehen wollte), daß diese Parallele näher liegt als die Negerfrage.

Wenn ich schließlich von »Familientragödie« spreche, meine ich damit beileibe nichts Abschätziges. Ich glaube vielmehr, daß im individuellen Bereich, in der Konstellation einzelner privater Menschen (der Lehrer, Andri, Barblin, daneben die Señora und die Mutter), eine der stärksten Seiten des Stücks liegt. Das Gespräch zwischen Barblin und Andri vor Barblins Kammer gehört in seiner scheuen Innigkeit zu den schönsten

Liebesszenen des neuern Theaters. Oder die nur angedeutete Beziehung zwischen der Señora und Andri. Da steht die Theaterpoesie von Max Frisch auf der Höhe von Hofmannsthal, Giraudoux, Schehadé. Dabei wirkt dieses niemals zu weiche poetische Fludium vor dem aufstörenden politischen Hintergrund doppelt erschütternd. In einem Punkte freilich geht die Konfrontation des Privaten mit dem Geschichtlichen nicht auf. Vor dem Hintergrund der Judenverfolgung kommt es einem abwegig vor, die Geschwisterliebe noch als Movens des Tragischen zu benützen; als ob es in der Nähe millionenfachen Mordens noch in einem tragischen Sinne als Schuld empfunden werden könnte, daß zwei Halbgeschwister einander in Herzlichkeit auch als Mann und Frau lieben. Warum führt der Lehrer nicht seine Fiktion zu Ende, indem er die beiden zusammengibt? Warum nehmen sich Andri und Barblin nicht die Freiheit dazu? Wäre in dieser Liebe über die Konvention hinaus nicht so etwas wie Rettung? Aber solche Fragen tauchen am Rande nur auf. Die Szenen sind so dicht, daß man als Zuschauer das Schicksal von Andri und Barblin zunächst annimmt, wie der Autor es einem darbietet. Immerhin, auch hier wären Ansatzpunkte zur Diskussion: zu einer grundsätzlichen Diskussion über die Frage, wie weit vor dem Grauenvollen, das wir als historische Tragik erfahren, die familiäre Tragik des klasischen Dramas (Ödipus und so) überhaupt noch als Tragik zu empfinden ist.

Diskussion! Wir schulden sie dem Stück. Mit Recht hat Gody Suter in der *Weltwoche* geschrieben: »*Andorra* kann nicht an einem Abend oder in wenigen Tagen zu Ende gedacht, zu Ende gefühlt werden.« Auch in einem halben Jahr kann das Stück nicht zu Ende gedacht, zu Ende gefühlt werden. Aber ich meine, in einem halben Jahr wäre doch Raum gewesen für mehr ernsthaftes Für und Wider, als wir es erlebt haben. *Andorra* kann nur weiterwirken, wenn wir es nicht zum Tabu machen.

Peter Pütz
Max Frischs *Andorra* –
ein Modell der Mißverständnisse

Daß Andorra der Name für ein Modell sei, hat Frisch im Vorwort zu seinem Stück gesagt. Seine Beteuerung entsprang kluger Voraussicht und berechtigtem Verdacht, denn sie wurde nicht beachtet. Zwar waren Publikum und Rezensenten noch bereit, von dem Pyrenäen-Kleinstaat gleichen Namens zu abstrahieren, doch schon die zweite Warnung des Autors, daß auch kein anderer wirklicher Kleinstaat gemeint sei, schlugen manche in den Wind. Zu vieles schien auf das kleinere Nachbarland des militärisch überstarken antisemitischen Hitlerstaates hinzuweisen, das Land, das die von dort vertriebenen Flüchtlinge aufnahm, das ein »Hort des Friedens und der Freiheit und der Menschenrechte sowie Inbegriff« von Republik genannt wird, dessen Waffe seine Unschuld sei, auf dessen Seite das Weltgewissen schlage und dessen geographische Struktur (die Täler »eng«, die Äcker »steinig und steil«) verräterisch genug ist. Wer mochte da nicht an das Heimatland des Autors denken, wenn dieser auch dem schwadronierenden Doktor die meisten der hochtrabenden Klischees in den Mund legte.

Wer sich schließlich von der festen Vorstellung befreite, Frisch geißele hier die prätendierte Mustergültigkeit und das auf Grund der geschichtlichen Konstellationen nur zufällig berechtigte Integritätsbewußtsein seiner Landsleute, der fand bald neue Schlüssel für einsinnige Erklärungen: *Andorra* galt als Abrechnung mit dem Antisemitismus, mit dem Mord an 6 Millionen Juden. Diese Einsicht führte zu verschiedenen Reaktionen der Leser und Zuschauer: Die einen lehnten sich aufatmend in ihren Theatersesseln zurück und sahen ein düsteres Kapitel deutscher Geschichte – zumindest literarisch – bewältigt. Andere zeigten sich empört; denn sie vermißten in dem Stück eine angemessene Darstellung und Verarbeitung des unsagbaren Grauens, fragten aber in den seltensten Fällen, ob dieses als historische Realität auch nur annähernd literarisch darzustellen und zu verarbeiten ist. Andere wiederum sahen die Behandlung des Judenmordes verquickt und – wie sie meinten – verunreinigt mit Frischs angeblich persönlicher Identitätsproblematik, wobei allerdings zu fragen ist, warum an ihr so viele Menschen hartnäckig interessiert sind, wenn sie nur eine Privatquerele Frischs mit seinem Ego wäre.

Noch eindringlicher ist die Frage zu stellen, inwiefern thematische Ausweitungen und Verknüpfungen zwar verschiedener, sich gegenseitig aber doch erhellender Problembereiche unzulässig sind, ob sie die moralische Ernsthaftigkeit gefährden oder gar den ästhetischen Sinn beleidigen, der doch gerade vom Reichtum bedeutsamer Beziehungen und Zusammenhänge angezogen wird. Da *Andorra* so viele Anspielungen auf lokale Gegebenheiten und historische Vorgänge enthält, lag es nahe, die Intentionen des Stückes auf einzelne dieser Fakten zu fixieren. Dabei sollen alle diese Bezüge und viele andere keineswegs geleugnet, sondern müssen als Konnotationen in die Gesamtbetrachtung mit einbezogen werden. In einem literarischen Text vom Range *Andorras* gibt es, wie die divergierenden Deutungen und Mißdeutungen jetzt schon bezeugen, so viele Sinnschichten, daß sie – wenn überhaupt – nur in der vorab nicht begrenzbaren Geschichte seiner Rezeption und Analyse entdeckt und durchdrungen werden können. Wer einzelne davon isoliert und zur zentralen oder gar einzigen ›Aussage‹ erklärt, bringt den Text um die Qualität seiner internen Unendlichkeit, schlägt ihn im buchstäblichen Sinne platt.

Ziel dieser Abhandlung ist nicht eine dem Sinn des oben Gesagten widersprechende und beim jetzigen Stand der Rezeption aussichtslose Gesamtdeutung, sondern die Auseinandersetzung mit vorgebrachten Argumenten, die, sofern sie den Text verflachend mißverstehen, der Korrektur bedürfen.* Das Stück soll nicht durch eine weitere plane Erklärung eingeschnürt, sondern durch erstrebten Abbau von Verdeckungen für die weitere Rezeption offener gehalten werden.

Die Einwände gegen das Drama gelten sowohl seinem Inhalt als auch seiner Form, von der zuerst die Rede sei. Da heißt es

---

* Es nützt wenig, im einzelnen anzuführen, wer an welcher Stelle welche Meinung vertreten hat, da in diesem Zusammenhang die Argumente wichtiger als die Namen sind.

einmal, die Konstruktion der Fabel sei brüchig und widersprüchlich, ein andermal: das Stück sei tektonisch so konventionell wie ein Schicksalsdrama von Zacharias Werner. Stehen beide Urteile bereits in einem Widerspruch zueinander, denn die Fügung des Schicksalsdramas ist so streng, daß ihre Logik sich so zwingend wie das Schicksal gebärdet, so ist auch jedes der beiden Urteile für sich genommen nicht haltbar. Gewiß, die Handlung in *Andorra* ist verwirrend, doch, wie sich zeigen läßt, mit Sinn. Die Kenntnis der wahren Herkunft Andris bleibt lange im dunkeln; sie wird verschiedenen Personen zu verschiedenen Zeitpunkten zuteil, und manchem bleibt sie in einem tieferen Sinne für immer verborgen. Zunächst gilt der Sohn desjenigen Mannes, der als einziger von Anfang an den wahren Sachverhalt kennt, schuldhaft verschweigt und durch Trinken verdrängt, als ein aus dem Nachbarland gerettetes Judenkind, das den Andorranern als Alibi für ihre eigene Unvoreingenommenheit dient. Je mehr aber der Druck des Nachbarlandes wächst, um so mißtrauischer und haßerfüllter werden die Reaktionen auf Andris Dasein und Verhalten. Angst ist überhaupt eine der treibenden Kräfte im gesamten Geschehen, sowohl während des dramatischen Verlaufs als auch in dessen Vorgeschichte. Aus Angst vor den gesellschaftlichen Zwängen hat die Senora ihr uneheliches Kind verschwiegen, aus Angst vor der Sitte seines Landes hat der Lehrer seinen Sohn verleugnet, Andri hat Angst, nicht so sein zu dürfen wie die anderen, Barblin fürchtet sich vor dem Einfall der Schwarzen und vor dem Verlust ihres Geliebten, der Soldat hat Angst vor der Übermacht der Feinde; daher trinkt und prahlt er; der Geselle hat Angst, die Verwechslung des Stuhls aufzuklären usw. Alle diese Formen der Angst entspringen der Diskrepanz zwischen den gesellschaftlichen Forderungen und den jeweiligen Charakteren mit ihren persönlichen Glückserwartungen. Wer nur die subjektive Seite ihrer Anpassungsreaktionen auf die äußeren Zwänge sieht, erkennt nur Feigheit und kann sich geruhsam moralisch entrüsten. Wer dagegen die objektiven Ursachen der Angst zu suchen bereit ist – der Lehrer und Andri sind nicht von Natur aus feige –, der wird auf den fast unwiderstehlichen Druck des Rollenzwangs gestoßen, der sogar den Lehrer, den einstigen Rebellen, zerbricht.

Nachdem bekannt geworden, daß Andri gar kein Jude, sondern der Sohn des Lehrers ist, sollte die Gesellschaft imstande sein, ihn aus seiner Rolle zu entlassen, doch nichts dergleichen geschieht. Nicht nur sie diktiert ihm weiterhin das Dasein eines Außenseiters, auch er selbst hat sich inzwischen mit dem Diktat seiner Umwelt abgefunden und bejaht und verteidigt seine Rolle. Die einzige reale Konsequenz aus der ansonsten fast gänzlich ignorierten Bekanntgabe der wirklichen Abstammung Andris ist der endgültige Verlust Barblins, der einstigen Verlobten. Aber auch dies will Andri nicht wahrhaben, denn obwohl feststeht, daß sie seine Schwester ist, wird er – übrigens zum erstenmal – zudringlich und verlangt von ihr wenigstens das, was sie dem Soldaten gönnte. Ebensowenig wie in ihr die Schwester anerkennt er in dem Lehrer seinen Vater, und den beschwörenden Worten des Paters, er sei kein Jude, erwidert er so deutlich wie nie zuvor in Ton und Bildlichkeit des Alten Testaments, ja er setzt dem Trostspruch des christlichen Priesters seine eigene Hoffnungslosigkeit entgegen, jenseits des Todes die Gnade eines durch Christus Erlösten erlangen zu können.

Dann kommt der Judenschauer, der lange befürchtete oder erwartete ›deus ex machina‹. Er hat den tödlich sicheren Blick, er muß doch die Wahrheit erkennen und allen, Andri und den Andorranern, endgültige Klarheit verschaffen. Doch die Wahrheit besteht nicht in dem, was an und für sich, sondern in dem, was für andere ist, was die Umwelt, ihre Institutionen, Interessen und Affekte als Wahrheit gesetzt haben. Auch der Prüfer mit dem untrüglichen Auge sieht nicht die naturhaft-biologische, sondern die gesellschaftliche Wahrheit. Auch er sieht nicht, wo Andri herkommt, sondern das, was die anderen und schließlich auch er selbst aus ihm gemacht haben. Die seelenlose Perfektion des Henkershelfers trifft die Wirklichkeit noch am genauesten: Jude ist nicht der, der ›jüdisches Blut‹ in seinen Adern hat, sondern der, den seine Umwelt dazu stempeln will. Daher haben in der Abschlußszene alle Vermummten entsetzliche Angst und tränken mit ihrem Schweiß die schwarzen Tücher, obwohl sie doch wissen müßten, wes Fleisches Kind sie sind. Doch nicht, was jemand seiner Herkunft verdankt und daraus macht, bestimmt seine Identität, sondern es sind die gesellschaftlichen Faktoren, die das Subjekt in seinem Verhalten prägen. Sowohl das Bild, das seine Umwelt von ihm hat, als auch das Selbstverständnis eines Menschen hängt davon ab, in welche Rolle er gedrängt wird. Daß dieser Befund nicht Einverständnis, sondern Auflehnung erheischt, geht unter anderem daraus hervor, daß er das makabre Ergebnis einer Henkerszene ist (Kopfverhüllung, Trommelwirbel usw.). Doch auch diese Wahrheit bleibt den Andorranern verborgen; denn nur »das mit dem Finger ging zu weit«. Die Kompliziertheit oder »Abstrusität« der Fabel, wie sie kritisch genannt wurde, entspringt nicht dramaturgischem Dilettantismus, sondern sie ist angemessener, ja darstellerisch notwendiger Ausdruck des beharrlichen Rollenzwangs trotz wechselnder Situationen und veränderten Informationsstandes. Andri als Jude, obwohl erblich keiner, gesellschaftlich doch einer – dieser Tatbestand muß mehrfach widerrufen, bestätigt, über den Haufen geworfen werden, damit deutlich wird, daß sich die bleibenden, alles determinierenden Zwänge einer sozialen Rolle über veränderte oder nicht veränderte Tatbestände hinwegsetzen.

Trotz der Kompliziertheit des Plots ist er nach herkömmlicher Tektonik streng gefügt; insofern stimmt die Behauptung der formalen Konventionalität. Durch eine Fülle ankündigender und andeutender Vorgriffe werden ganze Bündel von Spannungsbögen sowohl über kürzere als auch längere Distanzen konstruiert. Vor allem das erste Bild erfüllt in vieler Hinsicht die futurischen Funktionen einer Exposition. Hierzu dienen die werbende Drohung des Soldaten, er werde Barblin schon bekommen, weiterhin das Weißeln einer Mauer und im übertragenen Sinne eines Landes, das der Übertünchung bedarf, die wiederholten Erwähnungen der Schwüle und eines heraufziehenden Gewitters, der rätselhafte Pfahl, an dem allein der Lehrer ahnungsvollen Anstoß nimmt, und vor allem die Bemerkung des umherflanierenden Soldaten, daß ein Platzregen der weißen Kirche schaden und die rote, erdene Grundfarbe wieder zum Vorschein bringen werde, und er fährt fort: »das saut Euch jedesmal die Tünche herab, als hätte man eine Sau drauf geschlachtet.« Später wird aus den Andorranern tatsächlich die anerzogene Güte weggespült werden. Sie werden atavistischen Instinkten folgen und Andri als Sündenbock zur Schlachtbank führen. Wie oft in der Geschichte des Dramas (Kleists *Penthesilea*, Büchners *Danton*) wird zu Beginn eines Stückes das spätere Geschehen durch eine Metapher antizipiert, deren vergleichender Vorgriff im weiteren Ablauf auf grauenerregende Weise verwirklicht wird.

Mehr ankündigende als andeutende Vorgriffe enthalten die zwischen die einzelnen Bilder eingeschalteten Vordergrundszenen – und hier sehen wir ein darstellerisches Mittel, dem man aufgrund seiner vielseitigen dramatischen Leistungsfähigkeit schwerlich pure Herkömmlichkeit attestieren kann. In den meisten Intervallen zwischen den verschieden langen Bildern des Stückes treten einzelne Figuren an die Rampe und geben Erklärungen ab, die sich auf ihre Verwicklung in das Dramengeschehen beziehen. Somit wird die Bühne geteilt: Es gibt die Spielsphäre im herkömmlichen Sinne mit dem dramatischen Ablauf um die Andorraner und Andri; von dieser Spielsphäre wird ein Bereich abgesetzt, der als »Vordergrund« und »Zeugenschranke« bezeichnet ist. Die hierhin tretenden Figuren sprechen retrospektiv über ein zurückliegendes Geschehen; die zeitliche Form ihrer Reden (»es war«; »es hat«; »nach Jahr und Tag«) markiert sie als Rückgriffe. Für die dramatische Spielsphäre dagegen fungieren diese Rückgriffe als Vorgriffe, denn besagte Personen geben an der Zeugenschranke Informationen, die der Zuschauer zu diesem Zeitpunkt aus der Spielsphäre noch nicht entnehmen konnte. Bereits nach dem ersten Bild, in dem Andri von seiner Umwelt eindeutig als Jude deklariert und behandelt worden ist, gibt der Wirt in der Vordergrundszene zu wissen, daß das angebliche gerettete Judenkind in Wahrheit der Sohn des Lehrers ist. Hier ist die Handschrift Brechts erkennbar, der z. B. den einzelnen Bildern seines *Galilei* kurze Sätze, Titel, Plakatschriften, Songs und Publikumsanreden vorausschickt, die das Geschehen der kommenden Szene knapp umreißen. Damit bezweckt er die Verlagerung der Spannung vom *Ausgang* auf den *Gang* der Handlung, vom Was auf das Wie. ›Was‹ sich im folgenden ereignet, wird kundgetan, ›wie‹ es dazu kommt, wird nicht gesagt. Mit diesem dramaturgischen Mittel soll der Zuschauer aus der bloß neugierigen Verwicklung in das Geschehen gelöst werden und Gelegenheit erhalten, darüber nachzudenken, wie es zu dem bereits frühzeitig bekanntgegebenen Ergebnis kommen konnte, ob es dazu kommen mußte oder ob und wie es hätte vermieden werden können. Oberflächlich betrachtet wird der Zuschauer damit aus dem hinreißenden Gang des Geschehens herausgeworfen, in einem tieferen Sinne wird er jedoch intellektuell und politisch-moralisch ungleich stärker beansprucht und in die Problematik involviert.

Die Vordergrundszenen haben allerdings noch andere Funktionen, die weit über die üblichen des epischen Theaters hinausgehen. Ihre formale Leistung steht im Dienst inhaltlicher Intentionen des Stückes, die vielfach mißverstanden wurden. Stimmen aus Amerika, die sich nach der New Yorker Aufführung zu Wort meldeten, lehnten es ab, in dem angeblich jüdisch-masochistischen Nichtjuden den Repräsentanten von Millionen ermordeter Juden zu sehen, weil durch sein privates Identitätsgerangel die Brutalitäten in den Konzentrationslagern und ihre historischen Bedingungen verharmlost würden. Frischs angeblicher Versuch sophistisch-psychologisierender »Vergangenheitsbewältigung« erschien zu billig, und das Wort von der »Peitsche aus Samt« machte die Runde. Läge derartiges im Sinne des Stückes, so wären die Einwände mehr als berechtigt. Doch die Vorwürfe beruhen auf einer fundamentalen Fehldeutung, da sie sich fast ausnahmslos auf die Figur des Andri stützen, die sinnkonstitutiven Vordergrundszenen dagegen kaum oder gar nicht berücksichtigen. Die in der Spielsphäre dargestellten Personen, die alle mit Andris Leben mehr oder weniger schuldig verflochten sind, treten in den Vordergrund, um ihr Verhalten zu ihm zu erklären, verständlich zu machen, zu rechtfertigen. Die Selbstverteidigungen geraten dabei zu Selbstentlarvungen. Der Wirt, der Tischler, der Geselle usw. räsonieren an der Zeugenschranke über ihr zurückliegendes Versagen in der Spielsphäre; sie fallen buchstäblich aus ihrer Rolle, treten sich gegenüber und betrachten sich, scheinbar jedenfalls, von außen. Ihr Aus-der-Rolle-fallen wird auf mehrfache Weise sinnfällig: räumlich durch das Hervortreten aus der Szene an die Rampe, zeitlich durch den Sprung aus der gespielten Zeit in die Spielzeit, d. h. auch in die Zeit des Zuschauers, kostümhaft durch Wechsel der Kleidung: »Wirt, jetzt ohne die Wirtsschürze«; »Geselle, jetzt in einer Motorradfahrerjacke«; »Soldat, jetzt in Zivil«, vorher »olivgrau«; »der Pater kniet« vor der Rampe, in der Sakristei saß er oder stand. Das vielfach eingeschobene »jetzt« soll noch zusätzlich den zeitlichen Abstand zu »damals« und damit eine Wandlung suggerieren. Doch diese ist nur eine äußerliche, eine scheinbare, denn die Ironie besteht gerade darin, daß die Personen im Vordergrund trotz Abstand und angeblichem Umdenken dasselbe Spiel von ehemals weiterspielen, indem sie, getreu ihrem Verhalten im Spielbereich, ihr Versagen zu kaschieren und verdrängen suchen. Sie fallen nur vorübergehend aus ihrer ›dramaturgischen‹, für keinen Augenblick jedoch aus ihrer ›sozialen‹ Rolle. Ihre Selbstrechtfertigungen entsprechen exakt den Beschwichtigungen und Ausflüchten, die man im Nachkriegsdeutschland allenthalben zu hören bekam: »ich bin nicht schuld, daß es so gekommen ist später; ich habe nur meinen Dienst getan; einmal muß man auch vergessen können«; usw. Solche Sätze, Zeugnisse ohnmächtigen und uneinsichtigen Verhaltens zur Vergangenheit, erklingen hier als bekanntes Echo auf Reden und Ausreden in den Gerichtssälen, auf Veröffentlichungen und Meinungen vieler, allzuvieler. Dabei ist zu beachten, daß die Figuren in den Vordergrundszenen nicht ›ad spectatores‹ sprechen; daher ist der Vergleich mit Eliots *Mord im Dom* verfehlt. Frisch selbst hat in den Anmerkungen zur Zürcher Aufführung erklärt: »Die Andorraner sitzen im Parkett, nicht Richter, sondern ebenfalls Zeugen; der Zeuge, der spricht, wendet sich also nicht an den Zuschauer, sondern spricht parallel zur Rampe.« Die Figuren in den Vordergrundszenen rechtfertigen sich also nicht ›vor‹ dem Publikum, sondern ›wie‹ und ›für‹ das Publikum. Dieses wird durch das dramatische Mittel der Vordergrundszene nicht nur wie im epischen Theater zur analytischen Arbeit eingeladen, es wird auf die Bühne gezerrt; denn dort wird seine ureigene Sache verhandelt. Nicht die sich jeder Darstellung entziehende Ermordung von Millionen Juden, noch weniger der Versuch einer seichten Vergangenheitsbeschwichtigung sind die Hauptintentionen dieses Stückes, das mit gutem Grund nicht »Andri« und nicht »Der andorranische Jude« heißt, sondern *Andorra;* denn es geht gerade um die Demonstration falscher, unerreichter und auf diese Weise unerreichbarer Vergangenheitsbewältigung. Das Drama will nicht einmal in Ansätzen glauben machen, es leiste eine fundierte Auseinandersetzung mit dem historischen Phänomen des Nationalsozialismus, es will dagegen zeigen, daß diese noch gar nicht begonnen hat und wenn, dann in verfehlter und selbstbetrügerischer Form.

Fast alle im Stück agierenden Figuren treten an die Schranke und bezeugen – mit Ausnahme des Paters – in wortreichen Selbstrechtfertigungen ihre unveränderte Haltung. Nur zwei Personen treten nicht nach vorne: die Pflegemutter, weil sie nicht beteiligt ist an der von allen veranstalteten Hetze auf den Außenseiter, und Barblin, die ihn liebt und doch am tiefsten verletzt. Sie ist eine der wichtigsten Figuren des Stückes und eine der bemerkenswertesten von Frisch überhaupt. Sie hat das erste und das letzte Wort des Dramas, sie ist ebenso kompliziert wie wahrhaftig, so daß nur rohes Unverständnis zu dem Urteil führen konnte, sie gebe sich aus dramaturgischer Verlegenheit dem Soldaten hin, damit der drohende Inzest verhindert werde. Das Mädchen ist vielmehr von Anfang an irritiert durch die brutale sexuelle Zudringlichkeit des Soldaten, wenn sie ihm bereits mit ihren ersten Worten spröde und doch schon spürbar affiziert das Schielen auf ihre Waden und in die Bluse verwehrt. Zur offensichtlich notwendigen Defensive gehört auch die Betonung ihres Verlöbnisses gegenüber dem Soldaten, während sie es auf ausdrückliche Anfrage des Paters verschweigt. Hinzu kommt die durch den Soldaten verbreitete Angst vor den feindlichen Nachbarn, so daß er in ihrer Vorstellung in die Rolle eines Gewährsmanns und fast eines potentiellen Beschützers hineinwachsen kann. Jedenfalls schenkt sie seinen Worten mehr Glauben als denen des Paters. Und nun zu Andri! Sogar seine Beziehung zu Barblin ist von Anfang an durch Rollenangst belastet. Wie er als Außenseiter Schwierigkeiten hat, Tischler zu werden, mit den anderen Fußball zu spielen, überhaupt zu sein wie die anderen, so fürchtet er auch, daß seine Liebe an seiner jüdischen Herkunft zerbricht, und der Lehrer ihm Barblin verweigert. Dreimal sehen wir ihn auf der Schwelle zu Barblins Kammer, und während sie geküßt werden möchte und ihre Bluse auszieht, da räsoniert er über das Böse, das in der Luft liegt und das die Menschen nun auf ihn versammelt haben. Nachdem der Lehrer seine Weigerung schon ausgesprochen und Andri die Schwelle noch immer nicht überschritten hat, da steigt der Soldat einfach über ihn hinweg, dringt in die Kammer ein und nimmt Barblin, normal und brutal wie ein andorranischer Kerl – auch der Lehrer war früher einer. Barblin sagt später zu Andri: »Ich habe zu lange gewartet auf dich.« Sie liebte ihn und behandelte ihn wie einen Andorraner, doch er vermochte keiner zu sein. Seine Rollenangst zernagte schließlich auch seine Liebesfähigkeit, und da er die ihre zwar geweckt hatte, doch nicht erfüllen konnte, kam der Soldat. Subjektiv unschuldig, gibt sie Andri doch den Todesstoß. Am Ende lebt sie dahin wie Gretchen im Kerker, geschoren und nicht mehr bei Sinnen. Dem Pater, der ihr trostvoll sagen möchte, ihr Haar werde wieder wachsen, erwidert sie: »Wie das Gras aus den Gräbern.« So wie der Jugendschauer noch am konsequentesten die zwar nicht wünschenswerte, aber herrschende Wahrheit erkennt, so ist der Wahnsinn in diesem Stück zwar alles andere als eine hilfreiche, aber doch die unverlogenste Reaktion auf das Geschehen.

Ein letzter Einwand soll hier aufgegriffen werden, der unter allen anderen wohl am schwersten wiegt, falls er sich aufrechterhalten läßt. So sehr sich das Drama versteht als Darstellung gesellschaftlichen Rollenzwangs, versinnbildlicht am Modell »Andorra«, demonstriert am historischen Beispiel des Antisemitismus, kritisch bezogen auf eine fehlende oder verfehlte Auseinandersetzung der Nachkriegsdeutschen mit ihrer Vergangenheit, so sehr werden die hier in Verbindung gebrachten Probleme zu einem universalen Befund ausgeweitet. Darauf weisen Andris Worte vom ewigen Übel in der Welt, das immer wieder in einen Menschen hinein muß, damit dieser es als Sündenbock und durch sein Opfer wenigstens für eine Weile mit fortnimmt. Doch diese Worte kommen aus dem Munde des verängstigt-hoffnungslosen Andri. Seine Metaphysik des Bösen ist nicht das letzte Wort des Autors, sondern ihrerseits das Resultat des gesellschaftlichen Rollenzwangs. Dennoch hat man eingewendet, Frisch habe mit seiner Verallgemeinerung der Problematik die konkret historischen Vorgänge des Dritten Reiches ›entschärft‹. Dem läßt sich entgegnen: Er hat andererseits das Bewußtsein der Bedrohtheit von Gegenwart und Zukunft ›verschärft‹. Hätte er nur den einmaligen historischen Vorgang im Auge, suchte er für ihn eine bündige Erklärung, man würde ihm mit Recht Anmaßung und Erledigung eines retrospektiv nicht zu Erledigenden vorwerfen. So aber macht er deutlich, daß die gezeigte Gefahr weiterschwelt und ständige Aufmerksamkeit erfordert. Um der Zukunft willen verbittet sich das Drama, nur als ein Stück Vergangenheit betrachtet zu werden.

(Aus: Text und Kritik 47/48, 1975. S. 37-43)

Hans Wysling
Dramaturgische Probleme in Frischs *Andorra* und Dürrenmatts *Besuch der alten Dame*

I

Max Frischs Schwierigkeiten mit *Andorra* gehen zum Teil auf dramaturgische Probleme zurück. Er läßt in seinem Stück nicht weniger als fünf verschiedene Dramentypen durcheinander- und ineinanderlaufen:

1. das epische Theater (Brecht),
2. das analytische Drama (Ibsen),
3. das idealistische Drama in sozio-psychologischer Modernisierung,
4. das Märtyrerdrama,
5. die antike Tragödie.

Andorra sei der Name für ein »Modell«, hält Frisch in der Vorbemerkung fest (IV, 462). Durch den Titel und die rätoromanischen Namen soll die Szene verfremdet und verallgemeinert werden. Als *episches Theater* setzt das Stück auch ein. Die Bilder 1-4 demonstrieren, wie die Andorraner ihre schlechten Eigenschaften auf den vermeintlichen Juden Andri projizieren. Episch sind der Gestus des Zeigens, die lehrhafte Wiederholung. Episch sind die eingeschobenen Monologe an der Zeugenschranke. Sie dienen weniger der Reflexion über das Geschehene als der Selbstverteidigung und Selbstentschuldigung der Andorraner. Bild um Bild wird aus dem Rückblick kommentiert und damit verfremdet. Handlung wird dabei, wie es im epischen Theater so oft der Fall ist, durch Verhandlung abgelöst.

Mit Bild 5 wird der Lehrer in den Vordergrund gerückt. Daß seine Kinder sich lieben, zwingt ihn zu einem Bekenntnis. Der damit einsetzende analytische Prozeß wird im 9. Bild durch die unvermittelt auftretende Senora, Andris Mutter, zusätzlich vorangetrieben. Mit ihr wird, wie in Ibsens *analytischen Dramen*, die Vergangenheit in das Stück hereingeholt. Durch die Anwesenheit einer Mitwissenden soll das Selbstgericht im Lehrer forciert werden. Das Gespräch zwischen dem

Lehrer und der Senora setzt mit der ibsenschen Frage ein: »Warum hast Du diese Lüge in die Welt gesetzt?« Aber der damit anhebende Prozeß der Selbstfindung wird nicht ausgetragen. Der Lehrer kann sich – aus Feigheit vor den Leuten (IV, 519) – nicht zum freien Geständnis der Wahrheit durchringen. Er gesteht erst unter dem äußersten Druck (IV, 499, 533), aber sein Geständnis kommt nicht an. Die Senora wird getötet.

Andris Tragödie scheint auf den ersten Blick nach dem *klassischen Schema Exposition – Peripetie – Katastrophe* abzulaufen. Was sich in Wirklichkeit vollzieht, ist ein soziopsychologischer Prozeß, der sich zwischen den Andorranern und Andri abspielt. Während der ersten Bilder wird Andri zusehends in eine Rolle hineingedrängt. Es ist die Rolle des Juden und des Sündenbocks. Die Andorraner projizieren dabei ihre eigenen Schwächen auf den vermeintlichen Juden. Im ersten Gespräch mit dem Pater (7. Bild) faßt Andri alle diese Vorwürfe zusammen (IV, 504-505):

> Meinesgleichen denkt alleweil nur ans Geld, heißt es, und drum gehöre ich nicht in die Werkstatt, sagt der Tischler, sondern in den Verkauf. [. . .] Niemand mag mich. Der Wirt sagt, ich bin vorlaut, und der Tischler findet das auch, glaub ich. Und der Doktor sagt, ich bin ehrgeizig, und meinesgleichen hat kein Gemüt. [. . .] Und Peider sagt, ich bin feig. [. . .] Und Hochwürden finden ja auch, ich hab etwas Gehetztes. Ich versteh schon, daß niemand mich mag. Ich mag mich selbst nicht, wenn ich an mich selbst denke.

Andri verweigert zunächst die Annahme der ihm aufgedrängten Rolle (IV, 506): »Ich bin nicht anders. Ich will nicht anders sein.« Im zweiten Gespräch mit dem Pater hat Andri die Selbstannahme vollzogen (IV, 526):

> [. . .] ich bin vor den Spiegel getreten fast jeden Abend. Sie haben recht: Ich bewege mich so und so. [. . .] Ich denke alleweil ans Geld. [. . .] Ich habe kein Gemüt, sondern Angst. [. . .] Viele sind feig, aber ich weiß es, wenn ich feig bin. [. . .] Ich fühle nicht wie sie. Und ich habe keine Heimat. Hochwürden haben gesagt, man muß das annehmen, und ich hab's angenommen.

Die Wandlung, die sich zwischen dem 7. und 9. Bild in Andri vollzieht, würde im klassischen Drama in einem Monolog artikuliert. An die Stelle eines solchen Monologs tritt in Andorra die Piazza-Szene, die die Übermacht des gesellschaftlichen Vorurteils über das Individuum zeigt. Andri entscheidet sich nicht, er erliegt.

Frisch verfolgt noch eine andere Absicht: Andri hat am Schluß des Stückes das Leid des jüdischen Volkes auf sich zu nehmen. Zwar hat Frisch darauf verzichtet, ihn opernhaft zu erhöhen und eine »Arie der Verzweiflung« (IV, 566) singen zu lassen, aber er erhöhte ihn zur mythischen Figur, zum Ahasver. Andri wird zum (stummen) Märtyrer, das Stück zum *Märtyrerdrama*.

Der Judenschauer als Vertreter der Tötungsmaschinerie liefert in ihm das Judentum an den Pfahl. Der Pfahl taucht orakelhaft, wie in der *antiken Tragödie*, schon in der Vision des Lehrers im 1. Bild auf (IV, 470). Was als »Schicksal« auftritt, ist die Macht der Schwarzen, eine innerhistorische, keine metahistorische Macht also.

Den verschiedenen Dramentypen entsprechen Frischs verschiedene Ansätze zur Weltdeutung. Er ruft hinter- und miteinander fünf verschiedene Instanzen an, von denen her die Handlungen seiner Akteure beurteilt werden sollen. Keine der Instanzen vermag sich indessen konsequent durchzusetzen.

1. Die Dramaturgie des epischen Theaters setzt als Instanz die *Gesetze der Ökonomie und der Soziologie*. Es läßt sich aber leicht feststellen, daß im Modell Andorra auch nationalpsychologische und rassische Gegebenheiten virulent werden (helvetischer Nationalcharakter, Verfolgung der Juden durch die Nationalsozialisten).

2. Der von der Dramaturgie des analytischen Theaters geforderte Wille zum Selbstgericht ist im Lehrer nicht stark genug. Das *moralische Gesetz*, das ihn zum Bekenntnis zwingen müßte, kommt lange nicht zum Durchbruch, und als es zum Bekenntnis kommt, erreicht es die Adressaten nicht.

3. Der von der Dramaturgie des idealistischen Stücks geforderte Akt der Freiheit kommt in Andri nicht zustande, da die *individuelle Entscheidungsfreiheit* durch soziologische Zwänge, nationale und rassische Mächte verschüttet wird.

4. Andris Märtyrertum kann nicht in einem *Bekenntnis* artikuliert werden. Es ist sinnlos, weil die Geschichte nicht als Heilsgeschichte, sondern als chaotischer Kampf erfahren wird.

5. Auch der von der Dramaturgie der antiken Tragödie geforderte *Durchbruch des Numinosen* tritt nicht ein. Statt dessen bricht eine konkret historische Macht über Andri und die Andorraner herein.

Der *dramaturgische Synkretismus* enthüllt die Ratlosigkeit eines modernen Autors, der sich über die Instanzen, von denen die Geschicke der Individuen und Gruppen gelenkt werden könnten, nicht mehr im klaren ist. Frischs Schwierigkeiten hängen mit dem *Instanzenpluralismus* seiner Welt zusammen.

Die Möglichkeit einer Überwindung des rollengebundenen Daseins wird im Stück selbst nicht artikuliert (vgl. IV, 508). Im *Tagebuch 1946-1949* glaubte Frisch noch einen Ausweg zu sehen. In den Skizzen »Der andorranische Jude« und »Du sollst dir kein Bildnis machen«, die ja zu den Keimzellen von »Andorra« gehören, deutet er an, daß die Unvermeidbarkeit der Rollenmechanik durch Liebe überwunden werden könne (II, 369):

> Die Liebe befreit [. . .] aus jeglichem Bildnis. Das ist das Erregende, das Abenteuerliche, das eigentlich Spannende, daß wir mit den Menschen, die wir lieben, nicht fertigwerden: weil wir sie lieben; solang wir sie lieben. [. . .] So wie das All, wie Gottes unerschöpfliche Geräumigkeit, schrankenlos, alles Möglichen voll, aller Geheimnisse voll, unfaßbar ist der Mensch, den man liebt – [vgl. i. d. B. *Du sollst dir kein Bildnis machen]*

Diese alt-neutestamentliche Botschaft, extraterritorial angelegt, kommt im Stück gegen die soziopsychologischen und politischen Zwänge nicht auf.

II

Ein ähnlicher dramaturgischer Synkretismus zeigt sich auch in Dürrenmatts Stück *Der Besuch der alten Dame.*

1. Der Prozeß der Wahrheitsfindung wird wie im *analytischen Drama* durch die Rückkehr der Claire Zachanassian ausgelöst. Sie bringt die Zeugen der von Ill längst verdrängten Tat mit, den einstigen Oberrichter Hofer, der den Vaterschaftsprozeß geführt hat, Jakob Hühnlein und Ludwig Sparr, die einst um Geldes willen falsch ausgesagt haben.

2. Im zweiten Akt wird Ills Bedrohung zunächst mit den

Mitteln des *epischen Theaters* sichtbar gemacht: Die Güllener kaufen auf Pump Zigaretten, Vollmilch statt gewöhnlicher, Weißbrot statt Schwarzbrot usw. Schließlich tragen sie alle gelbe Schuhe. Dramatische Spannung wird durch Steigerung ersetzt, es gilt das additive epische Prinzip. Ill wird an das Geld verraten, bevor es zu irgendwelchen moralischen oder juristischen Entscheidungen kommt. Er ist gerichtet, bevor das Gericht stattgefunden hat.

3. In den Szenen zwischen Ill und dem Polizisten, dem Bürgermeister und dem Pfarrer vereinigt Dürrenmatt epische Anschaulichkeit und steigernde Insistenz mit Furcht und Schrecken des *aristotelischen Theaters*. Der ausgebrochene Panther verkörpert Ills Angst. Ills Fluchtversuch führt zur Peripetie seines individuellen Dramas. Die Bahnhofszene ist schwierig zu deuten. Bleibt Ill, weil er erkennt, daß er Opfer ist? Oder aber wird er in diesem Augenblick der Umkehr zum tragischen Helden? Akzeptiert er seine Schuld? Ist er von jetzt an bereit, seinen Tod als Sühne auf sich zu nehmen? In der *klassischen Tragödie* müßte sich der Held an dieser Stelle in einem Monolog zu einem sittlichen Entschluß durchringen. Dürrenmatt gibt Ill dazu so wenig Gelegenheit wie Frisch einem Andri. Auch Ills Wandlung vollzieht sich wortlos. Sein Zusammenbruch auf dem Bahnhof, sein Ruf: »Ich bin verloren!« bereiten seinen Tod vor, motivieren ihn aber nicht. In der Fassung von 1959 war noch eine Szene eingefügt, in der Ill die thronende Claire auf den Knien um Gnade anfleht. In der Endfassung erfahren wir nur, daß er tagelang in seinem Zimmer auf und ab geht. Was sich in ihm abspielt, wird wieder nur extraterritorial, in Dürrenmatts »Anmerkung«, geklärt: »Ill«, schreibt Dürrenmatt (S. 358), sei zunächst »der Meinung, das Leben hätte von selber alle Schuld getilgt [. . .]«, im Augenblick der Katharsis aber werde aus dem verschmierten Krämer ein »Mann, dem langsam etwas aufgeht, durch Furcht, durch Entsetzen, etwas höchst Persönliches«. Er erkenne seine Schuld und werde groß »durch sein Sterben«.

4. Während fast des ganzen Aktes thront die männerverschleißende Claire Zachanassian mit dem leeren Sarg als *Schicksalsgöttin* auf dem Balkon des Hotels zum Goldenen Apostel. Diese Parze wird sich von der apostolischen Botschaft nicht zur Milde bewegen lassen. Sie stellt, wie es

Dürrenmatt in der »Anmerkung« zum Stück festhält (S. 358),
»weder die Gerechtigkeit dar noch den Marshallplan oder gar
die Apokalypse, sie sei nur das, was sie ist, die reichste Frau
der Welt, durch ihr Vermögen in der Lage, wie eine Heldin
der griechischen Tragödie zu handeln, absolut, grausam, wie
Medea etwa«. Daneben erinnert ihr Wirken an das elisabetha-
nische *revenge drama*.

5. Die Schwurszene und die Tötungsszene enthalten Elemente des *Märtyrerdramas*. In der Schwurszene stellt Dürrenmatt den Helden – wie es Wedekind und einige Expressioni-
sten getan haben – in die Imitatio Christi. Ills Schrei »Mein
Gott!« ist nicht wiederholbar. Christus hätte sein »Eli!« auch
nicht wiederholen können.

Im anschließenden Volkstribunal kommt es zu einer Eng-
führung aller Dramaturgien:

1. Ill bekennt sich stumm zur Wahrheit. Er beugt sich den
Moralkonventionen. Er tut es aber in einer Welt, in der
Gerechtigkeit durch Käuflichkeit ersetzt ist.

2. Das Tribunal der Güllener richtet im Namen der Menschlichkeit, handelt aber nach den Gesetzen der Käuflichkeit. Die
einzig wirksame, jedoch kaschierte Instanz ist das *ökonomische Gesetz*.

3. Ills Selbstanalyse endet mit seiner Bereitschaft zu sterben.
Das ist ein *autonomer Entschluß* im Sinne der idealistischen
Tragödie. Allerdings gibt sich Ill den Tod nicht selbst, er läßt
den Mord an sich geschehen. Er richtet mit seinem Tod die
Mörder.

4. Der pervertierte Ritualmord der Güllener liefert ihn an
die Schicksalsgöttin aus. Aber die Schicksalsgöttin ist ihrerseits pervertiert: das *Numinose* erscheint in ihr als *Prinzip der
Käuflichkeit*.

5. Das alttestamentarische »Steiniget ihn!« wird durch stille
Vereinnahmung ersetzt. Ein *Bekenntnis*, das die korrupte
Welt der Güllener richten würde, vermag Ill nicht zu formu-
lieren.

Das Prinzip der Käuflichkeit siegt schließlich über die ideali-
stisch-moralistischen und numinosen Instanzen. Die Katastrophe der antiken Tragödie ist im Schlußchor durch ein
»Welthappy-End« (S. 354) ersetzt. Während im Schlußchor
der *Antigone,* der hier parodiert wird, der Blick auf die

göttliche Ordnung frei wird, tritt bei Dürrenmatt keine Wende ein, im Gegenteil, es bleibt alles beim alten: Im Chor der Güllener verabsolutiert sich die Welt des Konsums. Die Gerechtigkeit hat scheinbar gesiegt, sie hat ihr Opfer geholt. Aber dieses Opfer hat die Welt nicht verändert. Die Gerechtigkeit ist ramponiert – Claire Zachanassian trägt nicht umsonst eine Prothese. Der Weltengott hat im einzelnen gewirkt – Ill ist tot – und im ganzen versagt – die Güllener leben weiter.

Das Chaos der Dramaturgien spiegelt bei Dürrenmatt weniger das Chaos der Instanzen als deren Ohnmacht. Entsprechend führt dieses Chaos nicht, wie bei Frisch, zur *Aporie*, sondern zum *Protest*. Zum Protest gegen einen fernen Gott, der die Welt in den Zustand der Hoffnungslosigkeit absinken läßt. Dieser Zustand wird so lange andauern, als es nicht gelingt, Gott so zu provozieren, daß er die paradiesische Reinheit des Menschen wiederherstellt oder ihn vernichtet.

III

Frischs Resignation auf der einen, Dürrenmatts protestantisch-moralistisches Aufflammen auf der andern Seite: An eine graduelle Verbesserungsfähigkeit der Welt durch Erziehung vermögen beide Autoren nicht zu glauben. Das Theater wird damit der Funktion beraubt, die es bei Brecht hatte. Es vermag keine Reflexion freizusetzen, die zu einer Änderung der Welt führen könnte. Bei Frisch tritt an die Stelle einer aus der Reflexion abgeleiteten Aktivität die Lähmung. Dürrenmatt setzt an die Stelle der Reflexion den existentiellen Schock und die radikal-theologische These von der Erlösungsbedürftigkeit der Welt.

Die Stellung der beiden Autoren zu Brecht ist von hier aus genauer bestimmbar. Brechts Dramaturgie des epischen Theaters ist durch drei Grundvoraussetzungen geprägt:

1. Die Überzeugung von der *Durchschaubarkeit der Welt*. Mit Hilfe der Wissenschaft, insbesondere der Ökonomie und der Soziologie soll es gelingen, die Grundsätze gesellschaftlichen Zusammenlebens zu erkennen.

2. Damit ist auch der optimistische Glaube an die *Veränderbarkeit der Welt* gegeben, wobei Veränderung auf Grund der

ökonomischen Gesetzlichkeiten eingeleitet werden soll. Der Mensch soll keine Gelegenheit mehr zur Unterdrückung des andern haben.

3. Der Glaube an die *Belehrbarkeit des Menschen*, insbesondere des Zuschauers im Theater, wird vorausgesetzt.

Frisch und Dürrenmatt vermögen diesen Optimismus Brechts nicht zu teilen. Ausgerechnet aus dem Lande der aufklärerischen Pädagogik melden sich Stimmen der Skepsis. Frisch wirft Brecht vor, daß er die Geschichte im marxistischen Sinne simplifiziere, einmal dadurch, daß er von allen psychologischen, rassischen, nationalen, religiösen Bedingtheiten bewußt absehe, dann dadurch, daß er die Geschichte in einen Dreitakt zwinge und vorschnell einen innerhistorischen, befriedeten Endzustand in einer staaten- und klassenlosen Gesellschaft ansetze – einen Endzustand also, der bisher nur in den metahistorischen Mythen vom Goldenen Zeitalter oder vom Paradies entworfen worden sei. Auch wenn es gelänge, alle ökonomische, nationale, rassische Unterdrückung aus der Welt zu schaffen, wäre das, was Brecht ausspart: die Möglichkeit zur psychischen Unterdrückung, noch da.

Was Dürrenmatt mit Frisch verbindet, ist die Überzeugung von der Undurchschaubarkeit von Welt und Geschichte. Seinem Unglauben an die Veränderbarkeit der Gesellschaft und die Belehrbarkeit des Menschen entspringt der paradoxe künstlerische Ehrgeiz, die Widersprüchlichkeit der Geschichte erbarmungslos sichtbar zu machen. Die Wirklichkeit wird zu einem unveränderlichen, unbeeinflußbaren Chaos dämonisiert. In einem »Werkstattgespräch« mit Bienek hat Dürrenmatt gesagt (S. 122), er traue sich nicht zu, in einem Theaterstück Wirklichkeit wiedergeben zu können, »dazu halte ich die Wirklichkeit für zu gewaltig, für zu anstößig, für zu grausam und zu dubios und vor allem für viel zu undurchsichtig. Ich stelle mit einem Theaterstück nicht die Wirklichkeit dar, sondern für den Zuschauer eine Wirklichkeit auf. [. . .] Das Ziel jedes Theaterstückes ist es, mit der Welt zu spielen. Theater ist also, für meine Überzeugung, nicht Wirklichkeit, sondern ein Spiel mit der Wirklichkeit, deren Verwandlung in Theater. Ich glaube, daß Wirklichkeit an sich nie erkennbar ist, sondern nur ihre Metamorphose.« Dieses Spiel mit der Wirklichkeit nimmt bei Dürrenmatt grotesken Charakter an

Er verformt die Dinge bis zu ihrem schlimmstmöglichen Aussehen, treibt die Ereignisse bis zur schlimmstmöglichen Wendung und sucht sich gleichzeitig im Lachen zu befreien. Das Leiden an der Wirklichkeit schlägt bei Dürrenmatt in Rache an der Wirklichkeit um. Sein Pfeil zielt dabei nach dem Demiurgen, der über dieser chaotischen Welt steht. Gott soll herausgefordert werden, und zwar mit allen Mitteln, auch dem der Blasphemie. Das Unterfangen ist um so verzweifelter, als Dürrenmatt zu wissen scheint, daß dieser Vatergott nicht umzubringen ist. Dürrenmatt hat seine protestantische Verzweiflung später mehr und mehr hinter einem apodiktischen Agnostizismus verborgen. Aber auch dieser Agnostizismus scheint eine Rache an Gott zu sein.

Auf Grund welcher Vorannahmen unterscheiden sich die beiden Schweizer Dramatiker von Brecht? Ich möchte auf dreierlei hinweisen:

1. Philosophische und theologische Vorannahmen: Brechts Optimismus und Wilders versöhnliche Geschichtsphilosophie schlagen bei Frisch in einen Pessimismus um, der sich an Spengler (und damit an Nietzsche), aber auch an Kierkegaard orientiert. Dürrenmatts Geschichtspessimismus, demonstriert an der Pervertierung aller vorgegebenen Instanzen, scheint Elemente von Karl Barths Theologie zu enthalten.

2. Ideologische Vorannahmen: Beide Autoren mißtrauen den Simplifikationen der marxistischen Ideologie. Sie rechnen mit psychischen, nationalen, rassischen, religiösen Vorstellungen, die bei Brecht keine Rolle mehr spielen.

3. Psychologische Vorannahmen: Brecht stilisiert im Horizont seiner Ideologie den Kapitalismus zur Vaterfigur und erfährt im Kampf gegen sie volle Befriedigung. Dürrenmatt macht einen Vatergott für den heillosen Zustand der Welt verantwortlich und möchte ihn herausfordern; aber er muß kapitulieren, weil er ihn nicht erreichen kann. Frischs Verzweiflung läßt sich, psychoanalytisch gesehen, darauf zurückführen, daß er vor dem Chaos der Instanzen kapitulieren muß, ohne einen Vatergott zu kennen, dem er die Schuld am Zustand der Welt zuschieben könnte und wollte.

Quellennachweis
Zitiert wird nach: Max Frisch, *Gesammelte Werke in zeitlicher Folge*.

6 Bde. Frankfurt 1976. – Friedrich Dürrenmatt, *Komödien I.* Zürich 1959. – Horst Bienek, *Werkstattgespräche mit Schriftstellern.* München ²1969.

(Aus: Leonard Forster u. Hans-Gert Roloff (Hg.), Akten des V. Internationalen Germanisten-Kongresses Cambridge 1975. Bern/Frankfurt: Lang 1976. S. 425-431)

Walter Schmitz
Neun Thesen zu *Andorra*

DER HOHE PRIESTER: Es ist schwer, als Mensch zu leben, schwerer aber ein Jude zu sein. [. . .] Niemand liebt Israel, selbst Israel nicht.
MARULLUS: [. . .] Ich bin kein Judenhasser. Es gibt auch sehr anständige Juden.
(Franz Werfel, Paulus unter den Juden)

Das Wesen der Vorgeschichte ist die Erscheinung des äußersten Grauens im einzelnen.
(Th. W. Adorno / M. Horkheimer, Dialektik der Aufklärung)

I Traditionsfolien

Wenn vor Lessings »dramatischem Gedicht« *Nathan der Weise* »unter stummer Wiederholung allseitiger Umarmungen« der Vorhang fällt, verdankt die Fabel vom geretteten Christenkind ihr glückhaftes Ende, das den Widerstreit von Interessen, die alle angehen, im privaten Kreis versöhnt und diesem Drama den Ehrentitel eines »hohen Lieds der Toleranz« einbrachte, nur der Besonnenheit eines Mächtigen und der Güte Nathans, des Weisen und Wissenden. Demnach geht es, weil Lessings aufklärerische Utopie die zeitgenössischen Tabus weniger provozieren, denn abbauen will und das gesellschaftliche Skandalon einer Verbindung von Judenmädchen und Tempelritter deshalb meidet, bei der Rettung im Großen ohne eine Unterdrückung im Kleinen nicht ab; die Dichtung begleicht diesen Verzicht, indem sie jenseits von Glaubens- und Ständestreit die Konturen einer Familiengeschichte im Geschichtsprozeß enthüllt: Ehe wäre Inzest und gerade noch rechtzeitig wird entdeckt, daß man immer schon eine Familie war. Beim Wort genommen rät die Metapher von der Menschheitsfamilie schon in Lessings Drama zum Verzicht. Nachdem heutzutage die Macht selbst sich den Beherrschten brüderlich anbiederte – Günther Anders sprach von »globaler Kumpanei« – und ihre Kulturindustrie für die Gleichheit aller Ausgebeuteten gemütlich-familiäre Verkleidungen erfindet, mußte der in Lessings Toleranzmodell metaphorisch verdeckte, jetzt real hervorgetretene Bruch zum Gegenentwurf reizen. In *Andorra,* dem Drama von Max Frisch, versagt der Familienvater dem geretteten Christenkind Andri, der kein »Jud von Geburt« ist, durch Zwang und Wahl aber einer wurde, die Zuflucht im Gefühl – »Ich liebe einen einzigen Menschen, und das ist genug«, hatte Andri gehofft (S. 499) –, wird die wiedergefundene Schwester nur als wahnsinnige »Judenhure« das Gedächtnis an den toten Bruder wecken dürfen, der als Jude *und* Mitbürger in Andorra hatte leben wollen. Das Stück verhöhnt die gemütliche Gesinnungskomplizenschaft der Andorraner, die ihr eigenes Lob redet, während sie den Zerfall der einzigen echten Familien-Gemeinschaft, welche in *Andorra* vorkommt, besiegelt: »Jetzt sind alle auseinander« (S. 496), lautet das Fazit der versuchten Versöhnung. »Kain und Abel« stellen das rechte Vorbild der Vaterlandsfamilie in *Andorra;* die Weisheit des Lehrers Can aber war bloße List der Lüge.

Denn die Enthüllung der früheren Wahrheit zerstört Andris Gegenwart, ohne die drohende Vergangenheit zu bannen; in Cans Wahrheit verbirgt sich die »Lebenslüge« mit eigenem Gesetz: »Das wächst«, sagt der Lehrer in einer Szene, die Max Frisch noch während der Proben hinzuschrieb (S. 497): »Das sieht mich an wie ein Sohn, ein leibhaftiger Jud, mein Sohn.« Aus Feigheit und Liebe zur Rolle des Rechtschaffenen unter Heuchlern hatte er seinen Sohn als Jud ausgegeben in einer Welt, wo der Außenseiter zum Opfer schon vorbestimmt war. Der späte Ausbruch von »Rechtschaffenheitsfieber« vernichtet zwar endlich eine Lüge in Cans Leben, die indessen Andris ganzes Leben längst geworden war; aus Treue zu sich selbst opfert Can das Glück seines Sohnes mit Barblin – so wie frühere Frisch-Figuren (Don Juan, Graf Öderland, Stiller) ihre Identität als Mörder finden. Zudem kann sich die Verwicklung in *Andorra* nicht nach Ibsens vergangenheits-analytischem Muster lösen, weil ja gerade die verflossene Zeit, die Can im Schuldgeständnis aus ihrem gesetzhaft-blinden Ablauf zur »Lebenszeit« – Vergangenheit in der Gegenwart – erlösen will, von den Andorranern ganz geleugnet wird. Can als Ibsen-Figur wählt die falsche Rolle für Andorra. Denn Andorra ist zeitlos; dort lebt ein Volk, das »die Verwandlungen scheut, mehr als das Unheil« (GW IV, S. 360) und das alte Vorurteile nie zurücknehmen wird. Des Lehrers Wahrheitsliebe zerstört lediglich im Familienkreis, was sie auf dem »Platz von Andorra« nicht retten kann: das Lebensrecht des Außenseiters. Poetologisch beschreibt Frischs Bildnislehre den Sachverhalt, in der Rhetorik des Stückes beweisen ihn die immergleichen Phrasen der Andorraner, dramaturgisch rechtfertigt er das dichte Geflecht (symbolischer) Vor- und Rückdeutungen (vgl. die Beispiele bei Peter Pütz, *Die Zeit im Drama,* Göttingen 1970, S. 111 f., 145 f.), die entlarven, statt zu entwickeln, also das Fließen der Zeit bestreiten. Der analytische Bau dieses Dramas ist Schein.

Nur eine Tradition gibt es vielleicht, in der *Andorra* steht, ohne sie zu bezweifeln. – Wenn Andri von sich sagt: »[. . .] ich hab etwas Gehetztes . . .« (S. 505), klingt deutlich genug das Drama von Georg Büchner um den »gehetzten« Soldaten Woyzeck, an, wo ja ebenfalls »die Abhängigkeit menschlicher Existenz von Umständen, die ›außer uns liegen‹,« (Hans Mayer) verhandelt wird. Figurenkonstellation und Fabelverlauf meinen Büchners Szenenfolge; ebenso erinnert an *Woyzeck* die »Bildtextur« (Helmut Krapp), die monologische Sprache, der balladeske Volkston, die Zitatkunst – all dies gehört – so vermutet man – jener Wirkungsstrategie an, die allein auf den verstärkenden Effekt setzt. Doch gerade das anscheinend fraglose Einverständnis mit dem berühmten und geachteten Vorbild spricht sehr leise, aber unerbittlich vom Vorbehalt, von Max Frischs Zweifel an der Wirkung der Literatur aufs Leben. Die Kirche in *Andorra* steht bei den Verrätern, Gott greift nicht ein, Gnade ist »ein ewiges Gerücht«. Wenn Frisch trotzdem in bewußter Büchner-Nachfolge auf die Bibel anspielt, dann wohl nicht, um im Zeitalter säkularisierten Unheils abermals die Heilsgeschichte zu beschwören, und ebensowenig, weil er sein glaubensloses Publikum so besser lenken zu können glaubte (zu diesem Ziel Büchners vgl. die klugen Bemerkungen bei Volker Klotz, *Dramaturgie des Publikums,* München 1976, S. 93-111). Diese Bibelanspielungen sind vorwiegend theatralisch, keine Botschaft, denn nur noch auf die Tradition des Theaters können sie sich berufen. Solcher Bühnennarzißmus, der selbst die bejahte Tendenz im Kunstzirkel bannt, begründet im letzten auch die Absage an Lessings und Ibsens dramaturgische Modelle; er hat zu tun mit Frischs Scheu vor der endgültigen

Gestalt, dem Kunstwerk aus einem Guß, der Totenstarre alles Lebendigen im Bild.

II Dramaturgischer Synkretismus

Die Modelle stehen ein für Dramentypen, wobei die Liste zu erweitern wäre – um die antike Tragödie, das Märtyrerdrama, Brechts episches Parabel-Theater beispielsweise; wichtig ist hingegen nicht die zufällige Länge der Liste, sondern ihre notwendige Offenheit, die auf ein Bauprinzip des Dramas verweist. Denn jede dieser Dramaturgien meldet künstlerisch einen Anspruch auf Alleinherrschaft an, den einzulösen keiner erlaubt ist, so daß dieses Stück – formal betrachtet – sich als ein Mosaik aus Bruchstücken darbietet, deren jedes das andere hindert, ein Ganzes zu werden. Der im Familiendrama nach Ibsens Weise geschürzte Knoten bleibt unauflösbar, als das Stück durch Andris Entschluß in ein Märtyrerdrama umzukippen droht, das wiederum nicht zustande kommt, weil die parabelhafte Andorra-Welt Andris Demut zur Farce herabwürdigt; der »Anruf der Geschichte« (Walter Benjamin), dem Andri sich beugte, entpuppt sich ja als verbrecherische Lügenrede. Obwohl in dieser Kette von untauglichen Bildnisentwürfen sich die Gefährdung künstlerischer wie Lebens-Gestaltung durch die aufdringlichen Fragmente einer vor-gedeuteten Welt unablässig wiederholt, hält schließlich, was keine Varianten mehr zuläßt, auch dieses Kaleidoskop an: der Tod. Die vergeblichen Versuche des Autors, eine Lebensgeschichte zu entwerfen, und Andris ebenso fruchtlose Bemühungen, sie zu leben, enden am Widerpart allen Lebens – und werden von ihm aus zur unechten Einheit zusammengezwungen. Andris Ermordung, Resultat und Bedingung des Bühnenspiels, entzieht sich dem Spiel; so bleibt der Gesamtaufbau des Dramas, in dem der Schlußstein fehlt, fragil, gefährdet, brüchig: Diese ratlos zwischen verschiedenen Dramenformen schwankende Szenenfolge stiftet eine künstliche, keine organisch-künstlerische Einheit des Stoffes. Max Frisch anerkennt das Grauen der Judenverfolgung, indem er es als nicht darstellbar darstellt. Sein Stück widersteht der Versuchung, noch das Monströse im Reich der Kunst heimisch zu machen, es weiß, »[. . .] daß die

Hinrichtung des Helden, vorgeführt auf der Bühne, nur eine Schwächung wäre durch Gruseligkeit«; und eben weil *Andorras* Form das Kategorisch-Endgültige scheut, besteht sie auf Toleranz und Geduld, von denen die Andorraner doch kaum etwas wissen.

III Das Private Öffentliche

Manchmal scheint auch mir, daß jedes Buch, so es sich nicht befaßt mit der Verhinderung des Krieges, mit der Schaffung einer besseren Gesellschaft und so weiter, sinnlos ist, müßig, unverantwortlich, nicht wert, daß man es liest, unstatthaft. Es ist nicht die Zeit für Ich-Geschichten. Und doch vollzieht sich das menschliche Leben oder verfehlt sich am einzelnen Ich, nirgends sonst. (GW V, S. 68)

Öffentliches und Privates durchdringen sich wechselseitig – wie in diesem Satz aus dem Roman *Mein Name sei Gantenbein* festgestellt wird –, und dieses hängt ab von jenem. Die Dramaturgie des Privaten und die des Öffentlichen spielen in *Andorra* gegeneinander, bis Andris persönlicher Lebensentwurf sich dem Bild des andorranischen Judenschicksals angepaßt hat. Sicherlich belegt Max Frischs Bildnistheorie, wie wir sie aus Einträgen in seinem früheren *Tagebuch* kennen, die Säkularisierung christlichen Gutes (vgl. Walter Schmitz, »Nachwort«, in: ÜMF II, S. 541), vorrangig aber haben wir diese Negativform einer Lehre als moralistisch-ethische Weiterentwicklung jener Aussagen Sartres über die Rolle des anderen als Bestandteil der Situation aufzufassen, die sich im Hauptwerk *Das Sein und das Nichts* (1943), sowie den Frisch bekannten *Betrachtungen zur Judenfrage* (1945) finden. Das Verbot, sich ein festes Bildnis zu machen, mußte freilich einen Autor, dem Sprache an sich als Gefäß des Vorurteils gilt, in das poetologische Dilemma verstricken, dank dem die großen Romane und Dramen Frischs aus den fünfziger Jahren ständig scheiternd ihren Kunstrang gewinnen (vgl. meine Einführung zu den *Materialien zu Max Frisch »Stiller«*, Frankfurt 1978). Erst dem jungen Andri räumt der Autor das Recht ein, sich einen Lebensplan zu entwerfen – oder, in der Sprache des *Gantenbein:* sich die Geschichte zu erfinden, die er für sein

Leben halten möchte –, ohne ihm deshalb die gewählte Biographie zu gönnen: Andris Lebensgeschichte scheitert an der Paradoxie der Liebe, welche dem Liebenden ebendie existentielle Sicherheit, deretwegen er liebt, raubt, und zuletzt an der Unwahrhaftigkeit (»mauvaise foi«) der Andorraner. So behauptet Frisch gegenüber dem existentialistischen Glauben an die Wahl, das heißt: die freie Selbstbestimmung des Subjekts, den Zwang gesellschaftlicher Herrschaft, von der jene durchkreuzt wird. »Die Hölle, das sind die Andern«, heißt es in Sartres Schauspiel *Bei geschlossenen Türen* (1944). Für jeden in *Andorra* ist Andri der andere schlechthin, niemals er selbst, nicht für Barblin (vgl. S. 479-480), nicht einmal für sich; mehr und mehr empfindet Andri sich folglich als Wesen, bares Substrat von Projektionen, als Ding, das er sieht, wie es die Andorraner sehen: »ich mag mich selbst nicht«, (S. 505) bekennt der, der sich doch – laut Sartre – erhobenen Hauptes seiner einzigartigen Subjektivität versichern sollte. *Andorra* ist weit eher ein Lehrbeispiel der Sozialpsychologie, denn ein Thesenstück des Existentialismus. Es schildert, wie die pathologische Projektion des Hasses sich das prädestinierte Opfer angleicht, wie das »kranke Bewußtsein« (Horkheimer/Adorno) seinem Vor-Urteil das Siegel gültiger Wahrheit aufdrückt; denn der Tod des Außenseiters widerlegt alle Einwände.

IV Die Schuld des Schuldlosen

Wie die kompakte Majorität der Mitbürger ein Ich so restlos überwältigt, daß es schließlich beim eigenen Untergang Handlangerdienste leistet, wird von *Andorra* in zwei Stufen vorgeführt: Während die Szenen 1 bis 6 hatte Andri sich für eine Lebensgeschichte entschieden – er wollte Tischler werden und Barblin heiraten –, doch stellvertretend für die übrigen Andorraner vernichten Prader, der Tischlermeister, und Peider, der Soldat, diese Geschichte, deklassieren sie zum törichten Wunschtraum. Zerstört wird Andris Menschenwürde, denn »die Würde des Menschen liegt in der Wahl« (GW II, S. 488). Dem lieblosen Bild, das genau zu wissen vorgibt, was sich dem Juden schickt, setzt Andri im zweiten Teil (siebtes bis zwölftes Bild) seinen Haß entgegen, der verhängten Unfrei-

heit die bedingungslose Freiheit seines Ich. Eben in der radi-
kalen Verneinung reiht er sich dem Zirkel des »Andorranischen« ein; sein Haß macht Pläne, aber er macht auch blind:
»Ich schau dich an«, sagt Andri zu Can, seinem Vater, der ihn
mit der Wahrheit erlösen will, die Andri nicht mehr sieht. Es
ist der »böse Blick« (Sartre) der Andorraner. Wie diese pocht
Andri auf das »Unmaß seiner Unschuld« (S. 534) als Waffe
gegen Can, obschon der ihm vorhält: »Du willst meine
Schuld«. Später wird berichtet, der Lehrer habe sich erhängt.
»Andorranisch« heißt die Verachtung des je einmaligen Lebens, der unbedingte Hochmut des Begriffs (»der Jude«, »der
Verräter«) gegenüber den Bedingungen des Konkreten; die
Chiffre des »Andorranischen« ist der Tod. Andris Todesge-
schichte zeigt ihn als den Handelnden (getreu der Poetik
klassischer Tragödien); er schwingt sich zum Subjekt jenes
Prozesses auf, dem er objektiv schon längst verfiel. Die Andorraner machten ihn dermaßen zu ihrer Sache, daß er, sogar
wenn er sich völlig frei fühlt, noch in ihre Hände arbeitet, die
so nicht einmal schmutzig werden. Der Judenschauer erkennt
genau den als Juden, der einer sein soll – und will. – Das lange
verteidigte Weltbild der klassischen Tragödie konnte Weltkrieg, Faschismus und »human engineering« nicht überleben.
Denn jenes nie ganz vertuschte Unrecht, das der vorwegge-
nommenen Versöhnung noch stets anhaftete (Theodor W.
Adorno hat gezeigt, wie Goethes *Iphigenie,* indem sie sich zu
diesem Makel bekennt, ihre Wahrheit als Kunstwerk gewinnt)
wurde in der Geschichte der Dichtung wie der Gesellschaft
zum Prüfstein, an dem nun die längst brüchige Humanitäts-
idee splittert. Während menschliche Freiheit sich einst der Idee
des notwendigen Geschichtsprozesses vertrauensvoll unter-
werfen durfte, um leidend ihre eigene Rettung zu betreiben,
wird sie nochmals erniedrigt und verspottet, wenn man jetzt
ihre Spontaneität steuert und die Geschichte verbrecherischen
Gesetzen folgt. Dann hält auch die hohe, klassische Sprache,
die den Riß sonst kittete, ohne zu heilen, nicht länger stand:
Die Schwarzen, die in Andorra einmarschieren, sind stumm.
»Lange Zeit«, – so schreibt Max Frisch – »jahrelang, wollte ich
[. . .] einen Häftling am Pfahl – als chorisches Element durch
das ganze Stück: seine Arie der Verzweiflung. In der Oper,
mag sein, wäre es möglich, aber nicht im Schauspiel, auch

nicht, wenn die Überhöhung durch Verse hinzukäme. Ich mußte das aufgeben [...].« Keine »große Form«, die sich herstellen ließe, weiht den gemeinen Mord. Während – nach einer Formulierung Benno von Wieses (*Die deutsche Tragödie von Lessing bis Hebbel*, 8. Aufl., Hamburg 1973, S. 12) – in der wahren Tragödie »was Unheil und Unvollkommenheit schien, [...] nun gerade die Voraussetzung für Heil und Erlösung« wird, entsagt *Andorra* einer tragischen Spannung, die den verhängnisvollen Weltlauf gegen sittliche Läuterung des Helden aufrechnet; Andri stirbt ohne Wahrheit: »Am Ende seiner Einsicht kann man sich selbst nicht recht geben« (S. 527).

V Schwarz und Weiß (zur Sprache der Lüge)

> Weißelt, ihr Jungfrauen, weißelt das Haus eurer Väter, auf daß wir ein weißes Andorra haben [...], ein schneeweißes Andorra! (S. 464)

»Weiß« ist kein Farbton wie andere, vielmehr die Abwesenheit von Farbe, die fleckenlose Reinheit; der Anstrich der Häuser schon tut in Andorra kund, man sei im »Hort des Friedens und der Freiheit und der Menschenrechte« (S. 511), dem Heimatland der Unschuld: »Unsere Waffe ist unsere Unschuld«, brüstet sich der Doktor. »Oder umgekehrt: Unsere Unschuld ist unsere Waffe.« Das Weiße steht ein für den patriotischen Unschuldsmythos, der in jedem Andorraner die Gewißheit stärkt, man sei anders hierzulande, als die verbrecherischen Schwarzen drüben, welche an der Grenze lauern – »neidisch [...] auf unsere weißen Häuser« (S. 465). Doch die weiße Tünche haftet nur, »wenn kein Platzregen kommt« (S. 464) und wird lediglich wegen des lokalen Heiligenfestes, zur Prozession am Sankt-Georgs-Tag aufgetragen: Unschuld als Folklore. So streichen in Brechts Parabel *Die Rundköpfe und die Spitzköpfe* (1938) nach der Machtübernahme des Diktators Iberin dessen Soldaten »mit lang- und kurzstieligen Bürsten [...] die Sprünge und Risse der Häuser mit weißer Tünche« zu und singen dabei das »Lied von der Tünche« (*Stücke 3*, Frankfurt 1967, S. 936):

Ist wo etwas faul und rieselt's im Gemäuer
Dann ist's nötig, daß man etwas tut
Und die Fäulnis wächst ganz ungeheuer.
Wenn das einer sieht, das ist nicht gut.
Da ist Tünche nötig, frische Tünche nötig!
Wenn der Saustall einfällt, ist's zu spät!
Gebt uns Tünche, dann sind wir erbötig
Alles so zu machen, daß es nochmal geht.
[. . .]
Hier ist Tünche! Macht doch kein Geschrei!
Hier steht Tünche Tag und Nacht bereit.
Hier ist Tünche, da wird alles neu
Und dann habt ihr eure neue Zeit!

– zweifellos die unmittelbare Anregung für die Eingangs- und die Schlußszene von Max Frischs Stück. Übertüncht wird in Andorra die Lüge. Als Leitworte durchziehen »Wahrheit« und »Lüge« den gesamten Text; doch, weil in *Andorra* die Sprache dem Sprecher Fallen stellt, verrät sich meist als schlecht getarnte Lüge, was sich selber Wahrheit nennt. Entweder widerlegt die Form der Aussage ihren Inhaltskern, oder die Handlung nimmt eine harmlose Metapher (der Wirt: »Ich wäre der erste, der einen Stein wirft«) beim bösartigen Wort, oder die Selbstaussage gerät einer Person unversehens zur treffenden Selbstentlarvung (eine Technik, die schon *Die Chinesische Mauer* meisterlich vorgeführt hatte). Obschon die Falschheit nur vortäuscht, sie sei aufrichtig, und um ihre Absichten geschwätzig einen Phrasenschleier webt, wird die verborgene Wahrheit über Andorra gerade so gestanden; authentisch ist die Lüge. Die Vaterlandsphrasen des Doktors, der unabsichtlich den mörderischen Grundzug der einheimischen Unschuld preisgibt, sprechen für sich; ebenso die Handwerkerslogans des Tischlers, deren ehrenfest-bodenständige Spruchweisheit doch stets dem herrschenden Geldinteresse dient: »Wenn einer nicht aufgewachsen ist mit dem Holz [. . .] Warum gehst du nicht in den Verkauf?« (S. 483) Die angesichts der Realität selbstherrliche, verdinglichte Sprache entwürdigt sich zum gefügigen Instrument der Macht: »Sie lügen, wie's Ihnen gerade paßt [. . .] Wieso seid ihr stärker als die Wahrheit?« (S. 485 f.) fragt der verzweifelte Andri. Allein die stumme Rede der Symbole widerlegt das Gerede der Andorraner: der Pfahl im Bühnenhintergrund erinnert an das, was sie zulassen werden, wenn die Maske ihrer Unschuld gefallen ist und keine doppelbödigen Worte das stumme Ritual des Vorurteils, wie es dann die Schwarzen organisieren, weiter beschönigen. Die Farbsymbole »weiß« und »schwarz« signalisieren die heimliche Übereinkunft der ethischen Gegensätze »Wahrheit« und »Lüge« im Andorranischen. Auch die Kirche Andorras »ist nicht so weiß, wie sie tut.« Obwohl der Pater am Tode Andris mitschuldig wurde, weil er die Wahrheit, die er hätte bezeugen können, feige verschwieg, beklagt er bei seiner Aussage nachher nur, daß er lieblos und wenig brüderlich gehandelt habe, ohne jene Schuld, die ihm allein gehört, zu erwähnen; eine rollenkonforme Demutsgebärde ersetzt die christliche Tugend der wahren Reue: »Schwarz bist du geworden, Pater Benedikt [. . .]«, heißt es, nachdem schon eingangs spöttisch vom »Kohlensack« die Rede war. Der Lehrer Can hatte gegen die Verlogenheit seiner Landsleute heftig aufbegehrt, bis ihm klar wurde, daß er »die Angst nur verschwieg«; da begann er zu hassen und heuchelte um der Wahrheit willen – wie er glaubte. Tatsächlich hatte er aus blanker Feigheit das Leben seines Sohnes verpfuscht und diente der Rolle, die ein Rebell in Andorra spielen durfte: »Die Lüge ist ein Egel, sie hat die Wahrheit ausgesaugt.« (S. 497) Als Andri zu hassen beginnt wie ein Andorraner, tritt er in den Teufelskreis von Angst, Haß und Lüge ein; indem er es annimmt, ein Jude zu sein, macht er die Lüge aller zu seiner Wahrheit. Die Andorraner sprechen nicht, um sich zu verständigen, sondern bekräftigen immer neu ihr altes Einverständnis mit sich selbst; die äußerliche Dialogform trügt. Andri bekennt seine Wahl ebenfalls im Monolog, darüber hinaus in einer Rollensprache, die keine Einrede erlaubt, in dem hoch stilisierten Tonfall, der aus den heiligen Schriften des (Ost-)Judentums vertraut ist. So bezeugt die Sprache die subjektive Echtheit seiner Wahl ebenso wie die objektive Lüge eines Entschlusses, der ein fremdes Vorurteil vollstreckt. Dies aber ist das Muster für Max Frischs Sprachbehandlung in *Andorra*, wo eine dem Menschen äußerliche Sprache in jedem Gespräch, sogar im Selbstgespräch, triumphiert: Andri findet in der fremden Sprache seine eigene, die Andorraner reden ihre eigene als entfremdete; das Stück schließlich, das auf die unverfälschten Worte verzichten muß, rettet sich vor der verderbten Sprache, indem es sie mit dem Abstand, der erst künstlerische Genauigkeit erlaubt, treu beschreibt: so wird der trügerische Zusammenhang der Lüge erkannt, dem die Worte doch nicht entkommen durften. Zuletzt führt die pantomimische Judenschau das Verlöschen der artikulierten Sprache vor dem Kommandopfiffen der Wachmannschaften als die Erscheinungsweise vor, der andorranisches Sprechen schon immer zustrebte. Während in Brechts *Mutter Courage* noch die Stumme der Menschlichkeit zum Wort verhilft, wird hier am Schweigen die vorige Rede zuschanden. Das weiße Andorra ist schwarz geworden. Barblin, weil sie allein diese Wahrheit nicht verdrängt, weicht von der normalen Pathologie des Andorranertums ab und gilt für verrückt; wenn das Schlußbild den Anfang wiederholt, dann doch »zur Kenntlichkeit verfremdet«: »Ich weiße, ich weiße, auf daß wir ein weißes Andorra haben, ihr Mörder, ein schneeweißes Andorra, ich weiße euch alle – alle.« (S. 558)

VI Spiegel und Gericht

Seit jeher verwendet nicht allein die deutsche Dichtung den Spiegel als eine literarische Chiffre der Selbstbetrachtung und Selbsterkenntnis, seit der Jahrhundertwende auch als Symbol für die beharrliche Wiederkehr des Verdrängten (vgl. Gerta Westerath. Die Funktionen des Spiegelsymbols in der neueren deutschen Dichtung seit Goethe. Münster, Diss. 1953); Belege findet man (um ein Beispiel zu nennen) im Werk Hugo von Hofmannsthals, einem der Lehrer des Dramatikers Frisch, wie auch in Max Frischs früheren Arbeiten, etwa im Roman *Homo faber*. Der Bericht vom »Andorranischen Juden«, ein skizzenhafter Entwurf des Stücks *Andorra*, den das *Tagebuch 1946-1949* enthält, schließt mit dem Satz:

> Die Andorraner aber, sooft sie in den Spiegel blickten, sahen mit Entsetzen, daß sie selber die Züge des Judas tragen, jeder von ihnen.

Und: »Ich werde dieses Volk vor seinen Spiegel zwingen, sein Lachen wird ihm gefrieren«, verspricht der Lehrer im Ersten Bild; im Schlußbild, als die Folgen seines Verrats Can eingeholt hatten, »ging er hinaus und erhängte sich«: Wie Judas, der Christus verriet. Während die Mahnung: »Geht heim vor eure Spiegel und ekelt euch!« (S. 557) die übrigen Andorraner wenig kümmert; denn keinen von denen, die Andri auslieferten, quält, als er nach Jahr und Tag in den Zeugenstand tritt, sein Gewissen.

Sobald die Andorraner, einer nach dem andern, im Bühnenvordergrund vor einem imaginären Gericht über ihre Vergangenheit auszusagen haben, sucht jeder von ihnen, um den peinlichen Vorfall mit Andri zu entwirklichen, Zuflucht bei wohlbekannten Taktiken – Reinhard Kühnls Analyse westdeutscher Zeitungen machte dann bestürzend klar, wie gebräuchlich diese »andorranische« Strategie ist (*Das Dritte Reich in der Bundesrepublik: Kritik eines Geschichtsbildes.* Frankfurt 1966. S. 176-177): Wo alle schuld sind, sei niemand schuldig – allenfalls der Ermordete, der von seinen Provokationen nicht abgelassen habe. Idiosynkrasie gegen den »Juden« und Befehlsnotstand, zugegebene Kavaliersdelikte, Ahnungslosigkeit, tragische, schicksalhafte Zeitläufe begründen den einen Satz, mit dem die Zeugenaussage des Jemand schließt und der die geheime Mitte all dieser Geständnisse bildet: »Einmal muß man auch vergessen können, finde ich.« (S. 529) Was die Andorraner selbstgefällig vergaßen, führt die Handlung vor, so daß die Bühne nun die Aufgabe des Spiegels, zur Einsicht in das verdrängte Vergangene anzuhalten, übernimmt; das helle Licht der Bühne leuchtet das Dunkel im Unbewußten der Andorraner aus. Die Theatralisierung der Spiegelmetapher stempelt den Schauplatz dieser Vergangenheitshandlung zur »Bewußtseinsszenerie«. Keineswegs versucht *Andorra* das historische Geschehen zur Schau zu stellen, sondern zeigt – in den Zeugenaussagen – dessen Reflexe im gut abgeschirmten Bewußtsein der Nichtbetroffenen und – im Spiel – das Unbewußte der Schuldigen. So verhilft das Stück der Ansicht des Opfers, die dort verschüttet lag, zu ihrem Recht. Zugleich aber verdoppelt sich, zwischen Kunstwerk und Publikum, die Spiegelung, da der Zuschauer, so wie die Rückblenden jedem der Andorraner den Spiegel vorhalten, in allen Handlungsschichten seine Verschuldung dargestellt sieht.

VII Bewußtseinsszenerie

Der Bühnenraum ist schon in Frischs frühesten dramatischen Werken Bewußtseinsinnenraum: »Ort der Handlung: diese Bühne. (Oder man könnte auch sagen: unser Bewußtsein [...])« (*Die Chinesische Mauer*) – wie der Spiegel sich selbst erst gleicht als Abbild eines Fremden. Im Vorgang des Spiegelns treten freilich auch Subjekt und Objekt, obschon insgeheim weiterhin identisch, auseinander, so daß die polare Grundstruktur epischen Berichtens erfüllt, *Andorra* als episches Theater gekennzeichnet wird. Und als parteiliches, weil dieses Drama sich nicht damit begnügt, blind und angeblich sachgetreu nachzuzeichnen, was sich damals zutrug; vielmehr rechnet das Bewußtseinstheater mit den Sinngebungen, die sich, sobald Menschen erleben, dem bloß Vorhandenen aufdrängen, und diagnostiziert deshalb gerade die vor- und unbewußten Inhalte. Der psychologische Spiegel bildet das Inversbild des Weltlaufs ab. So werden die Rollen vertauscht: Andri, das hilflose Objekt des andorranischen Bewußtseins, wird zum Subjekt der Bühne; jegliches autonome Handeln, mit dem Andri sein Schicksal hätte durchkreuzen können, vereiteln die übrigen Personen zwar, doch was in *Andorra* geschieht, dreht sich allein um ihn und wird nur seinetwegen in Szene gesetzt. Er ist der Anlaß der Bühnenhandlung und diese mißt sich an seinem Erleben. Die Andorraner als Theaterfiguren brauchen »ihren Jud«: Andri ist nicht der Held eines Dramas, sondern episches Subjekt. Damit verleiht das Kunstwerk dem Opfer die gleichberechtigte Würde, welche dessen Verfolger ihm beharrlich absprechen. Und mehr: Denn während es Tun und Handeln der Andorraner oberflächengenau registriert, wird Andri verstanden. Was nur gezeigt wird, erstarrt zum Schicksal; im verengten Blickwinkel des Opfers erscheint der Weltlauf als blind und tödlich zugleich und Andri fühlt seine ihm undurchschaubare Notlage als lastenden Fluch. Aber die gesamte Handlung unterstreicht diesen verständlichen Befund und verleiht so Andris persönlich bedingtem Eindruck den Rang des unbedingt Gültigen. Weil sich das Stück ohne Abstriche die Innensicht Andris aneignete, weiß es nur vom Vorurteil und blendet alles, was sonst noch zum Leben in Andorra gehört, ab. Unter dem Bann des Vorurteils bewegen sich die Andorraner wie halbbewußte Wesen, larvenhaft, unfähig, einen Geschichtsprozeß zu lenken; mechanisch vollstrecken sie den historischen Willkürakt. Der dramatische Dialog ist daher weder möglich, noch nötig; er weicht den oberflächlich verhakten Monologen. Gewinnt nun aber Frischs Schauspiel, indem es sich zur subjektiv-epischen Sicht von Andris Standpunkt aus entscheidet und zugunsten des Unterdrückten parteiisch wird, nicht objektiv die richtige Tendenz? So, daß die Bühne doch zum wahren speculum mundi wird? Dann wäre *Andorra* ein neues Spiel vom Jedermann.

Die epische Form ergibt sich zwingend aus der Diagnose des Inhalts. Zugleich fordert der Inhalt selbst gebieterisch die zwischen Subjektivem und Objektivem oszillierende Doppelperspektive. Denn in dem nicht existenten Kleinstaat wäre der Jude Andri die einzige Bewußtseinsfigur:

> Ganze Völker, die Angst haben vor ihren schlechten Eigenschaften, wollen sich damit helfen, daß sie diese beispielsweise in den Juden projizieren, damit sie ihrem Angst-Ich einmal leibhaftig begegnen, damit sie es quälen und schlagen und töten können auf eine Manier, die ihnen selber nicht wehtut, aber dafür auch nicht hilft. (GW II, S. 217-218)

Hätte die Dramaturgie sich diesem Diktat unterworfen, dann verlöre das Modell seinen Erkenntniswert und schilderte eine Bewußtseinschoreographie des Andorranischen. Weil aber die Gestalt des »Juden« nicht nur als Schnittpunkt andorranischer Projektionen geduldet wird, sondern einzig Andri sympathisch und menschlich wirkt, die Andorraner indessen fast allegorisch Segmente eines bösen Bewußtseins verkörpern – man erkennt in jedem von ihnen eine der biblischen Todsünden wieder: die Hoffart (Doktor), den Geiz (Wirt, Tischler), Unkeuschheit (Soldat), Neid (Geselle), Unmäßigkeit (Lehrer), Trägheit (Pater), ja, bei dem Andri, der zum Andorraner wurde, den Zorn – weil also die psychologischen Gesetze der Modellwelt einerseits und die wirkungsästhetischen Mittel, die andererseits hier erst für poetische Gerechtigkeit sorgen, gegenläufig verschränkt bleiben, verschärft sich jene paradoxe Spannung ständig, welche eine an sich statuarische Fabel vorantreibt und dann im Schlußbild gipfelt. Die alle Macht in Andorra an sich reißen, sind die eigentlichen Projektionsfigu-

ren; die Schwarzen sind Ausgeburten der in Andorra herrschenden Gesinnungstyrannei. Andris Tod erlöst die wider-
sinnige Einheit von ohnmächtiger Freiheit, mächtiger Unfreiheit nicht in höherer Rührung des Betrachters; statt dessen
lösen sich endgültig die ungleichen Paarungen auf, so daß
Herrschaft und Fesselung unangefochten siegen. Das Stück
kapituliert vor der Gewalt.

VIII Bewältigungsdramatik

Die raffinierte Verschränkung der Perspektiven läßt die realhi-
storische Wirklichkeit hinter sich, nicht um sie zu vergessen,
sondern damit trotz der vielen Nebensachen, die entschuldigen und ablenken, das beständige Muster hervortrete. Denn
Bewältigung der Vergangenheit ist ausschließlich Sache des
Volkes, dem diese Vergangenheit gehört, und nicht stellvertretend vom Theater zu leisten; das Kunstwerk kann nur auf der
verweigerten Erinnerung bestehen. Max Frischs politische
Dramen glaubten nie an die verändernde Bewältigung der
Welt im Spiel, allenfalls vergegenwärtigen sie das Schlechte als
abschreckendes Beispiel; Günther Anders (*Die Antiquiertheit
des Menschen,* München 1956, S. 215-218) hat schon früher
dies Inversions-Verfahren beschrieben. Das Beispiel kann nur
abschrecken, wenn es Vertrautes anspricht: dementsprechend
lädt der Vorgang immer wieder die Zuschauer harmlos zum
verständnisvollen Mitfühlen ein, um solches Einverständnis an
einen schockierenden Folgen doch irre zu machen. Ganz
parallel verhalten sich im Gesamtaufbau die Zeugenaussagen
zum Bühnengeschehen; wenn die Andorraner vor dem Spiegel ihres Gewissens ungerührt die Posen der Unschuld einnehmen, mag mancher Zuschauer ihnen eifrig beipflichten, bis
dann das folgende Geschehen nüchtern und unbestechlich
ihre Sünden auflistet. Zugleich – und dies ist das letzte Ergebnis der Psychologisierung der Bühne – hebt dieser Rahmen die
Zeit auf: Was war, bleibt, denn es besteht im Bewußtsein der
Täter, wenn auch verdrängt, fort. Sowenig das Schicksal des
andorranischen Juden wiederholt werden darf, so sehr ist es
wiederholbar; auch hierin bildet die Kunst das Leben ab. In
Andorra erreicht das strukturell verankerte Mißtrauen gegen

die Belehrbarkeit von Theaterbesuchern ein solches Ausmaß, daß es schon wieder einer trotzigen Hoffnung zustrebt. Zwei Jahre später hält Martin Walsers *Der Schwarze Schwan* (1964) das Versagen des Theaters (auch in der marxistisch-brecht-schen Variante) als moralische Anstalt für ausgemacht und bringt diese bittere Einsicht mit einer Schachtelung vom Spiel im Spiel auf die Bühne. Walser dementiert das mangelhaft erfüllte Wirkungsversprechen der sog. Bewältigungsdramatik. Falls die künstlerische Nachahmung jemals das Schlechte be-schämte und anfeuerte zum Guten (in Shakespeares *Hamlet*, auf den Walser anspielt, glückt das den Komödianten ja mit ihrer Vorstellung), – sie hat die Kraft dazu inzwischen einge-büßt; aus der Hoffnung, sie in einer veränderten Welt wieder-zugewinnen, legitimiert sich die aggressive Gesellschaftskritik in der westdeutschen Literatur der späten sechziger Jahre.

IX Abbild und Entwurf

Zur viel besprochenen Abhängigkeit zwischen Frischs »An dorra« und einem anderen, dem Autor eher bekannten Klein staat bemerkte Friedrich Dürrenmatt in seinen Fragmenten zu einer »Dramaturgie der Schweiz«:

> Indem Frisch eintreten läßt, was nicht eintrat und was so, wie es Frisch eintreten läßt, auch nirgendwo gerade so eintrat, ist *Andorra* wesentlich nicht die Schweiz, obgleich Frisch offensichtlich die Schweiz mein Frischs symbolisches Schicksal, das er über Andorra verhängt, ist mit keinem faktischen Schicksal eines überfallenen, geschweige denn eine nichtüberfallenen Landes identisch und gerade deshalb kein Modellfa eines Schicksals (was nicht heißen will, daß *Andorra* die Schweiz nich angehe). [...] Der Grund, weshalb die Schweiz keine Theaterstück über ihre unbewältigte Vergangenheit besitzt, liegt einfach darin, da die Schweiz keine unbewältigte Vergangenheit aufweist. (*Dramaturg sches und Kritisches*, Zürich 1972, S. 233-234)

Dürrenmatt beschreibt das poetische Verfahren der Parabe indem er feststellt, daß *Andorra* sich an diese Dramaturgi weder hält noch halten könnte. Denn die Parabel ist ein vermittelnde Form, die belehren will, wenn sie aus der Beispielfall die Lehre zieht, und sie hofft und fordert, daß Publikum sich handelnd nach dem Gelernten richte. Sie wi erkennen, um zu heilen. Die Parabel ist reduktiv: Sie entlarv

Ihr wird die Geschichte, die gefundene wie die geschehene, zum Beleg, der etwa in einigen scharf gezeichneten Beispielen aus Brechts Dramenschaffen die Richtigkeit marxistischer Lehre anschaulich vorführt; Parabel bei Brecht heißt Lehrstück. *Andorra* verleugnet keineswegs die Hochachtung vor Brecht, der das Komplexe im einfachen Bild vorstellte – die Gesellschaft des Hochkapitalismus im chinesischen Dorf –, der das Theater die List lehrte, die Sprache des Volkes zu sprechen; tatsächlich liegt Andorra näher bei Sezuan als bei jenem Ländchen, »in den Pyrenäen, das ich nicht kenne«, oder einem »anderen wirklichen Kleinstaat, den ich kenne«, (M. F., Frühfassung des Vorspruchs). Trotzdem bleibt *Andorra* der Name für ein Modell, eine neue Wirklichkeit, die sich erst im Spiel und nur durch es entfaltet. Das Modell zögert angesichts seiner mimetischen Pflicht und schreckt zurück vor dem Abbild – dies ist Thema und Form von Frischs Stück –, es möchte den Bezug zur Realität, ohne ihr zu dienen. Anders als die Parabel, deren Zeit die empirische sein muß, wenn sie das in der Vergangenheit Mögliche vornimmt, um es der Zukunft zu verbieten, schafft das Modell sich seine eigene Zeit. Was auf der Bühne Geschichte wird, führt nicht die Regeln der Wirklichkeit vor, sondern läßt solche Regel (in *Andorra* jenes »Ticketdenken«, worin laut Horkheimer/Adornos *Dialektik der Aufklärung* der Antisemitismus wurzelt) eine Welt erzeugen, »als ob« sie wirklich wäre. Das Modell argumentiert streng analogisch, indem es zwischen zwei eigenständigen Ordnungen, dem Kunstwerk und der Welt, die Relation des »als ob« einführt, während die Parabel Identität der Gesetze behauptet, die dem Kunst-Stoff sich nur deutlicher einprägen, auch stoffliche Ähnlichkeit entschieden betont. Die Parabel späht aus und überredet, während das Modell erforscht; zu jener gehört deshalb die Forderung, wie zum Modell die Frage. Denn es zieht sich ja nur auf sich selbst zurück, um das Gespräch zu eröffnen.

1978)

Die neun Thesen raffen, nicht ohne zu verkürzen, eine umfassende Interpretation des Stückes, die man in der von Wolfgang Frühwald und mir vorgelegten Studie zu *Andorra* (vgl. die *Kommentierte Bibliographie*) ausgeführt nachlesen kann. Deshalb darf der hier gebotene Extrakt, auch wo er weiter führt, darauf verzichten, die Nachweise aus Quellen- und Sekundärliteratur detailliert zu verzeichnen und das umfangreiche Material, das dort bereitsteht, nochmals auszubreiten.

V. *Andorra* auf dem Theater

1. Die Uraufführung in Zürich

Michael Hampe
Wie die Uraufführung entstand

Das Bühnenbild

Der Entwurf des Bühnenbildes machte viele Stadien durch, bis nach Wochen die endgültige Gestalt gefunden war. Der Weg vom ersten Modell, das an Drähten hängende, leere Fenster vorsah, bis zum ausgeführten Bühnenbild erwies sich als ständiger Vereinfachungsprozeß. Die Ausgangsfragen lauteten: 1. Welches ist die einfachste Form? 2. Wie wird ein möglichst großer Platz für die Judenschau erreicht? Daraus ergab sich der trapezförmige Grundriß des Platzes, der von hellen Wänden begrenzt wird. Diese wurden mit einem sehr unruhigen, groben Putz kaschiert, verschiedenfarbig abgetönt und in den Höhen leicht variiert, um sie körperlich und abwechslungsreich erscheinen zu lassen. Ein rotbraunes Bodentuch deutet die karge, rote Erde an, von der im Stück die Rede ist. Dieser Grundbau steht in einem tiefblauen Aushang. Bei allen Szenen, die nicht auf dem Platz von Andorra spielen, wird lediglich eine im Zug hängende Abschlußwand von verschiedener Form und Beschaffenheit herabgelassen.

Die Zwischentexte

Die Zwischentexte, in denen die Bewohner Andorras, aus der Handlung heraustretend, ihre Unschuld am Tode Andris beteuern, wurden zum Teil noch während der Proben geschrieben. Sie durften nicht als Conférence ins Publikum gespielt werden, sondern wurden auf einen festen Punkt im Zuschauerraum gesprochen. Das Ergebnis war nicht befriedigend; die Aussage wirkte unklar und beziehungslos. Daraufhin wurde der Vorschlag gemacht, die Darsteller hinter einen Zeugenstand zu stellen und sie sich vor einem imaginären Gericht verantworten zu lassen. Damit war eine genaue Situation geschaffen; die Zwischentexte boten keinerlei Schwierigkeiten mehr und zählten in der Aufführung zu den stärksten Momenten.

Die Schlußstellung der jeweils vorangegangenen Szene

wurde in halbem Licht sichtbar gelassen, so daß die Andorraner sich gleichsam angesichts des verschuldeten Tatbestandes zu verteidigen hatten.

Diese Auftritte wurden außerdem im Kostüm etwas variiert, um sie vom Zeitpunkt der Handlung abzusetzen. Der Soldat beispielsweise erscheint mit einem Mantel in Zivil.

Eine Sonderstellung allerdings nimmt der Zwischentext des Paters ein, wie sich beim Probieren herausstellte. Er allein entschuldigt sich nicht vor anderen, sondern klagt sich vor dem eigenen Gewissen an. Daher erschien er ohne Zeugenstand, kniend wie am Altar.

Geräusche

Es wurde versucht, reale Geräusche nicht naturalistisch, sondern abgekürzt, gleichsam als Zeichen, zu verwenden. Im 9. Bild finden sich dafür gute Beispiele: Bei dem Auftritt des Lehrers ist ein schwerer, bedrohlich klingender Panzerwagenmotor zu hören, der die Gefährlichkeit des Aufenthaltes auf dem offenen Platz etabliert. Das Geräusch der Spatzen, ganz leise in einer gespannten Pause, erzeugt ausgezeichnet den Eindruck von Leere und völliger Ausgeräumtheit des Platzes. Der hallende Lautsprecher ist für die Zuschauer unverständlich, Andri wiederholt höhnisch, was er von dort vernimmt. Die Marschmusik ertönt in unmittelbarer Nähe als kurzes, lautes Signal, das jäh abbricht und eine große Stille für Andris entscheidenden Satz hervorruft: »Ich bin nicht der erste, der verloren ist. Ich weiß, wer meine Vorfahren sind. Tausende und Hunderttausende sind gestorben am Pfahl. Ihr Schicksal ist mein Schicksal.«

(Aus: Theater heute, Heft 12, 1961)

Siegfried Melchinger
Der Jude in Andorra

Man kann über dieses Stück nicht schreiben wie über irgendeines. Es ist in deutscher Sprache das wichtigste seit Jahren. Sein Thema ist der Antisemitismus. Die überwältigende Zustimmung, mit der es im Zürcher Schauspielhaus von einem ungewöhnlichen Publikum aufgenommen wurde, galt sowohl der Wahrheit, die es ausspricht, als dem Mann, der den Mut hatte, sie auf die Bühne zu bringen.

Der Schweizer Max Frisch besaß nicht Selbstgerechtigkeit genug, um das Thema als Reportage über die finsteren Jahre des Nachbarlandes zu behandeln. Beim Nachdenken über die Frage, wie überhaupt Antisemitismus aufkommen kann, gelangte er zu der Antwort, daß er überall aufkommen *könnte*. So wählte er als Schauplatz ein Land, das es auf keiner Landkarte gibt (und das doch unverkennbare Züge seines eigenen trägt). »Andorra«, sagt er, »ist der Name für ein Modell.«

In diesem Andorra spielt folgende Fabel (zum erstenmal veröffentlicht in dem *Tagebuch 1946-1949;* mehrere, immer wieder veränderte Fassungen für die Bühne, die Arbeit vieler Jahre): Ein Bürger des Landes, Lehrer, verheiratet, gibt ein uneheliches Kind, die Folge eines Seitensprunges mit einer Dame aus dem Nachbarland, als Judenkind aus, um es bei sich haben zu können. Denn in dem anderen Land haben die Verfolgungen begonnen, und in Andorra wird es einem hoch angerechnet, wenn man etwas für die Opfer tut. Inzwischen ist aus dem Kind, das anfangs alle gern hatten, ein junger Mann geworden, der sich anschickt, auf eigenen Füßen zu stehen. Andri will ein Handwerk erlernen, um Barblin, die Tochter seiner Pflegeeltern, mit der ihn eine schon nicht mehr kindliche Liebe verbindet, heiraten zu können.

Schon bei dem Handwerk gibt es Schwierigkeiten (»warum geht er nicht zur Börse?«), und als Andri beim Lehrer um Barblins Hand anhält, ist dieser entsetzt und zu feig, die Wahrheit einzugestehen. Auf die Frage der Pflegemutter: »Warum sagst du nein?« schreit ihm Andri ins Gesicht: »Weil ich Jud bin.«

So wird Andri gezwungen, ein anderer zu werden. Er hat jetzt »etwas Gehetztes« an sich. In Barblins Kammer stößt er auf den Soldaten, dem sie ihn vorher vorgezogen hatte. Um zu beweisen, daß er nicht ist, was er zu sein hat: feige, provoziert er auf dem Marktplatz eine Schlägerei mit diesem, die damit endet, daß sie ihn zu viert zusammenschlagen. Der Pfarrer, der dem »Verstockten« gut zureden soll, meint, er habe ihn immer gern gehabt, gerade weil er etwas Besonderes sei, anders als die anderen, nämlich gescheiter; aber: »Kein Mensch, Andri, kann aus seiner Haut heraus, kein Jud und Christ. Niemand. Gott will, daß wir sind, wie er uns geschaffen hat.« Andri müsse annehmen, was er sei. »Wie sollen die andern dich annehmen, wenn du dich selbst nicht annimmst?«

Die Dinge nehmen ihren Lauf. Während die Andorraner auf dem Marktplatz sich noch einreden, sie könnten nicht überfallen werden, »weil die ganze Welt uns verteidigen würde, schlagartig, weil das Weltgewissen auf unserer Seite ist«, rollen bereits die Panzer der »Schwarzen« aus dem Nachbarland über die Grenze. Lautsprecher: »Kein Andorraner hat etwas zu fürchten.« Aber die Menschenjagd beginnt. In der Kammer Barblins, die ihn schützen will, finden sie Andri. Vergeblich, denn zu spät schreit der Vater: »Er ist mein Kind.« Bei der »Judenschau« wird es sich zeigen. Denn alle müssen vor die Judenschau.

Eine Szene aus Goyas Gehirn, eine Szene aus den Alpträumen, die uns verfolgen. Ein Platz voller Menschen. Sie haben die Schuhe ausgezogen und die Köpfe mit schwarzen Tüchern vermummt. An den Wänden die »Schwarzen« mit MPs. Vorne sitzt der Judenschauer. Einer nach dem anderen muß an ihm vorübergehen. Danach können sie die Schuhe nehmen und gehen. Natürlich wird Andri erkannt. Es ist »der Beweis«.

Die letzte Szene: Andri wurde liquidiert. Barblin, die Judenbraut, mit geschorenem Haar, hat den Verstand verloren. Der Vater hat sich erhängt. Die Andorraner schleichen verstört über den Platz: das haben sie nicht gewollt. Aber die Irre weist mit dem Finger auf sie.

Zwischen den Bildern läßt der Dichter die Andorraner einzeln an die Rampe treten, um ihren Spruch zu dem zu sagen, was erst geschehen wird: »Ich bin nicht schuld, daß es so gekommen ist später ... Ich kann nur sagen, daß ich es im Grund wohl meinte mit ihm ... Ich sag ja nicht, es sei ihm recht geschehen, aber es lag halt auch an ihm ... Was hat unsereiner denn eigentlich getan? Überhaupt nichts ... Was meine Person betrifft, habe ich nie an Mißhandlungen teilgenommen ... Ich habe nur meinen Dienst getan. Wo kämen wir hin, wenn Befehle nicht ausgeführt werden? Ich war Soldat ...«

So wird die Fabel zum Beispiel. Es ist, als wäre das Opfer noch einmal aus dem Grab gestiegen, um den Überlebenden zu zeigen, wie alles gekommen ist. Insbesondere, wie es angefangen hat. Der Prozeß vor dem Gewissen wird eingeleitet. Das Tribunal ist das Publikum.

Es sind zwei Wahrheitsbeweise, die Frisch antritt. Der eine: Das Böse ist in den Menschen und muß heraus; es sucht sich einen Sündenbock; »es muß in einen Menschen hinein, damit sie es packen und töten können«. Der zweite: Wer einen anderen, bloß weil er ihm anders erscheint, als anderen behandelt – macht sich schuldig. Frisch ändert das biblische Gebot: »Du sollst dir kein Bildnis machen *vom Menschen*«; denn wir versündigen uns, wenn wir die anderen an unserem Bildnis messen.

Auf der Bühne werden Wahrheitsbeweise durch die Glaubwürdigkeit der Darstellung erbracht. Diese hat Frisch im zweiten Fall mit Meisterschaft verwirklicht. In keinem seiner bisherigen Stücke hat er so streng und konzentriert die Reflexion in objektive Anschaulichkeit übersetzt. Die Dialektik der fortschreitenden Selbstentfremdung Andris erinnerte niemals an ein Präparat aus der Anatomie der Abstraktion; sie gab so sehr das Leben selbst wieder, daß der junge Schauspieler Peter Brogle mit der Rolle des Andri zusammenwachsen konnte, als spielte er eine Möglichkeit seines Lebens, nein, unseres Lebens.

Daß der Jud gar kein Jud ist und daß der Mensch immer in Gefahr gerät, einen haben zu wollen, den er zum Jud machen kann – das ist die These des anderen Wahrheitsbeweises. An seiner Darstellung ist Frisch gescheitert (was noch nichts gegen die These selbst sagt). Wenn das Böse sich den Sündenbock sucht, ereignet sich der Augenblick, in dem das schuldhafte Verhalten von Einzelnen in den Terror des Kollektivs umschlägt. Das ist die entsetzliche Erfahrung, die Frisch – sicher bewußt – aus seinem Modell ausgeklammert hat. In sein Andorra wird der Terror importiert. Aber die »Judenschau« müßte nicht nur die Andorraner, sondern den (die) Judenschauer entlarven. Hier hat das Modell einen Bruch, der *uns* betrifft.

Frisch hat ihn durch die mühsam eingebauten Szenen der Senora (der Mutter Andris, die plötzlich auftaucht, und, weil sie eine »Schwarze« ist, von den Andorranern erschlagen wird) nur schlecht verdeckt. Diese Gestalt ist unglaubwürdig: sie legt eine Mütterlichkeit an den Tag, die sie zwanzig Jahre vergessen hatte. Ähnlich brüchig ist auch die Gestalt der Barblin (von Kathrin Schmid gespielt), in der eine Widersprüchlichkeit angelegt sein müßte, die verstehen ließe, warum sie Andri liebt und doch mit dem Soldaten schläft. Hier, bei der Mütterlichkeit und der Liebe, zeigen sich die Grenzen der Sprache Frischs, die romantisch wirkt, sobald sie lyrisch wird.

Die Inszenierung Kurt Hirschfelds suchte die gleiche schmucklose Genauigkeit, die Frisch bei der Modellierung seiner Bilder angestrebt hat. Die Szenen waren richtig arrangiert (vielfach auch mit oder ohne Grund gemildert). Andererseits stand die Sachlichkeit der Regie in seltsamem Gegensatz zu dem Bühnenbild Teo Ottos, das die kalkweißen Wände des Paradieses Andorra von Anfang an symbolisch verschmutzt zeigte. Diesem Zuviel an Deutlichkeit entsprach ein Zuwenig an Verdeutlichung in der Führung der Schauspieler. In solchen Stücken muß die Wahrheit auffallend gemacht und auf mimische Anschaulichkeit angelegt werden. Die glänzende Besetzung der andorranischen Typen – mit Willy Birgel, Rolf Henniger, Carl Kuhlmann, Gert Westphal, Kurt Beck, Peter Ehrlich – konnte nicht darüber hinwegtäuschen, daß die Art, wie sich die schauspielerischen Temperamente ihre Rollen zurechtlegten, interessanter wirkte als die Figuren selbst, die – je nach Temperament – bald zuviel, bald zuwenig Zeichnung aufwiesen. Ernst Schröder gelangt es, die komplizierte Figur des Lehrers aus dem Kern eines realistischen Charakters zu entwickeln; das war bewundernswert; aber für das Tribunal des Gewissens wäre es noch wichtiger gewesen, wenn in jeder Szene mit unsichtbarem Finger auf seine Schuld verwiesen worden wäre.

Dieses Stück, dessen Uraufführung ein Ereignis des deutschsprachigen Theaterlebens war, wird von vielen westdeutschen Bühnen gespielt werden. Wir wünschen den Vorstellungen nicht den spontanen Applaus der Nichtbetroffenheit, den das Zürcher Publikum spendete. Noch unziemlicher wäre es freilich, wenn das Stück dazu mißbraucht würde, das Alibi hervorzukehren, jenes wohlbekannte: »Die anderen wären auch nicht besser gewesen.« Dieser Prozeß spielt in Andorra. Aber Eichmann war nicht in Andorra.

(Aus: Stuttgarter Zeitung, 4. Nov. 1961)

Henning Rischbieter
Realismus und Modell

Die Züricher Premiere von Frischs neuem Stück fand gleich dreimal statt. So viele Leute hatten, sicher aus den verschiedensten Gründen, danach gedrängt, dabeizusein, daß drei aufeinanderfolgende Vorstellungen als Premieren deklariert wurden. Bei der Gelegenheit konnte man beobachten, daß die krampfhafte Spannung, mit der ein bedeutendes Werk erwartet und angesehen wird, ein sicheres Urteil über die Bühnenwirksamkeit sehr erschwert.

Und vielleicht war nicht nur das Publikum in Spannung, Erwartung und Neugier zu nahe am Vorgang der ersten Aufführung, doch nicht am Stück. Vielleicht waren auch Regisseur, Bühnenbildner und Schauspieler noch zu sehr in ihr eigenes Unternehmen verwickelt. Denn die Züricher Aufführung, scheint mir, hat noch nicht den Aufführungsstil gefunden, der dem Stil des Stückes korrespondiert. Dabei ist, auch das war offensichtlich, an dieser Aufführung mit großem Nachdruck, mit viel Erfahrung und entschiedenem Willen gearbeitet worden. So entstand, allein schon durch die spürbare Sorgfalt und Intensität, eine Aufführung weit überm Durchschnitt. Aber keine Musteraufführung.

Was nicht erreicht wurde, muß, ehe es im ganzen formuliert wird, an Einzelheiten veranschaulicht werden. Beginnen wir beim Bühnenbild. Teo Otto, der sehr Beschäftigte, hatte (man erkennt es auf den Fotos und findet es in den Probennotizen beschrieben) ein verwahrlostes, ärmliches Andorra gebaut: niedrige, von schmutzigem Auswuchs befallene Mauern um den Platz. Noch karg genug, nicht schon zu malerisch? Mußte der Schwarz-Weiß-Kontrast des Stückes nicht noch ungebrochener in der Dekoration zum Ausdruck kommen? – Nicht durch krampfhafte Stilisierung oder gar unsinnliche Abstraktion, versteht sich.

Der Autor hatte an den Proben teilgenommen, noch geändert und umgeschrieben. Eine wesentliche Änderung, die dabei vorgenommen wurde, fand allgemeine Zustimmung: Mehrere kurze Szenen, in denen die Señora gezeigt wird, wie sie an den Lehrer um Auskunft über Andri schreibt, seine briefliche Antwort entgegennimmt, zur Reise nach Andorra aufbricht und die Grenze überschreitet, wurden von Frisch gestrichen. Er beseitigte diesen dünnen Handlungsstrang, der der Haupthandlung entgegenlief, und machte das Stück geschlossener, vielleicht auch trat er durch die Beseitigung der kleinen Szenen der Gefahr der Kurzatmigkeit entgegen. Durch diese Änderung wurde die Rolle der Señora auf drei kurze Auftritte beschränkt. Heidemarie Hatheyer unterstrich die nicht sehr zahlreichen Sätze ihrer Rolle an einigen Stellen mit leichter Sentimentalität.

Eine noch wichtigere Veränderung hatte das Stück kurz vor und während der Proben dadurch erfahren, daß – auch darüber berichten die Probennotizen – kurze Verteidigungsreden der Andorraner zwischen die Bilder eingeschoben wurden, in denen das schreckliche Ende als schon geschehen vorausgesetzt wird: ein Mittel der Distanzierung, die Zuschauer zur Reflexion provozierend. Episches Theater? Aus den Probennotizen geht schon hervor, daß davon keine Rede sein kann: die Darsteller brachten für ihre Entschuldigungsmonologe ein kleines Gitter mit, stellten es vor sich auf, sprachen vor einem imaginären Gericht – als Zeugen, als Angeklagte? Durch diese Einschübe wurde – man muß das abgegriffene Wort wählen – die »Tendenz« des Stückes unterstrichen. Ist das wirklich nötig? Ist es nicht möglich, aus dem Verhalten der Andorraner innerhalb der Szenen die tödliche Herkömmlichkeit, die gutmütige Grausamkeit ihres Verhaltens zu entwickeln und aufs Publikum als hoch fragwürdig wirken zu lassen?

Die Figuren der Andorraner (Wirt, Doktor, Tischler, Geselle, Soldat und der Herr Jedermann, der sich selbst einen lustigen Charakter nennt) waren sorgfältig, mit genau überlegten, kennzeichnenden Details gearbeitet. Zuviel Details, zuwenig scharfer Umriß? Eher zuviel als zuwenig – so sehr ein zwar nie ganz genauer, aber doch ungemein präsenter Schauspieler wie Carl Kuhlmann der Rolle des schmierigen, opportunistischen Wirtes gerecht wurde, so sehr brillant Willy Birgel die hohlköpfige Schwatzhaftigkeit des Doktors darstellte. Ein Kabinettstück besonderer Art war Kurt Becks Soldat: scharfe Stimme, rundes, glänzendes Gesicht mit gewitzten kugligen Augen, geil, gemein, renommierend, aber kein überdimensionaler Schurke, sondern aus dem Stoff, aus dem der Durchschnitt, der Allerweltsmensch gemacht ist – was vielleicht ein viel entsetzlicherer Tatbestand ist als die Bühnenexistenz Richards III. oder Jagos.

Der Darsteller des Tischlers stimmte mit seiner Erscheinung, groß, schwer, grob, zur Rolle, zeigte aber kaum künstlerische Distanz ihr gegenüber, der Geselle war recht glücklich mit verlegenem Zappeln charakterisiert. Für den schwachen Pater hatte man Rolf Henniger eingesetzt, der kurz zuvor als Hamlet in Zürich triumphiert hatte und der diese mittlere Rolle übernahm, bevor er nach Berlin, in seine Starposition bei Barlog, zurückkehrt. Er spielt sonst jugendliche Rollen und scharfgeprägte, stückbeherrschende Rollen – hier war ihm Selbstverleugnung auferlegt. Er rückte hilflos an der Brille (gerade kein sehr originelles, aber doch brauchbares Mittel der Charakterisierung), hielt Stimme und Bewegung sehr zurück, setzte äußeres Zögern und Zagen ein. Der Lehrer, eine schwierige, weil zentrale, aber doch recht passive Rolle, war bei Ernst Schröder wohl besser aufgehoben als bei irgendeinem anderen deutschen   Schauspieler. Seine Manierismen – tonlos gesprochene, wie weggeworfene Halbsätze, plötzliches, unvermutetes, scharfes Herausheben einzelner Wörter – liegen doch nur wie ein dünner Schleier über seiner ungewöhnlichen schauspielerischen Potenz. Konzentration, nach innen genommene, gesammelte Bemächtigung der Rolle kennzeichnete auch diesmal seine Leistung. Sie war darauf angelegt, zu zeigen, wie sehr viel, sehr viel Selbstzersetzendes in dem Lehrer vorgeht – mehr, als er (durch seine radikale, vitale Intellektualität seit langem von den Andorranern isoliert) noch an seine Landsleute und seine Familie weitergeben kann. Die Hauptrolle, den Andri, spielte Peter Brogle – ein erstaunlich virtuoser junger Schauspieler, leichtflüssig, knabenhaft. Auch er gab viele Details: Jungensfreude, Verstörung, Verwirrung, Grimm. Alles kam um eine winzige Nuance zu geläufig – erst die weiße Starre, mit der er zuletzt als Opfer dastand, war ganz frei davon.

Bleibt die Rolle der Barblin, die Kathrin Schmid spielte. Sie hatte sich am unmittelbarsten mit der Figur identifiziert – oder mit dem, was in der Züricher Inszenierung darunter verstanden wurde. Ihr waren nämlich alle Anklänge an *Woyzeck*.

Marie genommen, Barblin war hier ganz Mädchen, naiv, nur für Andri fühlend, ungefährdet durch ihre eigene Sinnlichkeit. So bemerkenswert das dargestellt war, so sehr blieb unverständlich, weshalb sie den Soldaten in ihrer Kammer duldet.

Wie sieht die Summe all dieser Details aus? Nicht der ganze Reichtum des Stückes wurde entfaltet, manche Einzelheiten blieben unverbunden. Die Striche verstärkten die Kompaktheit des Stückes, die Zusätze unterstrichen seine Gezieltheit.

Eine Reihe bemerkenswerter schauspielerischer Leistungen, dazu kluge und zielbewußte, erfahrene Regie – es wird schwer sein, die Züricher Aufführung zu übertreffen. Aber es lohnt der Mühe. Wo ist der souveräne Stilwille, dem es gelingt, den Realismus und die Modellhaftigkeit, das Konkrete und das Exemplarische des Stückes zur völligen Einheit zu verschmelzen?

(Aus: Theater heute, Heft 12, 1961, S. 10)

Joachim Kaiser
Die Andorraner sind unbelehrbar

Es gab starken Pausenbeifall und am Schluß beinahe Ovationen, als Max Frischs *Andorra*-Drama in Zürich uraufgeführt
wurde. Das Thema und der Rang des Autors sicherten der von
Fernsehaufnahmen, Interviews und massenhaft aufgetretener
Theaterprominenz umrahmten Premiere eine fast sensationelle Resonanz. Darum entschloß man sich, den Uraufführungs-
abend durch drei zu dividieren. Wegen des offenbar beispiel-
losen Andrangs wird die Uraufführung an drei aufeinander-
folgenden Abenden wiederholt. Dem entspricht, daß die
deutsche Erstaufführung – voraussichtlicher Termin: 20. Januar 1962 – von drei westdeutschen Bühnen zugleich unter-
nommen wird, nämlich von Düsseldorf, Frankfurt und München. Zwanzig weitere deutsche Theater folgen. Andorra ist
mehr als eine Premiere, es ist eine repräsentative Kraftprobe
des deutschsprachigen Theaters.

Ausgerechnet im jüngsten Börsenblatt des Deutschen Buch-
handels wird auf der Titelseite eine stattliche Bildmonographie
über Andorra, den Pyrenäen-Kleinstaat, angezeigt. Doch wie
groß die Versuchung, mißzuverstehen, nun auch sein mag:
jenes Andorra, von dessen Imago Frisch jetzt seit 1946 verfolgt wird, seit der berühmten unüberhörbaren Tagebuchskizze »Der andorranische Jude«, hat damit nichts zu tun. Im
artifiziellen Andorra begegnet uns, wenn man den Vorgang
nicht bequem als »allgemein menschlich« verstehen will, ein
Extrakt aus jenen beiden Mentalitäten oder Nationen, denen
von jeher Frischs fasziniertes Mißtrauen, seine selbstquäleri-
sche Anteilnahme, seine züchtigende Liebe galt: eine Quintessenz aus Deutschem und Schweizerischem.

Die Prosaskizze handelte von einem jungen Andorraner,
den man für einen Juden hielt – man erwartete darum Ver-
standesschärfe, Geldsucht, mangelnde Vaterlandsliebe, Egois-
mus von ihm – und der sich schließlich nach diesem unaus-
weichlichen Bilde verhielt. Als er gestorben war, entdeckte
die Andorraner, daß jener vermeintliche Jude gar kein Jude
gewesen – und entsetzten sich, sooft sie in den Spiegel diese

Parabel blickten. Das Stück erzählt die Parabel anders. Nicht der Jude steht im Mittelpunkt, sondern – bereits der neu formulierte Titel deutet es an – Andorra. Dieses Andorra wird in den ersten Szenen gleichsam aus Worten erbaut. *Teo Ottos* Spielfläche bietet sich als gespenstischer, kaum charakterisierter Hohlraum dar, in den der Text das Bühnenbild hineinstellt. Da wird ein Haus »geweißelt« (also wohl im Sinne des Neuen Testaments »übertüncht«); ein Pfahl (an den man die zum Genickschuß Verurteilten dereinst binden wird) aufgestellt, ohne daß die Leute sich viel dabei denken; da zieht eine Prozession vorbei; da grölt ein ordinärer Soldat; da vollzieht sich andorranische Selbstgerechtigkeit. Von Anfang an spüren wir, sollen wir – überdeutlich – spüren, »Furchtbares wird geschehen«. Denn auch bei der jauchzenden Fröhlichkeit, die Andri zu Beginn beseelt, ahnt man die Katastrophe. Andris Glück bedeutet kaum mehr als die Fallhöhe für seinen elenden Sturz. Gewiß, er liebt die Tochter seines Pflegevaters, wird wiedergeliebt und kann überdies mit der Erfüllung seines sehnlichen Berufswunsches rechnen: Er darf Tischler werden. Und weil er ja nicht der Sohn seines Pflegevaters ist, sondern ein in die Familie aufgenommenes Judenkind, darf er auch erhoffen, daß der Vater ihm die Hand seiner Tochter geben wird. Denn woher soll er wissen, was wir Zuschauer längst erfahren haben, daß er nur Objekt eines grausamen anthropologischen Experiments ist? Andris Vater, der Lehrer, hat nämlich gelogen. Dieser Andri ist sein unehelicher Sohn, den er als Juden ausgibt. »Ich habe meine Lüge in die Welt gesetzt, um die Welt (samt ihrem idiosynkratischen antisemitischen Vorurteil) daran zu entlarven.«

In einer früheren Fassung des Stückes begründet ein Briefwechsel zwischen Andris Vater und seiner unehelichen Mutter dies für Max Frisch so charakteristische Experiment, das dem Versuch Stillers, nicht stille zu sein, ähnelt, oder dem Versuch Fabers, Ingenieur zu sein und kein Schicksal zu haben, oder dem Versuch des Staatsanwalts, Graf Öderland zu werden, oder dem Versuch Don Juans, nur die Geometrie zu lieben.

Jetzt ist dieser Briefwechsel gestrichen, wohl um der Eindeutigkeit des Vorgangs willen. Doch daraus, nicht nur daraus ergibt sich eine gefährliche Klippe, da man nicht hinreichend begreift, warum der Vater im entscheidenden Augenblick, nämlich bei Andris Heiratsantrag, die wahren Ablehnungsgründe verschweigt. Andri, der dem antisemitischen Vorurteil bereits in tausend Masken, vornehmen oder rüden oder, besonders ekelhaft, pseudo-»aufgeklärten«, ausgesetzt war, bricht nun mit allem, läßt die Welt samt seinen Wünschen hinter sich, wird aus einem Opfer zum tragischen Helden. Nun nimmt er die Wahrheit nicht mehr an, wenn man sie ihm sagt. »Wieviel Wahrheiten habt ihr? Das könnt ihr nicht machen mit mir.« Er ist verstockt, unzugänglich, wählt sein Schicksal: plötzlich eine Mischung aus Märtyrer und existentialistischem Entwerfer des eigenen Wesens.

Wie im *Kin Ping Meh* dämmert die Rache für Andorras Schuld von draußen: Die Schwarzen, den Tataren gleich, besetzen das Land. Es kommt zur entsetzlichen, ebenso absurden wie zwingenden (14.) Szene, der »Judenschau«. Die Andorraner müssen vor dem Blick eines eleganten »Judenkenners« à la Eichmann Spießruten laufen. Er erkennt in Andri den Juden – der er nicht ist, aber sein will. Andri wird getötet, der Lehrer erhängt sich, Tochter Barblin verfällt dem Wahnsinn, und in Andorra geht alles weiter wie zuvor.

Denn die Andorraner haben nicht gelernt, was die Zuschauer vielleicht doch spüren und beherzigen werden, daß nicht nur die von irgendeinem Offizier befohlene Erschießung Andris ein Unrecht war, sondern vielmehr die Totalität des an keinem Punkte ganz dingfest zu machenden Vorurteils. Zwischen die Szenen sind Übergänge eingeblendet. Plötzlich erscheinen die Akteure vor den Schranken eines utopischen, quasi nürnbergischen Gerichtshofes und sagen aus. Deklarieren ihre Ansichten als Meinungsfreiheit, berufen sich auf Befehle, Irrtümer, ja auf Andris Verstocktheit – die sie doch selbst hervorriefen. Alle Argumente armseliger Rechthaberei, wie wir sie aus den Verfahren der vergangenen sechzehn Jahre kennen, tauchen brillant zusammengefaßt wieder auf. Aber auch die in Zürich laut beklatschte ironisch vorgetragene Ideologie von der Beliebtheit, Friedlichkeit, Wahrhaftigkeit des stolzen Kleinstaates, der sich für den Mittelpunkt der Welt hält, ist noch unbeschädigt vorhanden.

Frisch hat das Drama eines unheilbaren Vorurteils geschrieben. Er hat sich, und das bezeichnet zunächst die Grenze des Stückes, dabei auf die Frage nach dem *Wie* beschränkt. Nicht *warum* die Andorraner antisemitisch reagieren, wird erörtert, sondern auf welche Weise sie es tun. Das Drama fragt sich nicht in Menschen hinein, sondern es stellt fest. Am Anfang gleicht es beinahe einer dramatisierten Soziologie gesellschaftlich vermittelter antisemitischer Verhaltensweisen. Da ist der reiche Tischler, der voller Selbstgerechtigkeit seinen jüdischen Lehrling (dem er nur Verkaufsbegabung unterstellt, aber keine handwerkliche) demütigt und betrügt, der rüpelhafte Soldat, der feige »Freund«, der wohlmeinende Priester, der Andri auf lauter »jüdische« Eigenschaften lobend festlegt und zum Schluß doch ganz froh über Andris Anderssein ist (übrigens der einzige, der später sein Verhalten bereut) und der vaterländisch bramarbasierende Professor: eine intellektuelle Null, die ihr Versagen in der Fremde mit Chauvinismus zudeckt. Willy Birgel gab eine vorzügliche Studie böser, gelegentliche Gutmütigkeit nicht ausschließende Idiosynkrasie. Rolf Hennigers Pater, ein wenig schmierig im Wohlwollen und dennoch voller schwächlicher Sympathie und Kurt Becks besoffener Soldat standen dem kaum nach.

Dennoch bedrohte der nur »feststellende« Charakter in den Anfangsszenen die Entfaltung des Stücks. Diese Szenen waren fast zu knapp, und die von Kurt Hirschfeld vorzüglich geführten Schauspieler (die westdeutschen Aufführungen werden sich an einer sehr durchdachten, schwer zu übertreffenden Uraufführungsleistung zu messen haben) mußten die mannigfachen, hereinbrechenden Symbole des Unheils gleichsam einholen, ohne daß der Text zwischen Vorgang und Bedeutung immer genügend Spiel-Raum gelassen hätte. Fast war es eine Klippe, daß gleich zu Anfang ein Dorfidiot und ein besoffener Soldat antisemitische Verhaltensweisen einführten. Erst relativ spät drängte sich die Handlung vor das eindeutige *fabula docet*. Freilich war auch hier manches schon mit hoher Kunst gemacht. Der Doppelsinn des Wörtchens »noch«, temporal und weder-noch (»Kein Mensch«, sagt der Pater, »verfolgt euren Andri – noch hat man eurem Andri kein Haar gekrümmt«) bezeugte ebenso eine geheime schriftstellerische Meisterschaft wie die Sicherheit der Szenenführung und des Aufbaus. Indessen ist Andri – Peter Brogle war, was den Typus und den Ausdruck betrifft, eine Idealbesetzung; aber manchmal wirkte er, weil er zu oft lachte, zu naiv, wie aus einem Märchen nach Andorra versetzt, anders als alle anderen, ein Hans im Pech, aus dem erst nach der Pause ein tragischer Held wurde – anfangs nur Objekt, und die Andorraner sind da *nur* typische Antisemiten. Kein Wunder, daß zu diesem Zeitpunkt doch, dank Ernst Schröders großartigem Beginn, der Lehrer im Mittelpunkt steht: Er ist lebendig, Problem und Abgrund zugleich.

Doch das ändert sich. Andri nimmt an – und fängt an. Er macht sich zum Subjekt, zerbricht die Grenze seiner Figur, wird aus der naiven Klage zur Anklage und nähert sich dem tragischen Hochmut aller großen Helden seit Ödipus, die ihr Schicksal herausfordern und die Katastrophe nicht scheuen. Der »Gehetzte« wird zum Woyzeck eines gesellschaftlich rassischen Vorurteils, Marionetten ihres Aberglaubens ermorden ihn, so wie es in Büchners Meisterwerk auch Marionetten sind (Doktor, Hauptmann), die zum Schicksal des armen Kerls werden. Kathrin Schmids Barblin macht die allzu sehr nur aus schematischen Reaktionen (»Küß mich«, Weinen, Unbeständigkeit, Wahnsinn) zusammengesetzte, geliebte Barblin lebendig: ein Wunder, dem Regisseur und Max Frisch gewiß gleichermaßen zu danken.

Irrsinnig – und darin mit dem Realen korrespondierend – war die Szene der »Judenschau«. Sie läßt keine Erklärung zu. Dennoch wirkt sie erschütternder als ein vernünftiger Angriff auf verbrecherische Praktiken. So wie Schönberg in seinem »Überlebenden von Warschau« oder Picasso in seinem »Guernica«-Bild hat sich Frisch in dieser Szene dem reinen Grauen gestellt. Und er bewältigt es, soweit Kunst dergleichen überhaupt bewältigen kann.

Es gibt im Augenblick wohl keinen deutschsprachigen Dramatiker, der einem solchen Thema auch nur annähernd so gewachsen wäre wie Max Frisch. Seine schon im *Graf Öderland* bewährte Kraft, Fabeln zu ersinnen, von denen man glauben möchte, sie seien bereits vorhanden, während sie doch des Dichters Kunst entspringen, triumphiert auch hier. Daß Frisch dennoch nicht das letzte Wort zu seinem Vorwurf sagte, sondern die Allegorie anfangs in die Nähe der Simplizität rückte, zuviel mit expressiven Wiederholungen arbeitete, bis sich endlich Andri frei machte, liegt offen zutage. Oder sollte es auch heute noch unmöglich sein, die »Antisemiten«

zu durchschauen, ohne sie zugleich verbotenerweise zu Objekten einer notwendig neutralisierenden Betrachtung zu verharmlosen? Doch dies Stück wendet sich ja nicht nur an den Verstand, sondern mehr noch ans Mitleid. Es schlägt von der Allergorie in Dichtung um. Unverlierbar, unüberhörbar der größte Satz, zugleich die Essenz des Werkes: »Kein Mensch, wenn er die Welt sieht, die sie ihm hinterlassen, versteht seine Eltern.«

(Aus: Süddeutsche Zeitung, 4. Nov. 1961)

Carl Seelig
Andorra
Die Frisch-Uraufführung in Zürich

Den Keim zu seinem neuen mit Spannung erwarteten Bühnenstück hat Max Frisch vor anderthalb Jahrzehnten in einem
Café von Zürich durch jenes packend geschriebene Prosafrag-
ment gelegt, das als »Der andorranische Jude« in seinem
Tagebuch 1946-1949 erschienen ist. Es folgte dann die Arbeit
an den Romanen, an einigen Hörspielen und Lehrstücken
sowie am Schauspiel *Don Juan oder die Liebe zur Geometrie*,
das – als sechstes, abendfüllendes Bühnenstück dieses nun im
51. Lebensjahr stehenden Zürcher Schriftstellers, dessen groß-
väterliche Linie aus Österreich stammt, 1953 uraufgeführt –
für acht Jahre sein letztes bleiben sollte. Einem Wunsch des
Schauspielhauses Zürich entsprechend, für dessen zwanzig-
jähriges Jubiläum ein neues Werk zu verfassen, begann Frisch
1957 jene Anekdote des andorranischen Juden auf der Insel
Ibiza dramatisch auszuwerten. Aber die erste Fassung, die er
einreichte, befriedigte weder ihn noch die Auftraggeber. Er
versuchte eine zweite und dritte Fassung, die ebenfalls miß-
lang, so daß der selbstkritische Autor *Andorra* zurückzog, um
sich – seit 1955 freier Schriftsteller und damit dem von ihm
1936 eingeschlagenen Architektenberuf entsagend – anderen
literarischen Plänen zuzuwenden. Erst als er im Herbst 1960
Rom zu seinem neuen Aufenthaltsort wählte, erwachte in ihm
wieder die Lust, *Andorra* nochmals umzuformen. Es entstanden in der Folge die fünfzehn Bilder mit teilweise leicht
kabarettistischem Einschlag, die am 2. November in Anwesenheit zahlreicher Vertreter der Presse des In- und Auslandes
sowie von Friedrich Dürrenmatt, dessen neuem, anfangs 1962
in Zürich zur Uraufführung gelangenden Stück *Die Physiker*
der Ruf einer brillanten Leistung vorausgeht, im Schauspielhaus Zürich mit vielen Beifallsbezeugungen für den Verfasser
und die Vermittler seines Werkes zur »ersten« Uraufführung
gelangte. Denn das Interesse an *Andorra* ist so groß, das auch
die beiden ersten Wiederholungen als Uraufführungsabende

bezeichnet wurden. An ausländischen Bühnen wird Frischs Bilderserie noch diesen Monat in Tel Aviv und Amsterdam gespielt werden; die Erstaufführungen in Deutschland sind in München (Kammerspiele, Regie: Schweikart), Düsseldorf (Schauspielhaus, Stroux) und Frankfurt a. M. (Städtische Bühnen, Buckwitz) auf den 20. Januar 1962 angesetzt, worauf angeblich das Stück an anderthalb Dutzend weiteren deutschen Bühnen inszeniert wird. Die Buchausgabe hat Suhrkamp für anfangs Dezember angekündigt. Aber wer Frischs nachahmenswerten Ehrgeiz zur perfekten Leistung kennt, zweifelt nicht daran, daß die zürcherische Fassung, die übrigens schon während den Proben verschiedene Änderungen erfahren hat, kaum die letzte bleiben wird. Denn namentlich die zweite Hälfte ist noch stark verbesserungsbedürftig, da sie nicht die Klarheit und knappe Aussage der ersten Hälfte besitzt und namentlich im Schlußbild bedenklich ins Kolportagehafte abfällt.

Unter dem Kleinstaat »Andorra« will Frisch nicht die gleichnamige Republik in den Ostpyrenäen verstanden wissen, sondern irgendein scheinbar armes, friedliches und frommes Ländchen, das sich für so musterhaft hält, daß einer seiner Bürger sagt, es beherberge ein »Volk, das sich aufs Weltgewissen berufen kann wie kein anderes, ein Volk ohne Schuld«. Symbolisch wird diese angebliche Reinheit dadurch ironisiert, daß gleich zu Beginn des zweieinhalbstündigen Spieles ein Haus blütenweiß getüncht wird. Diese Tünche abzulaugen und die Grundfarben zu zeigen, ist von da an Frischs emsiges Bemühen. Als positive Figur, die sich zu sich selbst und damit zur Wahrheit, zur inneren Sauberkeit durchringt hat er den zwanzigjährigen, hellköpfigen Burschen Andri gewählt. Sein eigener Vater, der Dorflehrer, der herumerzählt, er habe ihn vor der Verfolgung aus einem unduldsamen Land gerettet und aus reiner Menschlichkeit als Adoptivsohn in seine Familie aufgenommen, streut als Testfall das Gerücht aus, Andri sei ein Judenknabe. Die Reaktionen der angeblich gemütlichen und braven Bürger ergeben die Dramatik des Stückes und sein psychologisches Wurzelwerk. Das Ziel ist, einmal die latente Feigheit und Gedankenlosigkeit, die Anfälligkeit für böswillige Vorurteile und generalisierende Schlagworte in der Volksmasse am Schopf zu fassen. Mit Recht weist der Lyriker Hans Magnus Enzensberger im Programmheft darauf hin, daß *Andorra* nicht als historisches Drama oder als Aktualität über irgendeinen Skandal gelten will, sondern als Modellfall, der sich keineswegs auf den Antisemitismus beschränkt. Denn schon »heut oder morgen kann der ›Jud‹ Kommunist heißen oder Kapitalist oder Gelber, Weißer, Schwarzer, je nachdem. Gemeint ist nicht die andere Gegend; nicht dem ›seinerzeit‹ und ›anderswo‹ wird der Prozeß gemacht, sondern der je eigenen, der am meisten, die sich am schuldlosesten vorkommt, aufs Weltgewissen beruft und in die Brust wirft in der Meinung, bei uns könne dergleichen nie und nimmer passieren«. Aus diesem Grund gibt es in Frischs neuem Stück auch keine Ressentiments gegen die Schweiz. Andorra ist auf keiner Weltkarte und doch überall zu finden: dort, wo eine stupide, dem Bösen zugängliche Masse ihre unterschwelligen Gefühle des Neides und der Bosheit aufbrodeln läßt. Denn das Böse, heißt es irgendwo in *Andorra,* hängt nicht nur in der Luft. Es stürzt sich auf die Menschen hinab und in ihre Brust, um sich dort auszutoben und sein Opfer zu haben. Das Opfer ist im konkreten Fall Andri, der am Schluß von den Selbstgerechten hingerichtet wird, nachdem sie schon seine Mutter durch Steinwurf getötet haben und der Vater seinem Leben durch Erhängen eigenhändig ein Ende bereitet.

Dieser anfänglich angstgequälte Andri, der im Verlauf seiner bitteren Erfahrungen gar kein andrer sein will, als ein beschimpfter Jude, weil er denken und individualistisch urteilen kann, sagt einmal: »Alle benehmen sich wie Marionetten, deren Fäden durcheinander geraten sind.« Man könnte dieses Bild auf Frischs Stück überhaupt anwenden. Seine Gestalten bewegen sich fast durchwegs marionettenhaft. Sie bleiben Ideenträger, in denen kein warmes Blut rollt, so daß *Andorra* menschlich nicht stark anspricht, was bei der Uraufführung auch deutlich an dem bis zum Schluß sehr gemäßigten Beifall zu spüren war. Aber die Fäden sind dem wie ein Architekt klar und geschickt konstruierenden, in originellen und metaphorischen Formulierungen hier eher sparsamen Autor erst in den letzten Bildern durcheinander geraten, und wenn das Städtchen Andorra schließlich von den »schwarzen« Nachbarn mit Geräusch von Düsenflugzeugen sowie anderen Kriegszutaten überfallen, besetzt und mit allen Greueln eines totalitären Regimes »beglückt« wird, sinkt der Bilderzyklus auf eine künstlerische Stufe, die seines Verfassers in seiner, wie von Marsgestalten durchsetzten Räuberromantik nicht ganz würdig ist, obwohl es auch hier nicht an schönen Symbolen fehlt wie jenes, daß auf der Bühne zuletzt nur noch die Schule des erschossenen Andri vor der Rampe stehen.

Regie: Kurt Hirschfeld. Immer noch mit Verve für Frisch eingetreten, durfte er sich als neugebackener Schauspielhaus-Direktor eine kostspielige und glänzende Rollenbesetzung, wie sie bei anderen Inszenierungen kaum mehr vorkommen wird, leisten. Seine einfühlende und effektvoll gruppierende, bis ins kleinste Detail ausgefeilte Führung der Darsteller, die geschmackvolle Einbeziehung von spanischem Saitenspiel, Hahnengeschrei und Glockenklängen sowie der Wechsel der Szenen, die sich durchwegs vor weißen, kubisch geformten Kulissen (Bühnenbild: Teo Otto) abspielen, zeigen, mit welch liebevoller Sorgfalt er sich dieser neuen schweizerischen Theaterschöpfung angenommen hat. – Ganz hervorragend verkörpert Peter Brogle, dem als vermeintlichen Juden die Bürger vorwerfen, daß er nicht zum Tischler, Soldaten und Fußballspieler tauge, weil er den Gelderwerb, die Feigheit, den kalten Intellekt, das Nicht-Vaterländische, das Unbeheimatete »im Blut« habe. Jeder beteuert zwar in einem kurzen Monolog, der sich wie vor einem Gerichtshof abspielt, er fühle sich unschuldig und habe nichts zur Verhetzung beigetragen. Aber in Andorra, wo selbst die Pferde im Garten wiehern: »Jud, Jud!«, schreit die Masse dennoch: »Was Jud ist, bestimmen wir«, worauf Andri, hellsichtig geworden, antwortet: »Wer Andri ist, bestimmt Andri.« Das Gehetzte dieses Burschen, seine romantische Liebessehnsucht, seine tiefeingewurzelte Angst und später seine wachsende Widerstandskraft gegen die Andorraner, die vorgeben, ihre Stadt sei ein Hort des Friedens, der Freiheit und der Menschenrechte, arbeitet Brogle brillant heraus. Wie eine Gestalt aus den Romanen von Heinrich Mann (*Der Untertan* und *Professor Unrat*) wirkt Ernst Schröder als sein zwiespältiger Lehrer-Vater. Hervorragend auch Willy Birgel als der hetzerische, mit antisemitischen Phraseologien um sich werfende Amtsarzt, der sich gern »Professor« titulieren läßt, und Kurt Beck als der infam-sadistische, boshafte Soldat, der unter Bezug auf Andri als einziger offen bekennt: »Ich hab' ihn nicht leiden können von Anfang an.« Zu markanten Typen wachsen auch trotz knapper, bewußt trockener Dialoge der Wirt (Carl Kuhlmann), der Tischler (Peter Ehrlich), sein Geselle (Otto Mächtlinger), der stumme Dorfidiot (Elmar Schulte) und ein schleimiger, hinterhältig-aufpasserischer Herr Jemand (Gert Westphal) heran, während die Frauengestalten trotz fähiger Schauspielerinnen (Kathrin Schmid als die von Andri echt geliebte und vom Soldaten mißbrauchte Barblin, Heidemarie Hatheyer als völlig skizzenhaft bleibende Senora und Angelica Arndts als angebliche Mutter) auffallend konturlos bleiben – Schuld des Autors, nicht des Ensembles, das sein Bestes einsetzte, um ihm zum Sieg zu verhelfen.

(Aus: National-Zeitung [Basel], 5. 11. 1961)

Charlotte von Dach
Andorra
Uraufführung eines Schauspiels
von Max Frisch

Der Stoff, so berichtet Max Frisch, sei ihm 1946 eingefallen, und zwar in Zürich, im Café de la Terrasse. Er wurde als Prosaskizze unter dem Titel »Der andorranische Jude« im *Tagebuch 1946 – 1949* veröffentlicht. 1957 tauchte der Plan einer Dramatisierung auf. Was jetzt im Text vorliegt, ist die vierte Fassung, und was im Zürcher Schauspielhaus uraufgeführt wurde, zeigt wiederum recht bedeutsame Eingriffe dramaturgischer Natur; durchwegs Veränderungen zugunsten thematischer Verdeutlichung.

Was auf der Szene abläuft, ist der Untergang eines Einzelnen, hervorgerufen durch die Schuld der Masse. Das Opfer ist Jude, seine Henker sind die Mitmenschen ohne Verantwortungsgefühl, eine moralisch verrottete Gesellschaft in dem vom Feinde bedrohten und dann auch überfallenen kleinen Land namens Andorra. Das Judenproblem wird dadurch zugespitzt, daß es auf Irrtum und Lüge gründet. Nämlich: Andri – so der Name des »Helden« – ist gar kein Jude. Er wird vom Vater als solcher ausgegeben, weil er zu feig ist, ihn wahrheitsgemäß als seinen illegitimen Sohn anzuerkennen; zu feige, weil die Mutter eine von »drüben«, von den Feinden, ist und die Zeit gerne darauf eingeht, die gute Tat der Hilfe an verfolgten Juden zu verklären. Die Umwelt will, daß der Jude einer sei; sie denkt in festgelegten Bildern und läßt auch dann nicht davon ab, wenn die Wahrheit ans Licht kommt. Andri selber ist »der andere«, leidet darunter, will es zuerst nicht annehmen, und wie er's annimmt, ist es zu spät und wieder falsch, weil die Judenverfolgung durch den eingebrochenen Feind ihn jetzt – nochmals den Irrtum um einen Irrtum vermehrend – vor diesen Schergen schleppt. Andorra verrät ihn, so wie er sich und seinen Staat verrät, jedoch ohne Schuld zu bekennen.

Hinter diesem vordersten Thema liegen im geistigen Hintergrund andere: der Gegensatz zwischen eigengeprägtem Wesen und gesichtsloser Leutevielheit; das Denken in festen Bildern, die Festlegung eines Gegenstandes oder Menschen auf die wünschbare oder bequeme Form, an die »man« nicht anstößt; das Problem der Massenfeigheit unter der Bedrohung durch eine böse Macht; die Frage nach dem Staatsbewußtsein und dessen Verluderung, sei es durch Angst, sei es durch charakterliche Massenwindigkeit; der nackte Antisemitismus in den bekannten Formen aus jüngster Vergangenheit (insofern ist das Stück ans Geschichtsfeld des 20. Jahrhunderts gebunden); der Verrat als zugleich moralischer und politischer Vorgang. Am Rande endlich drücken sich noch zwei andere Probleme sozusagen durch die Felsritzen der übrigen: der Inzest (Andri liebt die Tochter seines vermeintlichen Ziehvaters, die aber seine Halbschwester ist) und die menschliche Identität. (Wer sind wir, wenn wir werden können, wie uns die andern haben wollen? Werden wir, was sie in uns hineindenken? Ist es auflösbar, sich z. B. als Jude zu fühlen, wenn man im Bewußtsein, einer zu sein, erzogen wurde?)

Andorra ist ein kritisches Zeitstück. Der Name hat mit keiner geographischen Wirklichkeit etwas zu tun; Andorra ist ein Modell, sagt der Verfasser. Es zeigt Wirklichkeit und Möglichkeit des Antisemitismus, der Allgemeinschuld, des Verrates, wie sie hier und dort und zu jeder Zeit geschehen. Die Gesellschaftsanklage ist vom ersten bis zum letzten Wort antreibend da, nicht minder die bittere Ironie auf politische Zustände.

An diesem Punkte wird der Schweizer allerdings nicht nur Zustimmung zollen, sondern auch einiges ablehnen, was Max Frisch aus seiner schwierigen Beziehung zu Begriffen wie »Vaterland« und »schweizerischer Staatsbürger« in die Andorra-Vorgänge fließen läßt. Sein Wille, sich nirgends festzulegen, die Scheu vor der Verbindlichkeit einer Tatsache, eines Gefühls oder einer Erkenntnis verwischen die Grenzen, an der auch die künstlerische Absicht vor dem Gebot, das man als redliche nationale Haltung bezeichnen könnte, halt machen muß.

Wenn Frisch sein Stück in erster Linie als *jüdisches Schicksalsstück* angesehen haben will, dann hat es seine Absicht in einem eindrücklichen Ablauf von 15 Bildern erreicht. Das Geschehen zwingt sich unausweichlich seinem Ziele, dem

Untergang, zu. Die Logik der Handlung wird durch die zwischen die einzelnen Szenen geschobenen Kommentatoren verstärkt. Sie machen zu Wort, was die lausigen Hirne und »Gewissen« der Andorraner bewegt, sie wägen mit der ganz und gar unstimmigen Waage der moralischen Windbeutel und weisen schon vom ersten Bilde an auf das Ende des Juden Andri hin. Das mutet wie ein Verhängnis an, aber nicht von den Obern geschickt, sondern von den Untern. Es entwickelt sich ein echter Umschwung ins Tragische in dem Augenblick, da die Judenlüge aufgedeckt ist, Andri also erlöst werden könnte, es aber nicht mehr will, sondern wissend in den Tod geht. »Wie viele Wahrheiten habt ihr?« fragt er.

Will aber der Verfasser sein Thema in allen den eingangs angedeuteten Ausweitungen erfaßt wissen – und das möchte man tun –, dann ist zu sagen, daß die antisemitische Problemschicht nicht die entsprechenden Öffnungen hat. Man kommt z. B. über die sehr peinliche Judenschau (wo die Andorraner Schuhe und Strümpfe ausziehen und auf bloßen Sohlen vor den Maschinengewehrläufen schwarzer Soldaten und einer »Gestapo«-Kreatur über die Bühne gehen), schwer von den sich aufdrängenden Bildern eines vergangenen Dritten Reiches auf eine allgemeingültige Ebene hinauf. Dergleichen massive Wirklichkeitsnähe schwächt ihren beabsichtigten geistigen Überbau. – Auch die Sprache hilft da mit. Sie hält sich bewußt – mit ganz wenigen Ausnahmen im Munde des Andri – vom künstlerisch gestalteten Wort fern. Sie geht auf der Gasse, manchmal im Kot, ist arm und ganz vom heutigen Tage und seinen mancherlei literarischen Moden. – Die karge Typisierung der Gestalten um Andri und seinen Vater – die beiden einzigen tragenden Individuen im Spiel – sperrt ebenfalls einen genügend kräftigen Durchbruch vom Judenfall zum allgemein menschlichen Fall. An dieser Stelle ist auch gleich die Frage zu erheben – die sich bei Frisch immer stellt – warum die Frauengestalten so Klischee bleiben? Das ist wohl in diesem Männerstück nicht von entscheidendem Gewicht, aber an sich stellt es beim Dichter ein Problem dar, an dem künstlerisch viel hängt, das nicht gelöst ist.

Max Frisch hat ein nachdenklich stimmendes, ein stellenweise bedrängendes Lehrstück aus unserer Zeit geschrieben. Mit dem Beispiel bietet es auch die Probe darauf. Es geht hier eine

Welt unter; an sich selber verdirbt sie. Der Raum bleibt leer; nur einer der Schuldigen bekennt seine Verfehlung. Es ist die arge Wahrheit auf der Bühne. Doch – ist es die ganze? Gibt es nur das Untergangsräderwerk, nicht auch noch – immer und trotzdem noch – dessen Gegenkraft, die auch aufzurufen wäre?

(Aus: Der Bund [Bern], 5. 11. 1961)

Elisabeth Brock-Sulzer
Andorra oder Die mörderischen Bilder

Alltäglich dürfte es auf keiner deutschsprachigen Bühne Europas sein, Darsteller vom Namen eines Schroeder, Kuhlmann, Brogle, Henniger, Birgel, Beck und einer Hatheyer in ein und demselben Stück zu vereinigen. Nur der große Anlaß oder der gefährdete Anlaß wird solche ebenso schwierige wie kostspielige Besetzungen rechtfertigen. Eine Uraufführung von Max Frisch ist aber heute ein großer Anlaß, und nicht nur für die Schweiz. Doch auch gefährdet ist heutzutage ein Stück wie *Andorra*. Das Thema des Antisemitismus ist beim breiten Publikum alles andere als beliebt. Erstens gehe es ja doch meistens um schauerliche Dinge dabei, und zweitens habe man nicht mehr nötig, solche zu sehen; man sei im Bilde, namentlich in der Schweiz, man brauche keinerlei Aufklärung mehr. Die ergriffenen Ovationen, die das Premierenpublikum der Uraufführung bereitete, beweisen, daß das Werk sich machtvoll durchzusetzen vermochte, ja, daß es sich auch ohne Starbesetzung Gehör zu verschaffen wußte. Grundbedingung sind hier »nur« Stilgefühl, bühnengemäße Klugheit und Wahrhaftigkeit. Nicht immer bringt der berühmte Darsteller diese Tugenden am reinsten zur Geltung. Nein – Frischs neuester Bühnensieg ist nicht nur der Sieg seiner Interpreten. Wo sie bedeutend waren – und sie waren es in sehr vielen, großen und kleinen Rollen –, da waren sie es als Diener an einem Werk, das Dienst verlangen darf.

Frisch geht auf durchaus neuem Weg an sein Thema heran. Das Unerhörte der Judenverfolgung erscheint bei ihm als Ausprägung eines viel umfassenderen Themas, verliert aber in dieser Einordnung nichts von seiner Furchtbarkeit. Der weitere Zusammenhang bringt weder Entschuldigung noch Relativierung. Verstehen ist hier noch lange nicht Verzeihen. »Du sollst dir kein Bildnis machen«, heißt es in der Bibel in bezug auf alles Überirdische. Dieses Gebot hat Frisch nun in die Menschenwelt hereingeholt. Der leidenschaftliche, nie begnügte Ichsucher, der er ist, erkennt die Gefahr, die in jedem Blicke steckt. Der Mensch erkennt sich im Spiegel seiner

Umwelt, sie deutet ihn, gibt ihm Schlüssel zur Selbsterkenntnis, er benutzt die Schlüssel und wird zum Gefangenen eines Raums, den er sich derart erschließt. Nur an Bildern, Vorbildern bildet sich der Mensch, nur an Vorbildern verbildet, verfehlt er sich auch. Wer erträgt es schon, nicht so zu sein wie die anderen? Je eigener einer ist, desto leichter wird er leiden an seiner Eigenheit. Immer ist da ein gefährliches Gefälle zwischen Individuum und Typus, zwischen einem Schweizer und dem Schweizer, zwischen einem Christen und dem Christen, zwischen einem Juden und dem Juden. Erfahrung der Jahrhunderte hat sich gesammelt auf Generalnenner, auf Gemeinplätze, die kein Zufall sind und doch auch kein Schicksal sein dürfen. Je tyrannischer ein Vorbild ist, desto mehr wird es Anlaß zur Tragödie. Die Aufgipfelung in den Hekatomben der Judenverfolgung ist nur eine der hier möglichen Katastrophen, die grausigste vielleicht, aber eben eine von vielen. Das gestaltet zu haben, ist eine Besonderheit dieses Dramas. Darin liegt auch eine der Wohltaten des Stücks: die Judenverfolgung wird erkannt als unser aller Schicksal, die Juden werden damit einbezogen in das allgemein und unentrinnbar Menschliche. Nichts tat ihnen so wenig gut, wie sich als Sonderfall der Menschheit betrachten zu müssen. Sicher – sie werden das »auserwählte Volk« genannt, das in einem bestimmten Sinn das Kreuz der Welt auf sich nehmen mußte. Aber in Frischs Sicht ist ein jeder dem jüdischen Schicksal mehr oder weniger ausgesetzt, ein jeder wird zum Opfer des Bildes, das ihn einzufangen sucht, nachdem es ihm eine Wegstrecke lang Hilfe gewährt hatte. Das ist nun freilich eine rabiat individualistische Einstellung. Individualismus muß aber heutzutage rabiat sein, wenn er überhaupt noch sein will.

Andorra ist ein kleines Land, dessen Slogan der Kinderreim »Ich bin klein, mein Herz ist rein« sein könnte. Man ist ein Begriff für die Welt. Selbst wenn diese Welt nicht einmal weiß, wo man sich im Raume befindet; man ist nicht nur ein Begriff, man ist ein Inbegriff. Darum wähnt man sich ungefährdet und berauscht sich an Phrasen. Aber man hat das, was man in gewissen deutschen Regimentern von vor 1914 seinen »Renommierjuden« nannte. Einen jungen Burschen namens Andri, von einem Lehrer angeblich vor der Verfolgung gerettet und an Sohnes Statt angenommen. Man hat ihn verhätschelt, als er ein Kind war, hat sich selber genossen in der Wohltätigkeit des Lehrers. Jetzt ist das Kind herangewachsen, jetzt ist aber auch der Judenhaß im Nachbarland wieder gewachsen, man sucht den Juden in dem jungen Menschen und findet ihn. Handwerker möchte der Junge werden, er darf es nicht, da er zum Krämer geboren sei. Klug sei er, aber ohne Gefühl, da ein Jude. Feig sei er, obwohl an ihm die anderen ihre Feigheit ausleben. Deren Feigheit sei aber eben nur zufällig, bei ihm, dem Juden, sei sie Schicksal. Sie sondern ihn aus, und da er sich nun absondert, wird auch das als Stigma seiner Rasse gedeutet. Wenn er Geld verdient, so ist es anderes Geld, nur zufällig andorranisches. Er liebt die Tochter des Mannes, der ihn adoptiert hat, will sie heiraten, da versagt sie ihm der Vater. Weil er ein Jude sei, schreit der Junge. Die Wahrheit ist anders. Andri ist nicht Jude, ist der leibliche Sohn des Lehrers, den dieser mit einer Angehörigen des Nachbarlandes gehabt hat und nicht offen anzuerkennen wagte. Zu spät erst sagt der Vater dem Sohn die Wahrheit, dieser glaubt sie nicht mehr, zu viel Lüge ist ihm gesagt worden, zu viel starre Bilder haben ihn eingekerkert, nun spüre er selber, was er sei: ein Jude, einer von vielen, die geopfert worden sind und geopfert werden. Zuletzt bleiben nur noch seine Schuhe vorn an der Rampe und warten auf ihn. Auf den Mensch des Weges, den ewigen Wanderer, auf das Opfer jener Bilder, die sich der Mensch nicht machen soll und doch machen muß, und mehr noch als jeder Mensch der Dichter.

Frisch hat das Thema lang in sich bewegt. Die Kernzelle von *Andorra* findet sich in seinem *Tagebuch* als Eintragung des Jahres 1946. Da war der falsche Jude noch ein Findelkind. Im Drama kennen wir seinen Vater und seine Mutter. Aber dieser Vater hat noch Mühe, sich ganz festzulegen. Frisch hat in einem früheren Stadium von *Andorra* erwogen, ob er nicht das falsche Judenkind als einen Lockvogel für die politischen Ideen des menschenfreundlichen Vaters gestalten könnte. Dieser zöge das Kind auf, um es dann zu gegebener Zeit seinen Mitbürgern als ihresgleichen vorstellen zu können und sie von der Unsinnigkeit ihrer Rassenvorurteile zu überzeugen. Beinahe ein Komödienmotiv – jedenfalls ein Motiv, das in etwas geruhsameren Zeiten eine glückliche Lösung zulassen könnte. Aber nun, offenbar unter dem Druck grausiger Tatsächlichkeit, hat sich die Figur des Lehrers wieder verschoben: aus Feigheit hat er das Kind als Judenkind ausgegeben, die Wohltätigkeit und die politische Absicht sind nur Tarnung. Der Lehrer, der einmal auflüpfischen Mut bewiesen hatte, ist nur noch ein etwas widerborstigerer Andorraner, gebrochen, in die Halbheit unrettbar verstrickt. Alle sind sie halb. Wer ist denn schon böse in dem Stück? Der gemeine Soldat vielleicht, der übrigens der einzige ist, der zu seiner Meinung zu stehen wagt. Sonst aber haben sie es alle »eigentlich nicht gewollt«. Selbst Barblin, das Mädchen, weiß in der Verzweiflung keinen Ausweg als in den Selbstverlust, heiße dieser nun Hingabe an einen widerlichen Menschen oder Wahnsinn. Frischs Stück ist fürchterlich, gerade weil es sich so ganz im Mittleren, Alltäglichen hält. Sein Andorra ist überall. So ist denn auch »bei der Uniform der Schwarzen jeder Anklang an die Uniform der deutschen SS zu vermeiden«. Es wird schwer sein, vor diesem Stück die Selbstgerechtigkeit zu bewahren. »Die Andorraner, sooft sie in den Spiegel blickten, sahen mit Entsetzen, daß sie selber die Züge des Judas tragen, jeder von ihnen«, heißt es in *Tagebuch*.

In elf Bildern gedrängter Szenen rollt das Stück ab. Sie werden voneinander getrennt durch Erklärungen der einzelnen Darsteller, die ihr Tun aus heutiger Sicht betrachten. E. sind Erklärungen, wie man sie in den Diktaturstaaten von einst immer wieder hören kann: Man hat eben nichts gewußt, man meinte es nicht bös, man hatte gar nichts gegen die Juden. Das könnte oberflächliche Technik sein, wenn nicht diese Ausweitung in die Gegenwart hinein den Charakteren räumliche Tiefe gestattete und ihr damaliges Tun folgerichtig ausweitete. Diese Zwischentexte sind offenbar erst in einer letzten Entstehungsphase des Stücks gefunden worden, sie mögen in der Auseinandersetzung mit der Bühne entstanden sein, wirken jedoch durchaus organisch. Überhaupt hat sich Frisch entsprechend seiner Überzeugung, man müsse »mit der Bühne dichten«, in nicht wenigen Stellen wieder vom Textbuch entfernt. Krasse Effekte wurden vielfach gemildert – vieles was ja im bloßen Wort genügend filtriert erscheint, wird unmöglich, wenn es sich verleiblichen soll. Da Frisch selber vielen Proben beiwohnte, wird man sein Einverständnis mit den Strichen voraussetzen dürfen.

Ist nun die Züricher Uraufführung, der Kurt Hirschfeld ein hingebender Betreuer war, auch schon maßgebend? Sie wird sicher die Vergleiche nicht zu scheuen haben. Brogles schrankenlose Hingabe an die Rolle des jungen Menschen, seine künstlerische Leidensfähigkeit, seine Zerrissenheit, seine Anmut der Bewegung und seine Reinheit in der Empfindung – sein Können auch, das man beinahe vergißt ob seiner Unmittelbarkeit, das wird sich neben jeder anderen Interpretation behaupten können. Birgel und Beck erreichen jeder auf seine Weise eine gespenstische Wahrheit – biedermännische Glätte und falsche Treuherzigkeit der eine, schleimige Brutalität der andere –, das dürfte nicht so leicht zu übertreffen sein. Fragwürdiger ist Schroeders Auffassung des Lehrers, er entwickelt ihn ganz aus jener bröckeligen Verfallenheit, die ihm besonders gegeben ist; er holt vor allem die fahrige Hilflosigkeit des gestrandeten Idealisten heraus – eine Auffassung, die dann auch erklärt, warum er die erlösende Wahrheit nicht zur rechten Zeit zu sagen vermochte. Das ist durchaus meisterlich, aber hier wären auch andere Möglichkeiten, akzentuiertere, vielleicht sogar phantastischere. Wenn aber etwas uns in der Überzeugung bestärkt, hier sei Frisch ein echter Wurf gelungen, so ist es der Umstand, daß das Stück auf sehr viele Weisen spielbar ist. Man könnte es härter fassen, mit stärkeren und zugleich einfacheren Akzenten, man könnte es noch nachdruckloser zeichnen, man könnte die Typisierung weitertreiben, man könnte andererseits auch die Typen, an denen Frisch hängt, weiter in die Individualisierung hineinführen – die Substanz bliebe, es bliebe die innere, gegründete Form.

(Aus: Frankfurter Allgemeine Zeitung, 6. Nov. 1961)

Hans Heinz Holz
Der kleine Judenjunge von drüben

Im *Tagebuch 1946-1949* Max Frischs findet sich eine kurze, mit großer Prägnanz gezeichnete Skizze unter dem Titel »Der andorranische Jude«. Zehn Jahre später wurde ein Stück daraus, man darf wohl sagen, eines der großen Stücke der deutschen Gegenwartsliteratur.

Andorra – der Ort ist eine Fiktion. Ein kleines Land, an dessen Grenzen die »Schwarzen« stehen, mächtiger, aggressiv, raublustig; Judenverfolgungen und Morde sind bei ihnen an der Tagesordnung. In Andorra hingegen brüstet man sich, der Hort der Freiheit zu sein, mit den Verbrechen des Nachbarn nichts zu tun zu haben; Menschen, die von »drüben« kommen, behandelt man mit Mißtrauen und Feindseligkeit; als eine Ruhmestat galt es, daß der Lehrer vor fast 20 Jahren einen kleinen Judenjungen über die Grenze rettete und als seinen Pflegesohn aufzog.

Aber: wie ein Netz legt sich das Vorurteil um den heranwachsenden Jungen. Anders sei er als die Andorraner, heißt es. Feige sei er, heißt es, zum Handwerk tauge er nicht, immer nur ans Geld denke er, kein Gefühl habe er. Selbst der wohlmeinende Geistliche entzieht sich dem Gerede nicht. Er bejaht zwar des Juden Andersartigkeit. »Du bist gescheiter als sie. Weil du von ihnen verschieden bist, darum schätze ich dich« – das ist der Sinn seiner Rede zu dem verzweifelten, verstockten Jungen. Aber erst recht stößt er ihn damit aus der Gesellschaft aus. Und er, der war und sein wollte wie die anderen, ein durchschnittlicher Mensch, wird durch die Hetze zum Gehetzten, er nimmt die Eigenschaften an, die man ihm nachsagt, und die man ihm aufzwingt, er formt sich nach dem Bilde, das sich die Menschen von ihm machen und nach dem zu leben sie ihn nötigen. Er folgt dem Pfarrer, der ihm zuredet, sein Anderssein anzunehmen.

Indessen zieht sich das Netz immer enger zu. Das Vorurteil wird zum Haß, die Voreingenommenheit zur Verleumdung. Zu spät stellt sich heraus, daß der Junge kein Jude ist, sondern der uneheliche Sohn des Lehrers mit »einer von drüben«, den der Vater, aus Angst vor den Leuten, als Judenkind ausgegeben hatte. Als die Mutter kommt, um nach ihrem Kinde zu sehen, wird sie erschlagen, weil sie »eine von drüben« ist. Doch als die »Schwarzen« dann Andorra besetzen, bezeugt jeder, der Jude habe den tödlichen Stein geworfen – derselbe Jude, der zu dieser Zeit mit dem Pfarrer in bitterem Gespräch war. Die Andorraner arrangieren sich mit den Landesfeinden, den Juden liefern sie als Opfer an den Galgen.

Nur zweimal fällt der Vorhang: zur Pause und zum Schluß. Die wenigen Verwandlungen, die den 15 Bildern kaum unterschiedliche Plätze des Ortes zuweisen, geschehen bei offener, verdunkelter Bühne. Das Stück duldet keine Illusionen. Der Zuschauer nimmt an seiner Konstruktion teil.

Das hat Max Frisch den Vorwurf des Intellektualismus eingetragen. Er ist der Architekt, der seinen Bauplan offenlegt. Er mutet dem Zuschauer die Distanz der Betrachtung zu. Vom dritten Bild an läßt er ihn nicht mehr im unklaren über den Ausgang. Das Erkennen soll nicht durch die Spannung auf eine ungewisse Lösung abgelenkt werden. Vielmehr: weil wir von Anfang wissen, welch grausames Ende es mit dem Judenjungen (der keiner ist) nehmen wird, können wir um so mehr Aufmerksamkeit den Umständen widmen, die dahin führen. Diese Aufmerksamkeit zu schärfen, dienen die Zwischenblenden. Wenn nach den einzelnen Szenen die Protagonisten (der Wirt, der Tischler, der Geselle, der Soldat, der Pfarrer, der Namenlose) vor eine angedeutete Gerichtsschranke treten und in larmoyantem Tone erklären, das Ende hätten sie nicht gewollt, und eigentlich hätten sie ja auch gar nichts getan, so entlarvt sich im Kontrast zum Geschehen die Mitläuferschaft als Mittäterschaft. Kein Mensch ist von Verantwortung frei. Das Stück verleugnet nicht seine Absicht, ein Lehrstück zu sein.

Das Lehrhafte schließt das Gefühl nicht aus. Frisch will unsere Anteilnahme ganz, nicht nur im Denken. Die Sachlichkeit, mit der er die Situationen darstellt, hat ihr Gegenstück in der Subjektivität des Zuschauers, der auf diese Situationen reagiert. Sympathie für den Gejagten, Mitleid auch mit dem Vater, der aus Schwäche schuldig wird und doch durch sein Tun immer wieder diese Schuld abbüßt, Empörung über die herzlose Roheit der anderen, Spott für die Hilflosigkeit der

Gutwilligen, die doch in das Vorurteil verstrickt sind – alle diese und manche anderen Gemütsbewegungen löst Frisch in uns aus. Am meisten aber ergreift uns die Angst, die Angst vor einem unaufhaltsamen Geschehen, das uns so bekannt vorkommt, und das sich (wenn wir redlich in uns hineinschauen) doch täglich wiederholen könnte.

Kurt Hirschfeld ist einer der großen Regisseure deutscher Sprache. Er versteht es, sich dem Sinn eines Stückes anzuschmiegen, seine dramaturgischen Akzente ohne Übertreibung zu setzen (ja, ein gewisses »understatement« gehört zu seinem Prinzip), den Gestus auf der Bühne auszuspielen. Wir erlebten das an so verschiedenen Werken wie Brechts symbolisch-expressivem Jugendstück *Im Dickicht der Städte*, Hauptmanns naturalistischem *Fuhrmann Henschel* und nun Frischs sachlich berichtendem *Andorra*. Hirschfelds Inszenierung, vom Autor kontrolliert, hat Modell-Charakter. Die Dialoge bleiben im belanglosen Alltagston, der sie, auf das Geschehen zurückbezogen, erst recht bedeutsam macht; nur wenige Male wird dem gequälten Jungen ein jäher Ausbruch gestattet, auch die Lyrik der Liebe kommt ganz unpathetisch und unpoetisch. Sprache und Tonfall individualisieren die Menschen, die doch auch wieder als Typus in der gesichtslosen Masse verschwinden. Wie Hirschfeld die Person im Typ anzudeuten versteht, ist meisterhaft. Und die Schauspieler folgen seinen Intentionen mit seismographischer Empfindlichkeit – Peter Brogle in der schwierigsten Rolle des Judenjungen, Kathrin Schmid als seine Pflege- (und Halb-)schwester Barblin. Ernst Schröder bringt die Zerrissenheit des Lehrers als die eines unglücklichen, mit sich selbst uneinigen Mannes heraus, der durch mannhaftes, oft forciertes widerborstiges Leben, die eine Feigheit doch nicht austilgen kann.

(Aus: Westdeutsche Zeitung, Mönchengladbach, 17. Nov. 1961)

2. Aufführungen westdeutscher Bühnen

Dreimal *Andorra*

Das Bedeutende hat uns erreicht. Max Frischs neues Schauspiel »Andorra« ist mit der deutschen Erstaufführung in Düsseldorf, Frankfurt und München am Samstag zu einem Ereignis geworden. Zum zweitenmal (nach Dürrenmatts »Besuch der alten Dame«) tritt das Theater in seine Funktion der Läuterung ein. Zum zweitenmal hat ein deutsch sprechender Autor den Verrat am Menschenbruder zur Sache der Dichtung gemacht. Betroffenheit zeichnete die Reaktion des Publikums, Beifall den Gewinn an Kunst. – Max Frisch schrieb in diesem Stück die Geschichte des Jungen Andri, den sein Vater über die Grenze nach Andorra holt, ihn, sein uneheliches Kind, aber aus Feigheit und Scham als einen geretteten Judenjungen ausgibt. Eine Tat des Mutes, wie es scheint, denn im Nachbarland sind die Judenverfolger am Werk. Aber auch Andorra bleibt nicht frei von der antisemitischen Pest. »Jud. Du bist Jud« hört er überall. Die Gesellschaft legt ihn fest auf eine Rolle, die nicht die seine ist. Die Rolle wird sein Schicksal, die Lüge des Lehrers wuchert, und die Wahrheit, daß Andri der Sohn des Lehrers ist, findet kein Gehör mehr. Vorurteil hat die Wahrheit erschlagen und einen Menschen dazu. »Es wird schwer sein, vor diesem Stück Selbstgerechtigkeit zu bewahren«, schrieb Elisabeth Brock-Sulzer zur Züricher Uraufführung (FAZ vom 6. 11. 61, abgedruckt in diesem Band). »In Frischs Sicht ist jeder dem jüdischen Vorurteil mehr oder weniger ausgesetzt, ein jeder wird zum Opfer des Bildes, das ihn einzufangen sucht, nachdem es eine Wegstrecke lang Hilfe gewährt hatte. – Wenn aber etwas uns in der Überzeugung bestärkt, hier sei Frisch ein echter Wurf gelungen, so ist es der Umstand, daß das Stück auf sehr viele Weisen spielbar ist.« – Darüber die nachfolgenden Berichte:

Albert Schulze-Vellinghausen: Düsseldorf

Uns Deutschen ist der Antisemitismus immer noch der nächstliegende Modellfall verblendeter Ideologie, welche notwendig zum Brudermord führt. Von daher kann uns diese *Andorra* nicht gleichmütig lassen. Das Tun und Nichttun, da Reden und Schweigen, weht uns wie Grabeswind eigener noch nicht vergessener Untat an. Das gipfelt mit wahrhaf beklemmender Aktualität in den Aussagen des Amtsarztes Da ist – großartig verdichtet – genau jene Argumentierung, wie sie (nicht nur in den Vernehmungen zum Fall Heyde/Sawade) noch heute als gesellschaftsfähig gilt. Frisch hat das mi Spürsinn versammelt und mit erschütternder Knappheit ob jektiviert. Da ist kein Wort zuviel. Um diese »Aussage« vorn an der Rampe weht das Klima der Monologe Shakespeares.

Das aufzuführen – und es anzuhören – bedeutet mithir einen Akt notwendiger Selbstbereinigung, vielleicht Befrei ung. Ihm unterzog sich auch das Düsseldorfer Publikum – bi auf ein paar Schwachköpfe, welche demonstrativ das Hau verließen. Im übrigen sah man manche Träne, vielleicht au der Reue, nicht nur der Betroffenheit. Das hat immerhin dies Aufführung (Regie Reinhart Spörri) zuwege gebracht, obzwa sie sich im Anfang in impressionistischer Tupfentechnik ver zögert. Ottos Bühnenbild, mit etwas zuviel südlichen »Rei zen« aufwartend, möchte da ein Teil der Verantwortun tragen.

Das Gleichnis der beiden Stühle, in der Szene beim Tischler sorgte dann – aus dem eigenen Gewicht her – für ein stärkere Tempo des unmittelbaren Zeigens. Von nun an steigerte sich die Einkreisung des Opfers in ein dringliches »Schlag au Schlag«. Schade nur, daß sich Frisch und Spörri, Dichtun und Regie, durch die nur angehängte letzte Szene ein weni um die Wirkung bringen. Das Mädchen Barblin, überge schnappt und geistesverwirrt den Boden säubernd, erschein als demonstrative Floskel. Dabei rückt sie zu nahe an da verwirrte Gretchen (*Faust*, 1. Kerkerszene) wie auch an di verwirrte Lucile, die das Schlußwort in Büchners *Danto* spricht. Frisch hat sich da nicht vom Vorbild gelöst – vo Büchners Technik, die er im übrigen Ganzen sich souverä anverwandelt.

Er sollte schließen mit der »Judenschau«. Sie ist grandios Vision in sich, und ihr Refrain »Das mit dem Finger wa zuviel!« ist ungeheuer ins Schwarze getroffen. Das reicht, un bis in die Nächte zu verfolgen. Die letzte Szene ist dann nu

Zusatz.

Spörri hatte in Karl-Heinz Martell einen vergleichsweise reifen Andri: er mußte das Alter seiner Rolle mit Kunst und Klugheit rekonstruieren. Im Ergebnis ein Held, nicht aus der Natur, sondern aus Disziplin und Reinheit ergreifend – und mit Recht zum Schluß mit Bravo bedankt. Als Barblin Hannelore Fischer: dunkel und liedhaft. Schley als Vater die Gespaltenheit dieses »Narren« zur Allgemeinheit gleichnishaft erhebend. Wolfgang Krönebaum als Tischler: wunderbar dumm und zugleich gerieben. Adolf Dell als Doktor, aus seinem Text das Tödlich-Banale zum Denkmal erhebend. Der Soldat – Peter Kuiper – schon in der Geste und in der Haltung die alten Schrecken aufs neue beschwörend: da war er wieder, der Stiefel mit Hose, der uns lange Jahre zugrunde regierte. Wolfgang Jarnach als Pater angenehm diskret. Nicht jede Rolle läßt sich erwähnen. Schade, denn es ist ein Stück aus »Rollen«, die in sich unsere Wirklichkeit haben.

Mag sie denn ihre Wirkung tun – diese Aufführung, und die vielen, die ihr in anderen Städten folgen werden. Als Beitrag zur Bewußtwerdung über das, was in uns, in Andorra und Güllen, was in Algier und Kuba und Louisiana, in Frankfurt und Dorsten, auf uns lauert. Zuallererst in jedem von uns. Dann erst in den anderen.

Günther Rühle: Frankfurt

Die Inszenierung von Harry Buckwitz machte sichtbar, daß Frisch sich das Drama aus der Dialektik wiedergewinnt. Man erlebte eine szenische Analyse der Vorurteile, Ängste und Ausflüchte. Vorurteil als ein System der Übertragung eigener Mängel auf andere. Ein Zerstörungsprozeß, in dem das Schöne zugrunde geht, das den wunderbarsten Namen trägt: Mensch. – Mensch?: wo doch in dieser andorranischen Szenerie auch der Schäbigste (der Tischler), der Verlogenste (der Doktor), der Hinterhältigste (der Wirt), der Hämischste (der Geselle), der Roheste (der Soldat), der Gutgläubigste (der Pfarrer) noch diesem Begriff zugehört. Die Inszenierung hat das Panorama des Menschengeschlechts mit ihren typischen Klüften und Abgründen entfaltet. »Gesellschaft«: ein Feld schauspielerischer Details. Wahr in allem und vom Regisseur fast alle auf der Grenze gehalten von Typus und Individualität. Und alle zugleich distanziert von dem, der das schöne Bild des Menschen an diesem Abend trägt – von Andri, an dem die Menschenwelt gemessen wird, der als »Jude« verdammt wird, ohne es zu sein.

Der Glücksfall der Züricher Aufführung (Brogle als Andri) wiederholt sich hier in Ernst Jacobi; er hat die Strahlkraft der Jugend, die naive Gebärde dessen, der seine Zukunft als Glück ahnt; er hat die reine Glut, in der das Menschenwesen zu seiner schönsten Form kommt. Er hält es sichtbar durch alle Pressionen und Demütigungen hindurch, wenn das »Jud, du bist ein Jud« ihn in eine Rolle preßt, die nicht die seine ist, aber sein Schicksal wird. Das ist nicht wenig, da er zugleich die Reduktion seiner Hoffnung, seines Glücks zu spielen hat, die Schrumpfung, die Abwendung von dem Freund, der Geliebten Barblin. Er wird reduziert bis in die Gefühle des Hasses und des Trotzes gegen den Vater. Da ist Entfernung, Ausstoßung und doch nur Durchgang. Dieser junge Schauspieler hat den Funken in sich, den der Pfarrer in Andri ahnt. Was er an Erkenntnis empfängt, kommt ihm zu aus seiner Bedrängnis, nicht aus Wissen und Menschenerfahrung. So ist er eins mit seiner Rolle. Etwas vom Glanz des tragischen Helden kommt auf ihn, wenn er die zudiktierte Rolle als sein Schicksal auf sich nimmt: »Ich bin Jud.« Er geht nicht mehr zurück, als man ihm zuruft: »Du bist kein Jude.« Da steht einer allein, wenn er den »biblischen« Text spricht: »Meine Trauer erhebt mich über euch alle«, diesen Monolog, in dem das einzige Einverständnis des Stücks zu Wort kommt: Einverständnis mit dem, was er nach dem Willen der anderen sein soll. Daß er in seine Wahrheit eintritt und sie auf sich nimmt, das erhebt ihn über die Andorraner. Sein Untergang ist eine doppelte Klage: gegen die Verleumder, die das Schöne fällen, weil sie es nicht sehen. Eine dichterische Klage auch: daß die Wahrheit, in die Andri geht, keine ist und doch Würde hat. Frischs Einsicht in den Rollencharakter des Lebens offenbart da ihren tiefsten Pessimismus. Tragischer Pessimismus und Pessimismus des Moralisten, der mit uns (uns!) Andorranern ins Gericht geht. Buckwitz gibt diesem Prozeß den dialektischen Zuschnitt. Er zeichnet auf den Gesichtern der Andorraner, was dem Andri als Judenmerkmal vorgeworfen wird: Geldgier, Krämergeist, Feigheit, Angst.

Das ahasverisch Gehetzte, das der Pfarrer in ihm entdecken will, tritt als Schicksal in Andris Vater, der mit seiner Lüge diese Tragödie begann. Hans Caninenberg hält in dieser Gestalt noch den Eiferer von einst sichtbar, erst im Laufe des Abends fällt er zusammen. Unrast, Erbärmlichkeit dieser erspielten Gestalt eilen ihren Ausbrüchen vorweg. Caninenberg spielt ein Drama, das diesen Vater ruhelos macht, bis ihn, wenn er die Wahrheit herausbrüllt, die Wahrheit selber verlassen hat. Armseligkeit eines Lügners, der den Mördern auf die Beine half. Die Akzente solchen Widerspiels sind sicher gesetzt. Schneidend die eingeschobenen Szenen, in denen die Andorraner sich für das Geschehene entschuldigen. (Ausflüchte, die noch in unser aller Ohr sind.) Bedeutend die Szene, in der die Andorraner sich rühmen, der Inbegriff der Unschuld zu sein für die Welt. Physiognomie und Haltung der Sprecher sprengt da Schein vom Sein. Dieser Szene fehlt im Schlußteil das Pendant. So sicher Buckwitz die schwächeren Anfangsszenen des Stücks auffüllt, so gut er Thema und Spieler steigert, die ›Judenschau‹ am Schluß gerät ihm zum lauten Spektakel. Es fehlt Schauder und Bedrückung. Er schickt die Andorraner und die martialisch (wieder einmal cocteauisch) ausgerüstete Soldateska ins Parkett. Er zwängt dem Publikum Tuchfühlung auf, das noch ein »Modell«, ein Beispiel betrachten soll und nun lachen muß. Das schädigt die Kraft der Fabel und die Rolle des Andri. Der Verlust dieses Endes wiegt schwer. Der Höhepunkt der Inszenierung verschiebt sich nach vorn, auf die Verhaftung Andris. Die Einbildungskraft muß sich diese Inszenierung vollenden, die in fast allen Rollen schönes Gelingen hat. Marianne Lochert in der schönen Verhaltenheit der Barblin, in der die Natur zur Liebe drängt. Rosemarie Gerstenberg als Andris Mutter, Hans Korte als Soldat, Hans Richters Pfarrer, Alwin Michael Rueffers Doktor: da ist authentisches Spiel. – Am Ende Beklemmung. Endlich sich steigernder Beifall.

Wolfgang Drews: München

Nach den Berichten und Fotos zu schließen, hat Hans Schweikart die Züricher Uraufführung als Modell für seine Inszenierung des Modellstückes benutzt. Max Frisch war anwesend, ließ sich lange rufen, ehe er die Loge verließ und sich für den sogar im beifallsfreudigen München ungewöhnlichen Applaus bedankte. Ein Beifall der Bewunderung und Betroffenheit, der den Rang der Dichtung und das Niveau der Aufführung bestätigte.

Auch in den Kammerspielen, in H. W. Lenneweits sparsam markierten Bühnenbildern, die angedeuteten kalkweißen Wände, die Prozession mit ihren Bannern und Heiligen und Standarten hinter der halbhohen Mauer, der Zeugenstand an der Rampe, durch Stuhl und Scheinwerferlicht demonstriert. Auf dieser Szene schuf Schweikart eine großartige Vorstellung, die beklemmend und bestürzend war und doch erfüllt von einer höheren Heiterkeit. Er zeigt, wie das von Hirschfeld und dem Autor erarbeitete Muster auf anderem Boden, mit einem anderen Ensemble anzuwenden ist. Eine luzide Intensität wurde aus dem genau gegliederten Wort, aus dem Zug um Zug emporgesteigerten Text gewonnen. Schweikart interpretierte sachlich, unbetont und ununterstrichen, verband Symbolik und Realismus, formte das Individuelle zum Typischen.

Der Regisseur konnte sich auf sein Ensemble verlassen ... Gert Baltus war mit differenzierten Zwischentönen der Andri, jung im Leichtsinn und in der Melancholie, im Aufbegehren und in der Verzweiflung. Gertrud Kückelmann gab schlicht und faszinierend das Mädchen Barblin. Deckende Besetzungen von Rolf Boysens renommistischem Soldaten bis zu E. O. Fuhrmanns bürokratisch adrettem Judenbeschauer. Außerdem Peter Lühr als der labile Lehrer, Maria Nicklisch als die Signora, Romuald Pekny als phrasendreschender Doktor, denen die Ungenannten kaum nachstanden. Zu den lokalen Sitten gehört es, daß auf lange Pausen eine Premierenhochflut folgt. Das Wochenende war doppelt und dreifach besetzt, und die Zeitungen können sehen, wo sie den Platz für das Großangebot Kunst und Kultur hernehmen.

(Aus: Frankfurter Allgemeine Zeitung, 22. Jan. 1962)

Joachim Kaiser
Andorra in Deutschland

Der 20. Januar 1962 könnte zumindest als Datum eines ebenso seltsamen wie gutwilligen Experiments in die Theatergeschichte eingehen: Drei Städte zugleich haben die deutsche Erstaufführung desselben Stückes herausgebracht (das legt Vergleiche nahe, die niemand anstellen kann, weil der Simultanzuschauer noch nicht existiert). München hatte die Ehre, daß Max Frisch sich in den Kammerspielen verbeugte, um Zuschauern zu danken, die ihm gewiß auch im Namen des Frankfurter und Düsseldorfer Publikums bewegt zuklatschten. Der Erfolg hier war groß. Stück, Publikum und Inszenierung hatten mehr bestanden als nur eine Premiere, denn *Andorra* bedeutet für das deutsche Theater eine Bewährungsprobe großen Stils.

Ganz gewiß war der enthusiastische Züricher Uraufführungstriumph für das *Andorra*-Stück nicht nur eine Vorgabe, sondern auch eine Belastung. Die Kritik hatte das Drama beängstigend hymnisch gefeiert: Einschränkungen theologischer (Jude sein ist ein Schicksal, kein Experiment) und dramaturgischer Art (aus dem »Modell« ist nur ein in sich widersprüchlicher Anschauungsunterricht, kein lebendes Drama geworden) wurden übertönt vom Beifallschor. In meinem Uraufführungsbericht (*Süddeutsche Zeitung* vom 4. Nov. 1961) hatte ich herauszustellen versucht, was mir die Kraft und trotz aller möglichen fragwürdigen Einzelheiten die unwidersprechliche Glaubwürdigkeit dieses *Andorra*-Dramas auszumachen schien: Frisch vermochte hier das Hauptproblem seines Werkes – dem zufolge man einen Menschen tötet, wenn man ihn fixiert, also auf Verhaltensweisen festlegt, die er als ein in Vorurteile Eingesperrter dann anzunehmen gezwungen ist – mit dem Faktum des antisemitischen Vorurteils grandios zu verknüpfen. Aus seinem Tagebuchtext vom »andorranischen Juden« hat er das Modell eines grausamen anthropologischen Experiments entwickelt. ... Wie hat nun Hans Schweikart dem Münchner Publikum das *Andorra*-Modell präsentiert?

Als Antwort mag zunächst eine grobe Formel genügen: In der Münchner Aufführung trat die poetische Qualität des Stücks weitaus deutlicher hervor. Und obwohl das hiesige Ensemble der Züricher Starbesetzung nicht ganz gleichwertig war, kamen einige Szenen psychologisch genauer heraus. Während in Zürich der kühle, objektiv feststellende Modell-Charakter des Stückes unterstrichen schien, wandelte Schweikart Andris Passion in ein individuelles Schicksal um, machte er aus dem bösen Vorgang ein Verhängnis. Er brauchte dabei kein Wort zu ändern. Er ließ nur langsamer sprechen, holte melancholische Poesie aus Frischs Diktion, wagte vielsagende Pausen und unterstrich die Liebesenttäuschungen des jungen Mannes mit einer beinahe glühenden Intensität. Dieser Andri – und das ist wohl der entscheidende Unterschied – litt nicht bloß daran, daß alle ihn auf »Jüdisches« festlegen, sondern er wurde zum Gehetzten, Verdammten, fast Unansprechbaren vor allem deshalb, weil der Vater ihm die geliebte Barblin verweigert (die er für seine Pflegeschwester hält, während sie doch seine wirkliche Schwester ist) und weil Barblin, vor den Kopf geschlagen wegen des Vaters Weigerung, sich dem brutalen Zugriff des Soldaten Peider aus Rache an der Welt hingibt.

In der von Symbolen, Untergangssignalen, einem besoffen grölenden Soldaten und einem Irren sehr gefährdeten, allzu unvermittelten ersten (wohl schwächsten) Szene des Stücks schien das Gelingen der Aufführung geradezu in Frage gestellt. Wenn die Antisemiten so simpel wären – dachte man –, dann müßte leichter mit ihnen fertig zu werden sein. Doch dann gewann Andris Tragödie immer mehr Gewicht. Gerd Baltus war ein junger Mann, dem die Naivität schon längst abhanden gekommen schien. Ein andorranischer Hamlet nach der Liebesenttäuschung: Sein Wunsch, Tischler zu werden oder den Linksaußen zu spielen, lag in der Nähe des Selbstbetrugs; zu deutlich standen Melancholie, Intelligenz, verzweifelte Introversion (nach einer knappen Sekunde vermeintlichen Glücks) in seinem Gesicht geschrieben. Nicht der allzu mutig experimentierende, neurotisch aufbegehrende Vater (Peter Lühr) war Motor und Andris Gegenspieler, sondern Barblin, die ihn liebte und sich fortwarf, von Anfang an auf ihren Gretchen-Ophelia-Schluß zuspielend. Dabei mußte

Gertrud Kückelmann aus einem nur andeutenden Text das Äußerste herausholen ... Übrigens, es läßt sich schwer begründen, aber leicht empfinden, warum mit ja keineswegs unrealistischen Wendungen wie »Küß mich!« oder direkten Blusen-Hinweisen auf dem Niveau eines Max Frisch Liebe nicht darzustellen ist: Offenbar sind alle diese Wendungen einem Kunstwerk von den Illustrierten sozusagen weggenommen worden.

Großartig bewältigte Schweikart die heikle Szene der Stuhlvertauschung. Den bösen Vorsatz des Tischlermeisters, ungerecht zu sein und Andri für die schlechte Arbeit eines anderen zu bestrafen, erlebte man gesträubten Haares mit – ebenso wie das entscheidende familiäre Mittagessen, wo der Lehrer zu feige ist, seine Schuld zuzugeben und Andri durch die Wahrheit zu erlösen. Wenn er es dann doch tut, hat Andri sich sozusagen existentialistisch zum »Jude-Sein« entschlossen. Er ist in seiner einsamen Verbitterung von keiner Wahrheit mehr zu erreichen.

Je intellektueller die Antisemiten sind, desto besser gelingen sie Frisch. Der eitle Doktor, den die Juden aus seiner nie geglückten Universitätskarriere angeblich verdrängt haben und der sich mit nationalistischen Phrasen entschädigt, war bei *Romuald Pekny* glänzend aufgehoben; der gutartige, wenn auch finster befangene Pater kam glaubhaft heraus *(Anton Reimer)*, *Peter Paul* unterstrich die schmierige Gemeinheit des kleinen Kneipwirt-Unternehmers. *Else Quecke* machte aus der Mutter eine einleuchtende Studie. *Maria Nicklisch* hingegen schien mit ihrer Señora-Rolle überfordert. Sie ist Andris Mutter, kommt nach Andorra, um ihren Sohn aus dem Experiment des Vaters zu befreien, aber sie hat nicht Heidemarie Hatheyers glaubhafte Eleganz, sondern bebt viel zu sehr vor Erregung, Erstaunen, gutem Willen.

Im *Andorra*-Stück ist mit einer Kühnheit, die dem von Frischs Kunstfertigkeit überwältigten Zuschauer kaum zu Bewußtsein kommen mag, immer alles zugleich da: der scheinbar harmlose Anfang des Bösen, sein grauenhafter, mörderischer Vollzug, und die unbelehrte, weinerlich-selbstbewußte Rechtfertigung der Beteiligten nachher. (Nur der Pater, von den Schuldigen der am wenigsten Schuldige, bereut.) Diese Rechtfertigungsszenen vor dem Tribunal hatten in München nicht die psychologische Genauigkeit der Uraufführung. Man war sich zu ähnlich. Eigentlich schade, daß die Regisseure nicht das anderswo exemplarisch Geglückte übernehmen und die Mißgriffe der Vorgänger vermeiden, sondern ganz auf eigene Faust ihre Fehler machen und ihre besonders guten Augenblicke haben. Man darf doch voneinander lernen. In der Szene der Judenschau schien mir die Schnur, über die man verbundenen Auges gehen soll (sie ist von Frisch nicht vorgeschrieben), sozusagen fehl am Ort: Sie lenkt von der nackten Entsetzlichkeit ab.

Doch alles in allem: Schweikart hat eine mit sorgfältigem Kunstverstand eingerichtete, durchs Bühnenbild (H. W. Lenneweit) weder gestützte noch gestörte (aber man könnte *Andorra* wohl auch vor einem schwarzen Vorhang spielen) Inszenierung des »Modells« geboten. Die Zwangsneurose geriet in die Nähe einer Legende, *Andorra* war mehr als ein objektiv gezeichnetes Modell – es war der Ort von eines jungen Mannes unüberwindbarer Liebesenttäuschung und unvermeidbarer, weil von allen mitbetriebener Ermordung. Dimensionen traten zutage, die in Zürich unbeachtet geblieben waren, andere verblaßten. *Andorra*, das gilt im kleinen wie im großen, will vom Regisseur und vom Publikum eine Entscheidung.

(Aus: Süddeutsche Zeitung, 22. Jan. 1962)

Rolf Michaelis
Andorra bei uns

Peter Palitzsch – anders als mit diesem Namen kann der Bericht über die Stuttgarter Aufführung von Max Frischs *Andorra* nicht beginnen –, Peter Palitzsch schält den Kern der Wahrheit aus den zwölf Bildern des Bühnenstücks, das wie selten zuvor ein Werk eine ganze Spielzeit des deutschsprachigen Theaters beherrscht. Seit der Zürcher Uraufführung im November 1961 hat sich kein Regisseur diesem Stück und seiner bestürzend aktuellen Wirklichkeit so unterworfen wie Palitzsch, der daraus das Recht gewinnt, sich mit diesem Werk kritisch auseinanderzusetzen. Was man in Stuttgart sieht, ist ein neues *Andorra*.

Intelligenz, Kunstverstand, unbestechlicher Sinn für die Möglichkeiten und Grenzen der Bühne verraten die rigorosen, nie gewaltsamen Streichungen, Umstellungen, Veränderungen. Konzentration ist das Merkmal dieser »Bühneneinrichtung«. Wo Frischs Stück ins Kunstgewerbe sinkt (der Idiot, die Liebesszenen, das Gretchen-Ophelia-Schlußbild der wahnsinnigen Barblin), wo die einzelnen Teile – worauf Siegfried Melchinger nach der Uraufführung hingewiesen hat (*Stuttgarter Zeitung*, 4. 11. 1961, abgedruckt i. d. B.) – schlecht zusammengeflickt sind (die Señora, die Familiengeschichte von Andris Eltern, die Tischlerlehre und Stuhlprobe), wo die Fragwürdigkeiten dieses aus realistischem Stück und Parabel gebildeten Bühnenwerkes offenbar werden (vor allem die Symbolfracht von Schwarz und Weiß) – überall dort strafft die Regie. Palitzsch gelingt, was einer der ersten Sätze des Stückes verlangt: »Ich werde dieses Volk vor seinen Spiegel zwingen, sein Lachen wird ihm gefrieren.« Der Beifall, eine Ovation für den Regisseur und das ausgezeichnete Ensemble, ließ keinen Zweifel daran, daß sich die Zuschauer bewußt waren, den Höhepunkt der Saison im Schauspielhaus erlebt zu haben.

Andorra in Stuttgart. Andorra bei uns. Den von Frisch erstrebten Modellcharakter erreichen Regisseur und Bühnenbildner, indem sie sich den Anweisungen des Autors widersetzen. »Südländischer Platz, nicht pittoresk, kahl, weiß mit wenigen Farben, die Bühne so leer wie möglich« – wünscht Frisch. Gerd Richter baut die Bühne zu. Rechts und links hohe Giebelhäuser, hintereinander gestaffelt bis zu der den Platz beherrschenden Kirche im Hintergrund. Im Vordergrund? Kein Zweifel: die frontal dem Publikum entgegengestellten Häuserreihen ziehen sich über die Rampe in den Saal: Andorra überall. Frischs Anweisung für das Bühnenbild birgt die Gefahr der Abstraktion. Vor einer leeren, in südlichere Gegenden entfremdeten Landschaft darf sich der deutsche Zuschauer fast schon entschuldigt vorkommen. Das ist nicht seine Welt. Solches Alibi erlaubt Gerd Richters Bühnenbild nicht. Diese friedliche Kleinstadt ist unser Zuhause. Mit Verkehrszeichen und Reklameschildern ersteht unsere Umwelt, leicht stilisiert, auf der Bühne noch einmal. Niemand kann seinen Lebenskreis verlassen. Jeder muß sich betroffen fühlen.

Palitzsch will den Appell an das Gewissen. Er inszeniert *Andorra* als Lehrstück von der Schuld des Menschen. Die Szene wird zum Tribunal. Das Stück beginnt nicht mit der Szene, in der Barblin die Mauer weißelt. Das erste Wort – und das letzte – werden im Zeugenstand gesprochen. Ein buntes Glasfenster (Justitia mit verbundenen Augen, Schwert und Waage in Händen), senkt sich von oben auf die Bühne, eine Gerichtsschranke taucht aus der Versenkung auf, ein Scheinwerfer blendet auf, in den Lichtkreis tritt der Tischler: »Ich bin nicht schuld, daß es so gekommen ist später.«

So beginnt *Andorra* in Stuttgart. Immer läßt der Regisseur die Aussagen an der Zeugenschranke eines unsichtbaren Tribunals *vor* der Szene sprechen, nicht nachher, wie das Textbuch es verlangt. Ein Einfall, der in künftigen Inszenierungen übernommen werden sollte, denn er trifft den Stil des Stückes. Einmal läßt die Umstellung Illusionstheater gar nicht erst aufkommen, verwirklicht also den Parabelcharakter vom ersten Wort an, da das Ende vorweggenommen wird und wir sofort wissen: Andri ist kein Jud. Zum andern entschuldigen sich die Personen jetzt für Worte und Taten, die der Zuschauer noch gar nicht kennt. Sie entlarven sich und die Verlogenheit ihrer Rechtfertigungsversuche viel gründlicher. Nur ein einziges Mal folgt die Aussage am Ende des Stückes. Da tritt Andris Vater vor die Schranke und spricht das eine Wort, das einzige, das Palitzsch eingefügt hat: »Schuldig.«

Hier werden die Angriffe gegen Palitzschs Einrichtung einsetzen. Deshalb sei gleich gesagt, daß mich diese Deutung und Änderung überzeugt. Der Regisseur zerschlägt zwar den großen Bogen, in den Frisch seine Szenen bindet (das Stück beginnt und endet bei Frisch mit der weißelnden Barblin; Frischs Anfangsszene läßt Palitzsch als zweites Bild spielen; die in ihrer Symbolik allzu aufdringliche Schlußszene mit der irre redenden Barblin ist, ohne Verlust, getilgt).

Palitzsch gewinnt aber eine neue, härtere Struktur; die Gliederung durch die Zeugenaussagen. Frisch entbindet gerade den feigen Vater von der Zeugenaussage und läßt so viele dramaturgische Ungereimtheiten und Unklarheiten sich einnisten. Dichtet der Regisseur nicht konsequent weiter, wenn er auch den Vater vor das Gericht des Gewissens bringt? Jetzt stehen alle Andorraner, alle, die am Tode Andris schuldig geworden sind, im Zeugenstand, im Angeklagtenstand. Das sonderbare Verhalten des Vaters, der als mutiger Lehrer mit Eigensinn geschildert wird, den wir aber nur im Wirtshaus kennenlernen, weil er seinem Sohn die Wahrheit nicht sagen will, wird jetzt etwas einsichtiger. Das Schicksal Andris rückt in den Mittelpunkt (auch dadurch, daß die nächtliche Liebesszene mit Barblin an den Anfang gerückt ist).

Palitzsch stellt das Stück wieder in die Nähe der ersten Skizze aus Frischs *Tagebuch.* »Der andorranische Jude« heißt die Notiz aus dem Jahre 1946. *Andorra* heißt das Stück aus dem Jahre 1961. Die Namensänderung bezeichnet den Weg des Autors vom einzelnen Fall zum allgemeinen, von der Fabel zur Parabel. Auch Palitzsch beschreitet diesen Weg, doch versucht er – wie im Bühnenbild –, das Verpflichtende des Modells gerade dadurch wirken zu lassen, daß er den besonderen menschlichen Fall mit strenger Genauigkeit und in allen Details spielen läßt.

Heiter ist die andorranische Welt. Daß diese liebenswürdigen Menschen zur Opferung Andris fähig sind, daß »die Schwarzen« in dieses kleinbürgerliche Idyll einbrechen, verstärkt das Grauen. Ein flinker, intelligenter Andri ist Uwe-Jens Pape: ein träumerisch veranlagter Halbstarker, der jeden Pfennig in die Musikbox steckt und glücklich seinen Lieblingsschlager tanzt! Wenn er sich allmählich dem Bild anpaßt, das die anderen von ihm entwerfen, wird das eben noch unbeschwerte Lachen zynisch, wird der Blick finster, verkrampft sich die Haltung.

Palitzsch führte den jungen Schauspieler mit Sicherheit und prägnanten gestischen Chiffren. Als der Pater ihm sagt, er sei kein Jude, nimmt Pape einen Anlauf, brüllt erleichtert: »Ich bin kein Jude« und will ein Rad schlagen. Ehe er den Satz zu Ende gejubelt hat, bricht er die tänzerische Figur auf dem Höhepunkt ab, richtet sich auf, klopft sich die Hose sauber und entgegnet hart und plötzlich sehr erwachsen: »Das fühlt man, ob man Jud ist oder nicht.« In solchen brüsken Übergängen macht Pape immer wieder das Zwiespältige seiner Stellung in Andorra sichtbar ... Thessy Kuhls kämpfte tapfer mit den Schwierigkeiten, die Frisch in der Figur der Barblin vereinigt hat. Sehr schön der Schluß, wenn das geschorene Mädchen zu den Männern tritt, die sich vom Schreck der Judenschau bei einem Schnaps erholen und Barblin Andris Schlager aus dem Orchestrion jaulen läßt: mit seinem fröhlichen Leitmotiv ist der tote Andri plötzlich wieder gegenwärtig.

Hans Mahnke ließ den Pater nie zur Karikatur eines Priesters werden und erschütterte durch den Ernst, mit dem er den jungen Fremden zum eigenen Wesen bekehren will. Kurt Haars spielte den Vater als gebrochenen Mann, der nur noch zu Hause etwas von der einstigen Unbedingtheit verrät. Heinz Baumann als besoffener Soldat hielt sich krampfhaft an immer wiederholten Sätzen, »Order ist Order«, »Lieber tot als Untertan«, aufrecht. Mit gleicher Geschwätzigkeit tröstete sich der Arzt (Ludwig Anschütz) über ein verpfuschtes Leben. Hans Herrmann-Schaufuß versteckte sich als gewinnsüchtiger, um Argumente verlegener Wirt hinter dem Arzt und wiederholte dankbar dessen Sätze. Gerhard Just, Nikolaus Dutsch, Franz Steinmüller und Rolf Jahncke zeigten die Gefährlichkeit einer hinter Wohlanständigkeit verborgenen Brutalität. Schweigend, unnahbar in seiner tödlichen Exaktheit: Kurt Norgall als Judenschauer.

Der Rang des Ensembles läßt sich daran ablesen, daß zwei kleine Rollen von Edith Heerdegen und Mila Kopp nicht gespielt, sondern mit Leben erfüllt wurden. Mila Kopp war die versteinerte Pflegemutter, die das Unheil nahen sieht, aber nicht die Kraft hat, es abzuwenden. Mit Szenenbeifall wurde Edith Heerdegens Leistung als Andris Mutter bedankt: durch den gesammelten Ausdruck weniger Sätze erstand eine glaubhafte Figur. Diese Spielzeit, die »Übergangsspielzeit« zum neuen Kleinen Haus, hat uns nicht verwöhnt. Mit seiner Inszenierung von *Andorra* hat Palitzsch noch einmal Maßstäbe gesetzt, die uns das Schauspielhaus auch im neuen Theater nicht so leicht vergessen lassen.

(Aus: Stuttgarter Zeitung, 8. Mai 1962)

Winfried Wild
Andorra, als Lehrstück mißverstanden

Kein Theater, das auf sich hält, kommt an diesem Stück vorbei; Max Frischs *Andorra* ist eine Dichtung, einer der seltenen Glücksfälle der Dramatik. Deshalb nahm es auch unser Schauspielhaus nachträglich noch in seinen Spielplan auf. Wie in vielen anderen Städten, zuletzt bei Kortners Inszenierung in Berlin, wurde es auch in Stuttgart bei der Premiere heftig beklatscht. Seit Brecht ist im deutschsprachigen Theater kein solcher Wurf mehr gelungen.

Mit dem Namen Brecht ist die Quelle genannt, aus der das Schauspiel stilistisch schöpft. Frisch nennt es ein Modell und versichert, der Titel Andorra habe nichts mit dem Kleinstaat gleichen Namens, noch mit irgendeinem anderen bestehenden Staat zu tun. Selbst bei der Judenschau am Schluß bittet er, jeden Uniformanklang an die SS zu vermeiden. Der Dichter möchte, daß jedes Land sich getroffen, daß in den Spießbürgern von Andorra jeder Zuschauer sich gezeichnet sieht. Wenn ein siebenmalgescheiter Feuilletonist der *Zeit* ausruft: hoho, das kann jeder sagen, das sieht doch ein Blinder, daß wir Deutschen gemeint sind, so beweist das nur, daß er prompt in Frischs Falle ging.

Immer wieder im Verlauf des Abends tritt einer der Andorraner an eine Gerichtsschranke und beteuert, er bedaure, daß alles so gekommen sei, er habe die wahre Lage damals verkannt, und im übrigen sei er unschuldig. Der Spielverlauf jedoch zeigt die Schuld aller. Jeder ist im kleinen intolerant, mißgünstig, feige, eitel, und das gibt zusammen eine große Schuld, eine Katastrophe.

Der Lehrer hatte seinen unehelichen Sohn Andri als adoptiertes Judenkind ausgegeben und sich dafür als guter Christ loben lassen. Jetzt aber weht ein anderer Wind, die Juden werden verachtet und Andri mit vielen Sticheleien gequält. Er möchte Tischler werden; der Meister mißachtet sein Lehrlingsstück, einen guten Stuhl, er steckt ihn in den Verkauf, weil ihm das besser liegen müsse. Andri liebt seine vermeintliche Stiefschwester. Der Soldat Peider macht sie ihm abspenstig und verhöhnt ihn. Der Pater redet ihm ins Gewissen, er solle nicht ein Andorraner wie alle andern sein wollen, er solle sich selber als Jude »annehmen«, dann werde er auch von den andern angenommen.

Dann kommt eine schöne Señora über die Grenze, und es stellt sich heraus, daß Andri ihr und des Lehrers Sohn ist. Jetzt hat der Pater die schöne Aufgabe, Andri beizubringen, daß er kein Jude sei. Der Junge aber wird störrisch. Seine Mutter steinigen die Andorraner zu Tode. Sie behaupten, Andri habe den Stein geworfen. Einer muß ja schuldig sein, warum nicht der Jude. Die »Schwarzen« kommen über die Grenze. In einer seltsamen Prozedur läßt ein »Judenschauer« die Andorraner barfuß, den Kopf mit einem Tuch bedeckt, an sich vorbeiziehen. Er greift Andri heraus und läßt ihn abführen. Seine Schwester Barblin wird wahnsinnig, sein Vater hängt sich auf. Und alle haben das nicht gewollt.

Es gibt, weiß Gott, allmählich genug Zeitstücke. *Andorra* ist nur scheinbar eines. Es fixiert keine bestimmte Zeit, doch sehr genau einen bestimmten inneren Zustand, ein bestimmtes äußeres Verhalten der Menschen. Sein Modellcharakter und seine von dichterischer Lebenskraft erfüllten Figuren, außerdem seine Poesie im Szenischen erheben das Stück ins Überzeitliche.

Peter Palitzsch hielt sich in seiner Führung korrekt an Frischs Mahnung, die Rollen ja nicht zur Karikatur werden zu lassen, und erfüllte des Dichters Forderung: »Ihre Darstellung sollte so sein, daß der Zuschauer vorerst zur Sympathie eingeladen wird, mindestens zur Duldung, indem alle harmlos erscheinen, und daß er sich immer etwas zu spät von ihnen distanziert, wie in Wirklichkeit.« Dabei geriet ihm der von Heinz Baumann gespielte Soldat, dem zum Beispiel die Szene gestrichen wurde, in der er Andri stolpern läßt, um einiges zu freundlich. Kurt Haars gewann als Vater Andris und als Lehrer, der im Beruf umstürzlerische Ideen hatte und der mit dem Lauf der Dinge zum Trinker geworden, psychologisch nicht genug Profil. Mila Kopp spielte die Lehrersfrau bieder und mit Herzensgüte, Edith Heerdegen die Señora aus dem anderen Land, die wirkliche Mutter Andris, mit einem Hauch fremder Vornehmheit, innerlich aufgewühlt und äußerlich nervös von der Wiederbegegnung. Besonders gut gelangen auch die Typen der andorranischen Biedermänner als Brand-stifter: des eitlen, patriotischen Doktors (Ludwig Anschütz), des ängstlichen, wichtigtuerischen Wirts (Hans Herrmann-Schaufuß), des geschniegelten Tischlers (Gerhard Just), des sanften Dutzendgesellen (Nikolaus Dutsch), des Herrn Je-mand, dessen Eigenart es ist, stets lediglich anwesend zu sein (Franz Steinmüller). Dieser Jemand war verdüstert gezeichnet und sein wichtigster Satz, daß er ein fröhlicher Charakter sei, gestrichen.

Warum der farbige Idiot gestrichen und dafür eine farblose Kellnerin hinzugefügt wurde, ist so wenig einzusehen wie die Erfindung eines Prüfers, der statt des Tischlermeisters die Lehrprobe abnimmt. Überflüssige Pedanterie. Mit der Bar-blin, Andris Schwester, war Thessy Kuhls seit längerem wie-der eine große Rolle geboten; sie spielte sie auch einfühlend; dennoch war sie hier nicht glücklich eingesetzt, der Typ war zu hart, das Schicksal des Mädchens erschütterte zuwenig.

Die Überraschung brachte die Aufführung mit dem Spieler der Hauptgestalt, Uwe-Jens Pape. Das war ein jungenhafter Andri, der zur Orchestrionmusik seine Beine verrenkt und so gern fröhlich ist, dem so schnell ein befreiendes Lachen auf die Lippen kommt! Um so stärker ängstigte den Zuschauer das Schicksal, das sich über seinem Haupte zusammenbraut. Hätte Palitzsch alles beim richtigen Maß belassen und Andri nicht sich vor Lachen schütteln heißen, sondern eben nur lachen (in der Liebesszene) oder zu lachen versuchen (bei der Judenschau), ihm auch nicht die Klage gestrichen, daß er gar nicht so lustig sei wie die andern, so wäre das Forcierte der Rolle erspart geblieben. Immerhin gelang es Pape in den ernsten Szenen auf Anhieb, zu rühren. Er ist ein vorzüglicher Sprecher und differenziert im Sprechen ebenso wie in der Gestik.

Auch die kleinen Verzerrungen der Figuren mochten noch hingehen. Wirklich zu bedauern ist dagegen, daß die szenische Verwirklichung durchgehend falsche Akzente erhielt. Pa-litzsch zerstörte die poetische Anlage des Stücks und machte aus dem Modell ein Lehrstück. Im Text beginnt das Stück damit, daß Barblin das Haus mit Kalk tüncht und Andorra für den Sankt-Georgs-Tag weiß gemacht wird, was der zuschau-ende Soldat spöttisch als bloße Tünche bezeichnet. Es endet damit, wie die als Judenhure geschorene, irr gewordene Barblin hektisch das Pflaster des Marktplatzes weißelt. Palitzsch dagegen läßt gleich zu Anfang einen Bürger an die Gerichtsschranke treten und seine Unschuld beteuern, gibt ihm als Hintergrund eine Darstellung der Justitia mit den verbundenen Augen und beginnt das Spiel mit der Liebesszene vor Barblins Kammer, in der Andri sagt, daß es verfluchte Menschen gebe und daß alle das Böse in sich hätten. Und am Schluß gerät Palitzsch ganz ins Phantasieren, läßt die bedeppten Bürger nur noch bedeutungsvoll herumstehen samt der geschorenen Barblin, läßt einen an die Schranke treten und noch bedeutungsvoller »schuldig« sagen. Für die ganz Dummen.

Nun haben wir endlich einen Dichter, da muß so ein Regisseur das Poetische wieder kaputtmachen. Soll er doch die Stückeschreiber nehmen, wenn er Plakate zeigen will! Die Szene, in welcher der Lehrer plötzlich angstvoll einen Pfahl entdeckt und fragt, was der zu bedeuten habe, nahm er vom Anfang weg an den Schluß und merzte damit einen angeschlagenen Orgelpunkt aus. Er ließ den Soldaten nicht über den schlafenden Andri in Barblins Kammer steigen und verzichtete damit auf einen der schönsten poetischen Einfälle. Vor allem benutzte er jede Gelegenheit, grell und überdeutlich zu werden. Die Prozession malte er breit aus. Wenn der Pater zu Andri spricht (in der Sakristei während des Ankleidens), muß er sich wie ein Bischof bedienen lassen und seine Worte pathetisch über große Entfernung brüllen und im Orgelgebraus untergehen lassen, nur um die Verständigungsschwierigkeit zu verdeutlichen. Während der Judenschau muß der Pater – reine Erfindung – unter dem offenen Kirchenportal Gebete sprechen (bei Frisch heißt es lediglich auf die Frage, wo der Pater sei: »Der betet wohl für den Jud.«).

Hans Mahnke kann für seine Rolle nicht verantwortlich gemacht werden. Palitzsch läßt die tote Señora hereintragen, er läßt sogar, nachdem Andri abgeführt ist, Schüsse knallen. Bei Frisch heißt es nur: »Jetzt braucht er keine Schuh' mehr.« Lautsprecher dröhnen, Glocken läuten, der Pater gibt groß den Segen . . .

Welcher Irrtum, daß all dieser Lärm stärker sei als die stille Kraft einer Dichtung! . . . Gerd Richter hatte einen Marktplatz mit engen, verhockten Bürgerhäusern entworfen. Auch dies gegen Frischs Forderung, der Weite und Kahlheit des Platzes verlangt; das Bühnenbild überzeugte jedoch im Abgehen vom Buchstaben, im Unterschied von der Regie.

(Aus: Stuttgarter Nachrichten, 8. Mai 1962)

Joachim Kaiser
Verdammte in Andorra

Natürlich, zunächst hat er gemurrt, privat und öffentlich: Max Frischs *Andorra*-Drama sei eigentlich kein Stück für ihn. Nicht er, Fritz Kortner, wolle diese Allegorie aufs tödliche antisemitische Vor-Urteil in Szene setzen. Das müssen schon die Nichtjuden unter sich ausmachen.

Aber der Intendant des Berliner Schillertheaters, Boleslaw Barlog, hörte (mit Recht) nicht hin bei diesen Kortnerschen Versuchen, eine abgründige Aufgabe loszuwerden. Sondern er gewährte ihm eine überwältigende Besetzung – Klaus Kammer und Martin Held spielten die Hauptrollen – und mehrere Monate Proben. So konnte selbst ein Kortner nicht mehr widerstehen. Vielleicht hatte sein »prophetisches Gemüte« ihn vorher auch gewarnt in der Ahnung, wie heillos tief er sich in diese zwölf Bilder werde versenken müssen, wie beeindruckkend, aber auch wie furchtbar und hoffnungszerstörend die Aufführung ausfallen würde. Gleichviel: er machte sich auf den Inszenierungsweg. Die Premiere wurde zum Riesenerfolg. Und je länger man das Stück in Berlin spielt, je hoffnungsloser die Versuche der Interessenten werden, vielleicht doch eine Karte fürs stets ausverkaufte *Andorra* zu erlangen, desto dringlicher wird das Gerücht, die Berliner *Andorra*-Aufführung sei wohl die stärkste von allen, sei wohl *das* Theaterereignis dieses Winters, sei Kortners vielleicht geglückteste Regie.

Andorra ist ein Stück über den Antisemitismus, in dem keine Juden vorkommen. Der junge Andri zwar wird von seinem Vater für ein Judenkind ausgegeben, ist in Wahrheit jedoch des unjüdischen Vaters natürlicher Sohn. Wie nun die Andorraner in den vermeintlichen Juden alles das hineinsehen, was sie für »jüdisch« halten, sich ›ihr Bildnis‹ von ihm machen, wodurch Andri zum Objekt und zum Opfer wird, das hat Max Frisch in zwölf eindringlichen Szenen vorgeführt. Daß der auf bestimmte Verhaltensweisen Festgelegte schließlich so werden muß, wie man ihn haben will, ist ein Grundthema von Frischs schriftstellerischer Arbeit überhaupt. Natürlich sind auch Einwände gegen dies *Andorra*-Stück laut geworden. Von jüdischer Seite: Jude sein sei kein Zufall, kein Experiment, mit dem man spielen könne, sondern ein durchaus besonderes, religiöses Schicksal. Andere fanden: die Allegorie sei undramatisch, verwirre sich vielfach, lasse keine Entscheidungsfreiheit, doziere. Und: man erkenne bloß, wie die Antisemiten reagieren, nicht *warum* sie sich so verhalten. Das Drama anfangs fast einer dialogisierten Soziologie antisemitischer Verhaltensweisen gleichend, fragt sich nicht in seine Menschen hinein, sondern es stellt nur fest. Niemand allerdings kann leugnen, daß Frisch eine wilde und bestürzende Fabel über das Vorurteil gelungen sei und daß seine Sprache – manchmal in Büchner-Nähe – Leidenserfahrungen inständig zu bannen verstehe.

Wie ist nun Kortner mit diesem Stück fertig geworden, das Kurt Hirschfeld in Zürich als prägnantes Modell angelegt hatte (die Antisemiten in ihrer Verschiedenartigkeit standen da im Mittelpunkt, Andri war lange Zeit nur Objektiv), während Hans Schweikart in München die Privattragödie des Helden nach vorn rückte? (Mehr als unter dem Antisemitismus und seiner Grausamkeit schien Andri darunter zu leiden, daß Barblin ihn betrügt.) Kortners großer, ja entsetzlicher Kunstgriff bestand darin, die *Andorra*-Welt nicht im mindesten zu karikieren. Eine weiße, harmlos kühle Stadt, im Stil der Inselarchitektur gebaut; kirchliche Umzüge, an denen man guten Willens teilnimmt, Behaglichkeit, Langsamkeit, Selbstbewußtsein. Niemand war wirklich und von vornherein böse – alle schienen eher wie Insekten, die mit unbewußter Selbstverständlichkeit nicht anders können, als etwas vermeintlich Fremdes zu ermorden. Eben das aber war furchtbar. Wären sie doch böse, dachte man manchmal, dann könnten sie sich vielleicht auch fürs Gute entscheiden. Diese gutmütig-mörderischen Insekten werden sich nie ändern.

Barblin, die ihren Stiefbruder heiraten möchte (und deren abrupte Treulosigkeit in keiner anderen Aufführung überzeugte), zeigt sich von dem derben, aber auch nicht allzu unsympathischen, sondern eher »frisch-brutalen« Soldaten Peider gleich beeindruckt. Man sieht es ihr an, noch in ihrer Abwehr steckt Sehnsucht nach einem solchen Kerl. Herzig nimmt sie im weißen Kleide an der Prozession teil. Die meisten Bösen sind eigentlich ganz nett. Eine solche grimmige Konzeption läßt begreiflicherweise keine Karikaturen zu. So leicht will es sich Kortner nicht machen. Darum werden diejenigen Szenen, in denen Frisch einen dümmlichen, blasierten Antisemitismus aufs Korn nimmt, auch die schwächsten: der überall abgeblitzte Amtsarzt, der sein eigenes Versagen den Juden in die Schuhe schiebt, wurde etwa in Zürich von Willy Birgel weit eindrucksvoller und brillanter dargestellt.

Großartig Martin Held. Er soll ein Lehrer sein, der aus Feigheit und um eines anthropologischen Experimentes willen seinen Sohn für einen Juden ausgibt (»Ich habe meine Lüge in die Welt gesetzt, um die Welt daran zu entlarven«). Bei Kortner ist er kein mutiger Mann mehr, eher ein eigensinniger Asozialer, der sich eines ehemaligen Liebesverhältnisses mit einer »Fremden« schämt. Er statuiert kein Exempel, sondern hat Angst, also auch ein schlechtes Gewissen, darum säuft er. Die Sicherheit, mit der Held sich verwandelte und Konturen eines Gescheiterten zeichnete, verriet fast beispiellose Kunst. Freilich reduzierten Regisseur und Darsteller das Stück damit aus einem für Frisch typischen »Experiment« zur Darstellung einer Not.

Am meisten aber wagte Kortner mit der Figur des jungen Andri. Das war kein mildes mitleiderregendes Opfer. Sondern jemand, der sein Bestes versucht hat – und dann unzugänglich, nervös, schroff, ja hysterisch geworden ist. Klaus Kammer hatte bald einen flackernden Blick, schlug sich auf die Schenkel, wenn der arglose (nicht schuldlose) Pater auf ihn einredete, hörte kaum zu. Entschloß sich aber auch nicht heroisch zum Leiden. Der große, vom Dichter Frisch tieferfahrene Satz: »Die Sonne scheint grün in den Bäumen, auch wenn sie mich holen«, fiel unter den Tisch. Dieser Andri durfte nicht weich«, aber auch nicht existentiell zur »Selbstverwirklichung« entschlossen sein. An ihm wurde offenbar, daß Leiden und Verfolgung eine entsetzliche Schule sind, nicht nur sympathisch, sondern möglicherweise auch unsympathisch machen. Gerade das aber ist die Schuld der Verfolger. Shakespeare (im *Shylock*) und Werfel (bei der Hekuba seiner Bearbeitung der *Troerinnen*) wußten das. Kortner hat es uns an *Andorra* und Andri gezeigt.

Merkwürdigerweise kam die Szene der großen Judenschau

– sonst ein Menetekel des verwalteten Mordes – hier weniger bedrohlich heraus. Allzu keck und kleinbürgerlich bestand der Arzt auf seinen Sonderwünschen. Man fragte sich, warum ihm die Angst nicht die Kehle zuschnürt oder das Sprechen und Meckern zumindest schwerer macht. Daß Barblin gleich ihren Schwestern Ophelia und Gretchen wahnsinnig wird, mag begreiflich sein. Dennoch lehrt diese letzte Szene, daß kein moderner Autor es wagen darf, solche Riesenvorbilder zu beschwören. Kortner ging über den Schluß von Frisch hinaus. Noch einmal nämlich läuten im längst wiederhergestellten Andorra, wo man alles vergessen hat, die Glocken. Aber sie bewegen sich nur in ihrem Gehäuse – lautlos und tot. Ihr Zuspruch scheint stumm geworden. »Wer was zu sagen hat, der trete vor und schweige!«

(Aus: Das Schönste, Nr. 7, Juli 1962, S. 16)

3. Die Premiere in Österreich

Hans Weigel
Warnung vor *Andorra* (Im Zyklus »Spiegel der
Zeit« hält das Volkstheater der Zeit einen trüben
Spiegel vor)

> Jemand: Es hängt etwas in der Luft.
> (*Andorra*, erstes Bild)

Andorra, Stück in zwölf Bildern von Max Frisch, ist zweitens
nicht gut und erstens sehr gefährlich. *Andorra* von Max Frisch
wird mit außerordentlichem Erfolg von vielen Theatern deutscher Sprache gespielt beziehungsweise gespielt werden. Und
das ist das besonders Gefährliche an *Andorra*.

Als ich Ende Dezember 1961 in Zürich war, sah ich *Andorra*
im Schauspielhaus. Und in der Folgezeit ereignete es sich
mehrmals, daß man mich fragte: »Haben Sie *Andorra* gesehen?« – »Ja«, sagte ich. – »Und?« – Der Tonfall, die ganze
Stimmung der Fragen unterschied sich spürbar von anderen
Gesprächen solcher Art. Es war nicht wie sonst bei Fragen
nach Werken der Literatur und Kunst, es war, wie wenn man
eine sehr mächtige Institution anzweifelt, indem man sie auch
nur zum Gegenstand einer Frage macht. Es war, als fragte man
innerhalb einer Armee nach dem Oberbefehlshaber, in einer
absoluten Monarchie nach dem Monarchen, in Mekka nach
dem Propheten, in Wien nach Karajan. »Haben Sie *Andorra*
gesehen?« – »Ja.« – »Und?« – »Scheußlich!« sagte ich. – Da
entspannte sich der Gesprächspartner, ein Druck schien von
ihm zu weichen, und er rief aus: »Gott sei Dank!« Aber er
hätte vorher nicht gewagt, sich zu deklarieren, in der freien
Schweiz, dem klassischen Land der hochentwickelten freien
Meinungsäußerung.

Das war noch vor dem Beginn der Karriere *Andorras* in der
Bundesrepublik. Nun läuft *Andorra* an vier großen bundes-
deutschen Bühnen. Weitere große und kleine werden folgen.
Der Erfolg ist spektakulär, der angerichtete Schaden beträcht-
lich. Wer etwas an *Andorra* auszusetzen hat, wird dies nur im
Flüsterton waren. *Andorra* ist im Begriff, ein Tabu zu werden.
Denn *Andorra* behandelt das Judenproblem.

Man kann einer guten Sache auch mit unzureichenden Mitteln dienen wollen. Man kann Gott auf orthographisch und grammatikalisch unrichtige Manier lobpreisen. Und wer die grammatikalischen und orthographischen Fehler aufzeigt, ist darum kein Gottesleugner. Man kann das Lob der Freiheit mit mißtönender Stimme singen, und eine Kritik der Stimme ist kein Bekenntnis zur Unfreiheit. Wenn aber einer heute gegen den Antisemitismus zu Felde zieht, dann riskiert jeder, der die Form der Aussage kritisiert, für einen Antisemiten gehalten zu werden. Hier liegt die große Gefahr. Und drum wäre mir wohler, wenn *Andorra* nie geschrieben worden, wenn *Andorra* in Wien nicht gespielt worden wäre.

Ich habe keinen Einfluß auf die öffentliche Meinung in der Bundesrepublik. Aber mit soviel oder sowenig Einfluß, als mir in meiner österreichischen Heimat zu Gebote steht, möchte ich hiermit zu *Andorra* von Max Frisch Stellung nehmen und der Gefährlichkeit *Andorras* entgegenwirken, indem ich sage:

Man darf und soll *Andorra* kritisieren, wie jedes andere Stück. Man soll kein Tabu, keine Zone des Schweigens rund um *Andorra* aufkommen lassen!

An der guten und redlichen Absicht des Autors sind keine Zweifel gestattet. Er hat sich dem großen Problem gewiß in bester Absicht und mit äußerster Gewissenhaftigkeit gestellt, er hat *Andorra* nicht in billiger Spekulation auf den unwidersprochenen Erfolg hin geschrieben, sondern in leidenschaftlichem Bemühen um die Aussage, an der ihm viel liegt. Er hat es sich in keiner Hinsicht bewußt leicht gemacht. Trotzdem ist *Andorra* nicht gut. Das kann ja vorkommen. Max Frisch hat gute Stücke geschrieben, zum Beispiel *Biedermann und die Brandstifter*, er hat weniger gute Stücke geschrieben, zum Beispiel *Die chinesische Mauer*. Und *Andorra* ist leider kein gutes Stück geworden.

Denn Max Frisch hat das angestrebte Gleichnis nicht verwirklicht. Sein Land Andorra ist nicht das wirkliche Andorra. Die Namen seiner handelnden Figuren sind keine wirklichen Namen. Der große Nachbarstaat des kleinen Andorra wird auch nicht beim Namen genannt, aber sein Symbol ist die schwarze Farbe. Also liegt die Assoziation »Faschismus«-»Nationalsozialismus« nahe. Das sind schon drei verschiedene

Ebenen der Umsetzung: ein echter Name, erfundene Namen und eine symbolische Farbe. Mitten hinein in dieses mehr oder weniger deutliche Gleichnis aber ist klar und exakt und real das Wort »Jud« gestellt. Wenn Andorra nicht Andorra ist, wenn Menschen »Andri«, »Barblin«, »Fedri« heißen, wenn der Nachbarstaat jeder faschistische Staat von Mussolini über Hitler zu Peron sein könnte, müßte statt »Jud« gleichfalls eine verallgemeinernde, gleichnishafte Chiffre stehen. Denn die schiefe Perspektive der Vermischung von Realität und Gleichnis schädigt sowohl die allgemeine wie die besondere Aussage.

Man könnte einen besonderen Juden im Spannungsfeld seiner besonderen Umgebung zeigen – oder in einer überhöhten, nicht lokalisierten Welt einen echten oder angeblichen »Andersartigen«. Beide Male wäre der Einzelfall nicht nur auf den konkreten Vorgang anwendbar, sondern über ihn hinaus auf das tragisch Belastete der Minderheit, auf Intoleranz, Verhetzung, Vorurteil, Verfolgung. Aber Max Frisch und sein Text hängen zwischen diesen beiden Möglichkeiten in der Luft.

Auch gibt es in diesem Andorra, das sowohl ein Dorf wie ein Kleinstaat ist, anscheinend nur diesen einen einzigen Juden (der nicht einmal einer ist), isoliert, wie zum Zweck des Experiments herausgegriffen. Sonst existieren weit und breit keine Juden, das Opfer wird zum ganz speziellen Einzelnen degradiert, nicht zum Modell erhöht, sondern durch allzu deutlich spürbare Konstruktion seiner Gleichnishaftigkeit und Sinnbildlichkeit weitgehend beraubt.

Wer gegen Vorurteile und ihre grausigen Konsequenzen ist, braucht *Andorra* nicht. Wer zu gewinnen, zu bessern, zu überzeugen wäre, wird mit *Andorra* nichts anfangen können.

Wenn mir ein belehrbarer Zeitgenosse mit faschistischen oder antisemitischen Neigungen (und an ihn müßte sich *Andorra* ja in erster Linie wenden) sagt: »Das stimmt doch hinten und vorn nicht! Das überzeugt mich nicht. So wie bei Frisch sind die Antisemiten wirklich nicht!« werde ich ihm leider zustimmen müssen.

Außerdem ist es immer peinlich, wenn für eine gute Sache mit fragwürdigen Mitteln geworben wird. Und *Andorra* ist, rein als Bühnenwerk betrachtet, von vielfacher Fragwürdigkeit. Der Held ist im dritten Bild krank, ohne daß man späterhin je wieder von dieser Krankheit etwas erfährt. Ein anständiges Mädchen betrügt ihren Liebsten mit einem widerwärtigen Soldaten, ohne daß man je erfährt, warum und wieso. Der »Jud« hat angeblich eine Ausländerin erschlagen, ohne daß Polizei oder Gerichte von Andorra den Fall aufgreifen.

Solche und ähnliche schwere Mängel im Handwerklichen machen das Produkt auch innerlich fragwürdig.

Vor allem aber – und darin sehe ich den ärgsten Mangel und die allergrößte Gefahr der ganzen *Andorra*-Welle, die eben im Gebiet der deutschen Sprache anzurollen begonnen hat: Faschismus wird von Max Frisch auf die Judenverfolgung reduziert. Eine ganze »schwarze« Armee besetzt Andorra, sie marschiert lediglich auf, um den einen »anderen« zu liquidieren, dann zieht sie weiter, und »Wer kein Jud ist, ist frei!« So einfach darf man sich's nicht machen! – Max Frisch läßt die an der Handlung Beteiligten zwischen den einzelnen Bildern an eine »Zeugenschranke« treten und sich vor dem Publikum rechtfertigen. Das heißt: Die »Schwarzen« sind heute nicht mehr in Andorra. Wie sind sie vertrieben worden? Wir wissen, daß dies mit den wirklichen Schwarzen und Braunen gar kein Kinderspiel war. Aber alle Andorraner leben bei Frisch nachher noch völlig unverändert, und das erweckt den Eindruck, als hätte sich der Faschismus nach der »totalen Endlösung« befriedigt in Nichts aufgelöst. Hier wird – in bester subjektiver Absicht – die Türe zur Geschichtsfälschung weit aufgestoßen.

Solches und anderes ist gegen *Andorra* von Max Frisch vorzubringen. Es müßte freimütig vorgebracht und eingehend diskutiert werden. Doch dies wird wohl nicht der Fall sein. Wer gegen den Antisemitismus ist, wird für *Andorra* sein, weil *Andorra* gegen den Antisemitismus ist. Wer jemals »angestreift« ist, wird sich nicht trauen, gegen *Andorra* zu sein. Und wer für den Antisemitismus und Faschismus ist, wird angesichts dieser Situation sagen: »Da sieht man's wieder!« Das tut nicht gut.

Ich erkläre hiermit an Eides Statt, daß ich weder der NSDAP noch einer ihrer Gliederungen angehört habe und mich zur Demokratie bekenne. Trotzdem, beziehungsweise eben darum, finde ich, daß *Andorra* kein gutes Stück ist. Ich bin auch in der angenehmen Lage, mit einem Gegenbeispiel aufzuwarten. Was Max Frisch wollte und nicht konnte, ist Arthur Miller in seinem Roman *Brennpunkt* gelungen. An Hand eines Einzelfalls zeigt er in konkretestem Milieu des New York der vierziger Jahre Probleme, Konflikte und Verstrickungen eines Menschen, der fälschlich für einen Juden gehalten wird. Arthur Miller führt ad absurdum. Max Frisch hängt in der Luft. Auch *Nathan der Weise* ist nicht nur besser als *Andorra*, sondern auch stimmender, und *Das Tagebuch der Anne Frank* ist wenigstens dokumentarisch unangreifbar.

Aber *Andorra* ist nun einmal passiert. Seien wir zuversichtlich. Österreich hat eine gesunde Konstitution. Österreich hat den Ständestaat und die deutsche Herrschaft überlebt, Österreich hat die zehnjährige vierfache Besatzung überdauert, Österreich wird auch mit *Andorra* von Max Frisch fertig werden.

Die Volkstheater-Aufführung (Regie Leon Epp, Bühnenbild Rudolf Schneider-Manns-Au) bietet keine Handhaben und Ausreden, sie kann für nichts verantwortlich gemacht werden, denn sie wird dem Anlaß durchaus gerecht, wenn auch vielfach mit den Mitteln von Konvention und Klischee. Die Schauspieler sind mit überaus rühmenswertem Einsatz bei der Sache, besonders überzeugend Rudolf Strobl und Gudrun Erfurth – während Hans Joachim Schmiedel in einer seltsamen Mischung von Intensität und Farblosigkeit durch das Geschehen geht. Heinrich Trimbur spielt eindrucksvoll Theater, Marianne Geizner ist vortrefflich in ihrer Passivität, Margarete Fries verkörpert eine Gestalt, die aus einer »Illustrierten« entlehnt scheint, und zieht sich dabei nobel aus der Affäre, Joseph Hendrichs strahlt echte Menschlichkeit aus. Ferner: Viktor Gschmeidler, Ludwig Blaha, Oskar Wegrostek, Peter Göller, Hans Weicker, Herbert Prodinger, Tom Krinzinger, Grete Wagner, Karl Schuster. An ihnen und ihrem löblichen Dienst für die fragwürdige Sache liegt es nicht, wenn man wünschte, daß die Vorstellung unterblieben wäre.

Das Premierenpublikum, drei Stunden lang nicht sonderlich aufmerksam und applausfreudig, spendete am Schluß den Schauspielern, dem Regisseur und dem Bühnenbildner heftigen, stürmischen, lang anhaltenden Beifall.

Aus: Illustrierte Kronenzeitung [Wien], 31. 3. 1962)

229

4. *Andorra* in Ostberlin

Rainer Kerndl
Feigheit ist unmenschlich

In Fritz Bornemanns Regie kam Max Frischs Parabelstück *Andorra* an der Berliner Volksbühne heraus. Nicht nur wegen der »hauptstädtischen Verpflichtung«, Maßstäbe bildendes Theater zu machen, konnte man eine besonders qualitätvolle Aufführung erwarten; die große Zeit der Parabelstücke ist im Abflauen, denn gesellschaftliche Vorgänge können darin so stark verallgemeinert werden, daß die Gefahr der Unkonkretheit besteht.

Wer solch ein Stück heute aufführt, sollte es nicht nur tun, um derlei auch einmal im Repertoire gehabt zu haben. Wird in der Volksbühne mehr geboten? Gut schien mir das gesellschaftliche Anliegen verdeutlicht: Wie bei den »Andorranern«, deren Land von den »Schwarzen« okkupiert wurde, die Hexenjagd aufkommt, wie ihr junger Mitbürger Andri Schritt für Schritt verketzert wird, der schmählich-erniedrigende Vollzug ihrer Feigheit – all das wird nicht vordergründig als historische Parallele (zum Antisemitismus der Hitlerfaschisten) dargestellt.

Gezeigt wird vielmehr, wie Menschen durch kleinbürgerliches Vorurteil und feige Flucht vor der Verantwortung deformiert werden. Andri, der angebliche Jude – als »andersartig« abgestempelt will er schließlich in seiner verzweifelten Rebellion wirklich Jude sein, nämlich anders als seine Bedränger –, wird physisch vernichtet. Die Andorraner aber vernichten sich moralisch, indem sie Andri zugrunde richten (freilich nur im Bewußtsein der Zuschauer – sie selbst haben »eigentlich nichts getan«; sie haben nichts begriffen).

Die Anatomie des kleinbürgerlichen Massenwahns, anwendbar eben nicht nur auf Judenverfolgungen, sein Entstehen und Wirken stellt Bornemanns Inszenierung heraus. An theatralischem Reiz bleibt er dem Stück einiges schuldig. Helmut Korns Ausstattung scheint die große Bühne noch weitläufiger zu machen, versetzt manche Aktionen fast zufällig irgendwo in den Raum. Frischs präzis verknappte, dabei gewichtige Texte werden im Spiel mitunter beinahe naturalistisch »aufgelöst«. Das verführt die Darsteller zu gestischen Reaktionen, die der Situation, dem Vorgang und seiner Verdeutlichung nicht mehr entsprechen; so die Reaktion des Lehrers (Gerd Biewer) in der Szene, in der seine Lebenslüge unhaltbar wird.

Die große Szene des Stückes ist die »Judenschau«. Die Andorraner müssen an den ins Land gedrungenen »Schwarzen« einzeln und barfuß vorbeidefilieren, ein wortloser Spezialist findet die Juden heraus; die Szene muß bei jedermann aufwühlende Assoziationen zu Auschwitz beschwören. Die Aufführung scheint mir die Szene fast zu verzetteln. Zwar wird zu ihrem Beginn noch einmal das erbärmlich Typische der Kleinbürger ausgestellt, die sich mit den Unterdrückern eilfertig arrangieren wollen; aber vor allem durch den Soldaten (Horst Weinheimer wurde in dieser Szene vom Regisseur nicht gut geführt) wird ein störend-fragwürdiger Ton von Landser-Launigkeit verbreitet.

Arno Wyzniewski gibt dem Andri eine ständig zunehmende gespannt-nervöse Sensibilität. Ich glaube, anders ist die Rolle gar nicht zu spielen, in ihr ist ja der Parabel-Charakter nicht einhellig durchgehalten. Wyzniewskis Sprechweise allerdings erinnert zuweilen daran, daß er letzthin mit zwei anderen Regisseuren gearbeitet hat.

Katja Paryla, die der guten Naivität der Barblin anfangs nicht ganz gerecht wird, ist dagegen sehr bewegend in der pathologischen Depression der Schlußszene. Es spielen ferner: Gisela Morgen die Mutter, Gisela Rimpler die Senora, Heinz Scholz den Pater, Werner Senftleben den Wirt, Fritz Diez den Tischler, Harald Halgardt den Doktor, Reinhard Michalke den Gesellen, Joachim Tomaschewski den Jemand, Egon Geißler den Idioten, Hans-Joachim Martens den Judenschauer.

(Aus: Neues Deutschland, Berlin/DDR, 26. Febr. 1966)

Ernst Schumacher
Andorra

Die dramatische Parabel *Andorra* von Max Frisch hat einen doppelten Boden. Vordergründig trägt sich die Fabel des Stückes so zu: In dem modellhaft verstandenen Andorra gibt ein Lehrer seinen unehelichen Sohn als »Judenkind« aus, das er aus humanitären Gründen vor den »Schwarzen« jenseits der Grenzen in Sicherheit gebracht hat. Die selbstgerechten, von Vorurteilen vollgestopften, im Grunde selbst »schwarzen« Andorraner suggerieren dem Jungen, sich so zu verhalten, wie sich nach ihrer Meinung »ein Jud« verhält: feig, geldgierig, intelligent usw. Und sie opfern ihn ohne Bedenken, als die »Schwarzen« in Andorra eindringen, obwohl sie in der Zwischenzeit durch die Mutter des Jungen, eine »Schwarze«, wie durch den Lehrer wissen, daß Andri, so der Name des Jungen, »kein Jud« ist. In eingeschalteten Rückblicken sprechen sich die Andorraner Bürger mit Ausnahme des Paters von einer eigenen Schuld am Schicksal Andris frei.

Das Hintergründige der Parabel liegt in folgendem: Frisch hat sich ausdrücklich dagegen verwahrt, das Stück nur als Modell für antisemitisches Verhalten während der Nazizeit aufzufassen. Überhaupt möchte er es nicht als unmittelbar politisches Exempel verstanden wissen. Es kommt ihm recht eigentlich auf die Probleme des Selbstseins und Andersseins, von Identität und Einverständnis an. Er wendet das Gebot, kein Bild von Gott zu machen, auf den Menschen an. Er hebt die Auffassung Sartres: »Die Hölle – das sind die anderen«, in der »Erlösungs«-Formel auf: Es kommt darauf an, »anders zu sein«. Diese Aufhebung ist sinnvoll, wenn sich das »Anderssein« gegen das durchschnittliche bürgerliche Verhalten richtet. Sie ist falsch, wenn sie zur Norm (aktuell in der Form des »Nonkonformismus«) erhoben wird. Eine solche Gefahr ist bei der parabolischen Verallgemeinerung gegeben. »Die Moral« des Stückes bekommt damit einen existentialphilosophischen Grundzug. Tatsächlich ist das Frischs ureigenstes Anliegen, wie vor allem seine Romane *Stiller* und *Mein Name sei Gantenbein* beweisen. Faßt man die Parabel dagegen »vordergründig«, so kann nicht übersehen werden, daß sie lediglich das Wie, nicht das *Warum* antisemitischen, allgemeiner gesprochen: antihumanen Verhaltens gegenüber Minderheiten zu Anschauung und Bewußtheit bringt.

Jeder Regisseur von *Andorra* befindet sich damit in einem gewissen Dilemma. Will er vornehmlich den aktuellen historischen Bezug herausarbeiten, schmälert er das tiefere Anliegen des Autors. Wendet er sich dagegen vornehmlich diesem zu, bekommt das Stück den Charakter einer existentialphilosophischen Moralität.

Fritz Bornemann arbeitet in der Inszenierung in der Volksbühne vor allem den historisch bedeutungsvollen Zug heraus. Eine falsche, unnützliche Akzentuierung der Aussage, nämlich eine formalistische Bejahung des *Andersseins um jeden Preis,* versuchte er durchaus richtig dadurch zu verhindern, daß er den Darsteller des Andri, Arno Wyzniewski, der bloßen Re-Aktion, dem Einverständnis mit der aufgezwungenen Rolle des »Juden«, entriß und sein Gesamtverhalten gleichsam aktivierte. Wyzniewski war nicht schlechthin » der andere«, sondern brachte auf leidenschaftliche Weise wenn nicht in Worten (die der Autor der Rolle nicht gab), so in seinem Grundgestus, in der seelischen Anteilnahme, im geistigen Engagement, zum Ausdruck, daß es nicht auf das »Anderssein«, sondern auf ein *anderes Verhalten* als das der Andorraner ankommt. Wyzniewski ließ, wenn nicht wissen, so fühlen, daß wirkliche Kritik *in der Tat* sich äußert.

Der Darsteller des Lehrers, Gerd Biewer, unterstützte diese *indirekte Kritik am Stück* dadurch, daß er die oberflächlich positiven Züge der Figur – ihre Kritik am »Andorranismus« wie das scheinbare Fortschreiten zur Tat – eben als oberflächlich zeigte, die Figur also weniger als »Opfer«, denn als »Mitopfernden« spielte. Katja Paryla spielte die Barblin, Halbschwester des Andri, nach meinem Empfinden mit zuviel Geradheit; es fehlte jene sinnliche Imponderabilität, die sie veranlaßt, sich dem Soldaten Peider hinzugeben (wobei betont werden soll, daß auch damit das Verhalten der Figur dramaturgisch nicht begründet, sondern höchstens verständlicher gemacht werden könnte). Gisela Rimpler gab die Señora, die Mutter Andris, nicht nur zurückhaltend, sondern verhalten, erfüllt von Ahnung und Wissen, daß Nachgeben gegenüber der Denk- und Empfindungsweise der »Schwarzen« notwendig mit Preisgabe endet. Heinz Scholz verlieh dem Pater viel Menschlichkeit; daß dieser Pater auch Andorraner ist, kam damit zuwenig zum Ausdruck. Horst Weinheimer zeichnete den Soldaten Peider als Typ des hemmungslosen An- und Aufpassers im Dienste der jeweils herrschenden Macht. Die Andorraner Bürger wurden von Werner Senftleben, Fritz Diez, Harald Halgardt, Reinhard Michalke und Joachim Tomaschewsky dargestellt. Sie alle gestalteten auf angemessene Weise borniertе Selbstgerechtigkeit, lokalpatriotische Überheblicht, Opportunismus gegenüber der Macht, Uneinsichtigkeit in das Geschehen, das nicht ohne sie geschehen konnte.

Der dramatische Höhepunkt der Parabel, die Judenschau, machte auf mich nicht den bedrängenden Eindruck wie in anderen Inszenierungen von *Andorra*. Mir scheint, daß die Arrangements vor Beginn der Judenschau zu sehr stilisiert, die der Judenschau selbst zuwenig im realistischen Detail durchgearbeitet sind. Leider hinterließ Hans-Joachim Marten als Judenschauer keine Beklemmung.

Die Inszenierung machte insgesamt einen handwerklich soliden, sauberen Eindruck; man merkte das Bemühen, der Sache zu dienen und auf alle möglichen Effekte zu verzichten (diesem Ziel fügte sich auch das Bühnenbild von Helmut Korn, das sich auf Aufrisse von Lokalitäten vor kahlem Hintergrund beschränkte). Wenn der erregende Impetus fehlte, den das Theater zu vermitteln vermag, so liegt das bestimmt auch daran, daß *Andorra* eben doch mehr parabolische Moralität als »ursprüngliche« dramatische Aktion ist.

(Aus: Berliner Zeitung, Berlin/DDR, 19. Febr. 1962)

5. *Andorra* in New York

Howard Taubman
Andorra: ein europäischer Erfolg scheitert am Broadway

Daß Max Frischs *Andorra* überraschend nach neun Vorstellungen am Broadway durchfiel, wirft eine Reihe alter Fragen auf: sie stellen sich vor allem denen, die vom New Yorker Theater sowohl eine Reflexion der Realität als auch leichte Unterhaltung erwarten.

Man kann *Andorra* nicht als großes, nicht einmal als ein durchgängig gutes Stück bezeichnen. An dem, was es zu sagen hat, kann man dennoch nicht vorbeigehen. In ganz Europa zumindest wurde es mit großem Beifall aufgenommen und in der Bundesrepublik erzielte es 1962 mehr Aufführungen als jedes andere zeitgenössische oder klassische Stück, von Goethe einmal abgesehen. Letztes Frühjahr in Warschau sah ich eine Inszenierung des Stücks an einem der führenden Theater: sie war eine der großen Erfolge der Saison.

Warum ist es in New York durchgefallen? Für das Scheitern gab es zwei Gründe: einmal die Schwäche des Stückes und zum anderen die Voraussetzungen, unter denen Theater am Broadway funktioniert.

Nehmen wir zunächst einmal das Stück selbst: sein Thema sind zwei Grundübel der Menschheit: Bigotterie und Chauvinismus. Mit beißender Ironie zeigt Frisch, wie Ignoranz und Massenhysterie einem Mann Sünden anlasten, die keine sind. Und selbst wenn sie es wären, lägen sie außerhalb seiner Verantwortung.

Der Adoptiv-Sohn eines Lehrers in einem fiktiven Staat Andorra wird für einen Juden gehalten. Alle Eigenschaften, die man üblicherweise den Juden zuschreibt, werden bei diesem Jungen entdeckt, und zwar nicht nur von den gedankenlosen und böswilligen Mitgliedern einer Gemeinschaft, sondern auch von denjenigen, die sich etwas auf ihre Erziehung und Toleranz zugute halten.

Schließlich stellt sich heraus, daß der Junge kein Jude ist. Der Lehrer – sein leiblicher Vater – bekennt, daß er die Geschichte erfunden hat, der Junge sei von ihm vor einem

Pogrom im Nachbarland gerettet worden. Offensichtlich war es ihm noch eher ratsam erschienen, den Jungen zum Juden zu erklären, als seine wahre Herkunft preiszugeben: daß es sich um sein Kind mit einer Frau aus dem feindlichen Nachbarvolk handelt.

Frisch setzt seine Ironie bitter und unnachgiebig ein. Obwohl er Schweizer ist, entspricht sein Schreibstil doch in etwa dem, was man als »teutonische« Variante der Satire bezeichnen könnte. Sein Humor ist selten lustig oder spritzig, witzige Pointen kommen kaum vor. Er trifft den Leser wie ein Gummiknüppel.

Einen moralischen Impetus aber kann man dem Autor nicht bestreiten. Wie seine *Brandstifter,* die zwei Tage später am Off-Broadway herauskamen und zur Zeit noch laufen, wird *Andorra* von einem starken Engagement getragen.

Biedermann und die Brandstifter ist ein Angriff auf die Leute, die höflich daneben stehen, während die Brandstifter die Welt anzünden. Das Stück entstand früher als *Andorra.* Beiden gemeinsam ist die Schwäche allzu großer Deutlichkeit und Plumpheit; beide müssen dennoch respektiert werden, weil sie sich mit wesentlichen und folgenreichen Fragen beschäftigen.

In Mitteleuropa haben sich Frischs Stücke stärker durchsetzen können, weil sie der Mentalität des Publikums näher liegen. Was uns als ziemlich durchsichtige Ironie erscheint, wird dort als tiefsinnig und subtil empfunden. Über so verschiedene Sichtweisen kann man nicht streiten. Dennoch ist *Andorra* für Amerikaner nicht belanglos. Es vermittelt uns ein Verständnis dafür, was in Europa so eine tiefe Wirkung erzielt hat. Unser Interesse liegt jedoch auf dem soziologischen wenn nicht auf dem theaterwissenschaftlichen Aspekt. Und auch das Stück selbst würde wohl durchaus sein Publikum finden.

Gibt es irgendeine Möglichkeit für ein Stück wie *Andorra* eine Bühne zu finden, auf der es nicht – wie am Broadway – der Gefahr eines raschen und teuren Fiaskos ausgesetzt ist? Denkbar wäre das am Off-Broadway. Auch hier jedoch muß sich ein Stück selbst durchsetzen und bei acht Vorstellungen in der Woche das Theater füllen. Stücke wie *Andorra* können in den Theatern der Bundesrepublik bestehen, weil sie dort Teil eines Repertoires sind und nur zwei oder dreimal in der

Woche gespielt werden. An diesen Abenden kann das Publikum ins Theater gehen, dem nicht an Unterhaltung gelegen ist und das diese Art ernsthafter Ironie nicht verübelt. Das Publikum, das eine andere Art von Ironie mag oder Ironie überhaupt nicht schätzt, hat die Möglichkeit, andere Stücke anzusehen.

Wenn der unmittelbare Erfolg oder Mißerfolg eines Stückes nicht für die Existenz des Theaters entscheidend ist, dann gibt es auch Spielraum für die moralische Leidenschaft eines solchen Stückes wie *Andorra*.

(Aus: The New York Times, 25. 2. 1963)

Sabina Lietzmann
Warum Frischs *Andorra*
in New York unterging

Das interessanteste und wichtigste Ereignis dieser Saison am Broadway war die Niederlage von *Andorra*. Genau eine Woche nach der offiziellen Premiere senkte sich der Vorhang des Biltmore Theaters über dem in Europa so erfolgreichen Drama von Max Frisch. Um die gleiche Zeit stellte *Biedermann und die Brandstifter* nach nicht viel längerer Lebensdauer die Aufführungen ein. »Ich habe einen Kontinent verloren«, erklärte der Autor, der den Schlag gelassen hinnahm, einem Mitarbeiter von *Newsweek.* Dieser aber fügte dem Zitat von Frisch die eigene Bemerkung bei, daß auch das amerikanische Theater etwas verloren habe. »Der Minderheit des Theaterpublikums, die von einem Stück verlangt, daß es darin um etwas gehe, ist Frisch als ein Prophet erschienen, der aller Ehren wert ist, selbst wenn seine Werke nicht dem hiesigen Geschmack entsprechen.«

Diese Einsicht des Nachrichtenmagazins *Newsweek* indessen ist nur eine von zwei, drei Stimmen in der kritischen Wüste. Von den fünfzehn *Andorra*-Besprechungen, die der Referentin bisher vorliegen, haben nur fünf überhaupt begriffen, worum es in *Andorra* geht: die Kritiker der Tageszeitungen *New York Wold-Telegram,* des *Wall Street Journal* und des *Christian Science Monitor,* dazu das Wochenmagazin *Newsweek* und die Wochenzeitung *Village Voice,* die Stimme der weltoffenen Bemühungen um künstlerische Äußerung, deren Szene »Off-Broadway« ist. Nicht mitgezählt in dieser Statistik ist der deutschsprachige *Aufbau,* dessen klugem Rezensenten, Manfred George, das Stück vermutlich im Original bekannt war. Zum kritischen Gesamtbild addieren muß man die Stimmen aus dem Publikum, die das Stück plump, grob, taktlos (»warum denn immerzu das Wort ›Jude‹ gebrauchen?«), peinlich, billig nannten. Das alles summiert sich – in den Worten des *Aufbau* – zu »einer der schwersten Niederlagen, die nicht Frisch, sondern das amerikanische Theater und vor allem das New Yorker Publikum erlebt haben.«

Es ist für einen Kritiker stets heikel, sich mit Äußerungen der Kollegen zu befassen. In diesem Falle sei's beherzt gewagt, weil die kritische Aufnahme von *Andorra* in New York ein Ausdruck der amerikanischen Konzeption von Wesen und Funktion der Bühne ist. Selten hat ein Ereignis ihre Grundverschiedenheit von Europa so kraß und deutlich offenbart. So kann man denn die »Kritik« des intellektuellen Wochenmagazins *New Yorker* nicht anders als schnoddrig und arrogant bezeichnen; sie stellt das äußerste, freilich durch keine kritische Anstrengung behinderte Extrem dessen dar, was den New Yorker Rezensenten an *Andorra* mißfallen hat. Das Stück, schreibt Herr McCarten deutlich verärgert nieder, beschreibe mit erbarmungsloser Ausführlichkeit, »daß Fremdenhaß schlecht ist, daß Antisemitismus schlecht ist und daß Inzest auch nicht zu empfehlen ist«. Da diese Einsichten jedem zivilisierten Menschen selbstverständlich seien, verschwende Herr Frisch nur seine und unsere Zeit; sein Stück versenke den Zuschauer »in einen langen, traumlosen Schlaf«. Die meisten anderen Kritiker der New Yorker Tagespresse sagen, wenngleich seriöser formuliert, mehr oder weniger das gleiche. Die am häufigsten verwendeten Vokabeln bei der Beschreibung von *Andorra* sind plump, schwerfällig, monoton. Man schreibt es – als Kollege – ungern nieder, aber es läßt sich einfach nicht übersehen, daß ein Teil der Rezensenten das Stück oder vielmehr seine Implikationen einfach nicht verstanden hat. *Andorra* spiele, heißt es zum Beispiel mehrfach, »in einem antisemitischen Lande« – während es doch zu den wesentlichen Punkten von Frischs Konzeption gehört, daß die Bürger von Andorra sich für frei von Vorurteilen halten und daß diese erst gewissermaßen aus ihnen hervorgelockt werden. Die oben zitierten Ausnahmen vom kritischen Verdammungschor begreifen zwar, was Frisch gemeint hat: »er hat das Vorurteil entblößt auf seine pure Substanz hin, zum Ding an sich« *(Wall Street Journal)*, er hat gewissermaßen ein negatives Gegenstück zu *Unsere kleine Stadt* von Thornton Wilder geschrieben *(Christian Science Monitor)*. Aber auch diese positiven Stimmen nehmen Anstoß an der parabolischen Einkleidung des Themas und berühren damit einen Wesenszug des amerikanischen Theaters.

Die amerikanische Bühne ist nach wie vor vom Realismus

beherrscht. Man muß sich wiedererkennen können, und dies deutlich. Mag es noch so entsetzlich hergehen in den Stücken von Tennessee Williams oder Edward Albee; mag man Vergewaltigung, Seelenfolter, Kastration, Inzest auf offener Szene mit ansehen müssen: das alles ist akzeptabel, solange es »realistisch« bleibt, solange die Wirklichkeit nicht verschoben oder gar aufgehoben wird, solange man sich und seine Nachbarn in den Figuren auf der Bühne wiedererkennen kann. Bei Frisch indessen wird bemängelt, daß sein Stück immer wieder aus dem Realismus entgleite in Symbole oder Allegorie und daß die Personen keine Namen haben, sondern Typen sind. Daß eben durch die Lösung des Vorgangs von Ort und Zeit – was ihm immer wieder vorgeworfen wird – die Bezüglichkeit verstärkt wird, mag man nicht akzeptieren. Der Kritiker von *Newsweek* bemerkt, daß die Schwierigkeiten, die Frischs Stücke dem amerikanischen Theater und seinem Publikum bereiten, mehr Probleme eines Genres als eines individuellen Autors sind; »das mitteleuropäische didaktische Drama ist für uns noch zu exotisch, um es zu bewältigen«. Brechts Lehrstücke werden ja auch eben erst entdeckt, und ihre Hauptattraktion für die junge amerikanische Generation mag in ihrem »exotischen« Reiz liegen. Brecht hat auch seine Bewährungsprobe am Broadway noch nicht bestanden, sein großer Erfolg spielt sich im wesentlichen in den aufgeschlosseneren Regionen Off-Broadway ab.

Doch über die Formprobleme hinaus geht das Unbehagen an *Andorra* tiefer. Frisch hat nicht einfach nur einen kritischen Verriß erlebt. Es ist – wie wir bereits nach den ersten kritischen Reaktionen am Tag nach der Premiere schrieben (siehe *Unbehagen über »Andorra«*, in: *F.A.Z.*, 12. 2. 63) – ein Unisono der Gereiztheit festzustellen, ein Unterton der Abwehr wahrzunehmen. Man will sich von *Andorra* nicht treffen lassen und behauptet, unter Hinweis auf den europäischen Erfolg, es möge »drüben« eine massentherapeutische Wirkung haben, hier aber renne es offene Türen ein. Daß rassisches Vorurteil ein Übel sei, und wozu es führen könne, habe man hier längst und allgemein begriffen, dazu brauche man Max Frisch nicht. Manfred George versucht, diese Haltung im »Aufbau« zu analysieren. Die Europäer, schreibt er, seien »gebrannte« Kinder, ebenso wie das Publikum in Israel und

Japan, wo das Stück gleichfalls Erfolg hat. Den New Yorkern aber habe »das Haus nie über den Köpfen gebrannt«; in Amerika, fährt George fort, »ist jene schöpferische Angst, die aus bitterer Erfahrung kommt, noch nicht in der Majorität der Menschen wach«. *Andorra*, meint er, werde hierzulande wohl am ehesten von den Negern verstanden werden. Die beinah instinktive Abwehr gegen das, was Frisch aus seinen Andorraner Bürgern herausholt, mag noch mit tieferen Schichten des amerikanischen Bewußtseins zu tun haben. Was sich hier zur Wehr setzt, ist der optimistische Glaube des aufgeklärten Zeitalters – das hier noch nicht zu Ende ist – an die Kräfte der Vernunft. Anfechtungen, wie sie die vergangenen Dekaden den Europäern gebracht haben, sind die Amerikaner nicht ausgesetzt gewesen, und sie halten sie auch für ungewöhnlich auf dieser Seite des Ozeans. Die Massenverführung einer ganzen Gemeinde, eines ganzen Volkes gilt in dem Lande der heftigsten Konsumverführung als ausgeschlossen. Das Menetekel, das Frisch in *Andorra* setzt, gilt nichts in einem Lande, in dem das aufgeklärte Bild vom Menschen noch immer allerorten vorherrscht.

Nicht überall freilich. George weist mit Recht darauf hin, daß *Andorra* nicht an den Broadway gehörte, sondern Off-Broadway hätte aufgeführt werden müssen. In diesen Regionen abseits des kommerziellen Theaters, in denen von der Bühne mehr als Unterhaltung erwartet wird, hat Frisch auch seine wenigen Verehrer und Verteidiger gefunden. Hier erkennt man, daß Frisch, wie man an *Biedermann* sähe (das Stück hieß hier *The Firebugs, Die Brandstifter*), das Theater in Flammen setzen könne. »Denn wir sind immer noch Nachtwandler in Amerika«, schreibt Arthur Sainer in der *Village Voice*; »wir sind wie Gottlieb Biedermann in dem Stück von Frisch . . . wir sind wie der Mann in dem Gedicht von Brecht, der lachen kann, weil er die furchtbare Nachricht nur noch nicht empfangen hat«. Die Schwierigkeit, die Frisch Amerika bereitet, hat mit den Wunden und Erfahrungen und bösen Träumen Europas zu tun.

Die meisten Kritiker fanden die Aufführung am Biltmore-Theater unzulänglich und bemängelten die Übersetzung und Bearbeitung von George Tabori. Daß Frisch selbst kaum mit der Aufführung zufrieden gewesen sein konnte und mit den textlichen Einfügungen gewiß nicht einverstanden war, kann nicht bezweifelt werden, obschon er zu diskret war, dies zu sagen. Ein Kritiker meinte geradezu, die Aufführung habe dem Publikum den Weg zu Frisch verstellt, und ein anderer schreibt: »Die Aufführung hinterließ den starken Verdacht, daß New York das Stück noch gar nicht wirklich gesehen hat« *(Newsweek)*. Am Broadway indessen wird man sich so bald die Hände an *Andorra* nicht noch einmal verbrennen wollen. Vielleicht findet sich ein mutiger Unternehmer, der es Off-Broadway noch einmal versucht. Einen Test immerhin wird *Andorra* dem amerikanischen Theater noch einmal bieten: Der begabte und erfolgreiche Off-Broadway-Regisseur Alan Schneider, der Albees *Wer hat Angst vor Virginia Woolf?* so brillant inszeniert hat, wird, so ist zu hören, auf der Arena-Stage in Washington *Andorra* inszenieren. Es wird abzuwarten sein, ob Frisch dort der Erfolg beschieden ist, den Brechts *Kaukasischer Kreidekreis* auf der gleichen Bühne gefunden hat. Es wäre eine sensationelle Ironie, sollte sich Washington besser bewähren als die Theaterstadt New York.

(Aus: Frankfurter Allgemeine Zeitung, 26. 2. 1963)

Hans Sahl
Der schlechtbehandelte Max Frisch

[...]

Die Schuld an den Mißverständnissen, denen *Andorra* in New York vielfach begegnete, trifft nicht zuletzt die unzulängliche Übersetzung George Taboris, der bereits in seinen Brecht-Übertragungen keine allzu glückliche Hand bewiesen hatte. Dazu eine Regie (Michael Langham), die den herben, aufgerauhten Stil, das Holzschnitthafte von Frischs dichterischer Vision dem Broadwaygeschmack anzupassen suchte. Das wirkte sich bereits in dem Bühnenbild des sonst so verdienstvollen Boris Aronson aus, in dem kaum etwas von jener weißgetünchten, trügerischen Kleinstadt-Sauberkeit zu spüren war, hinter der sich soviel unsaubere Gedanken verbergen – dieses Andorra war ein graues Niemandsland, das irgendwo zwischen Connecticut und einem Reisebüro-Europa zu liegen schien.

Außerdem hatte man sich nicht auf einen gemeinsamen Sprechstil geeinigt. Jeder sprach seinen eigenen, und meistens sprach man aneinander vorbei. Horst Buchholz wäre ein idealer Andri gewesen, hätte ihn nicht die Regie dazu verleitet, sich allzu sehr auf seine burschikose Jugendlichkeit zu verlassen. Hugh Griffith als Lehrer untermalte melodramatisch eine Rolle, die Klarheit und kluge Charakterisierung verlangte. Barbara Mattes blieb trotz heftigem Gebaren akustisch unverständlich und fand erst am Schluß, dann allerdings ergreifend, einen eigenen, tragischen Ton. Am befremdendsten wirkte der Sergeant Lou Antonios, der als ein munterer GI über die Bühne schlakste – wie weit ist es doch vom Broadway zu einem Europa, wo die Uniform den Mann machte und ihm Macht gab über andere ...

Europäische Bühnenautoren aber seien gewarnt: man versteht in Amerika ihre Worte nur halb und führt sie deshalb auch nicht richtig auf. Ionesco ist hier fast immer falsch gespielt worden, von Dürrenmatt zu schweigen. Wahrscheinlich ist es umgekehrt genauso. Der Fall Frisch zeigt von neuem, daß im Grunde Dichtung unübersetzbar ist. Übersetzbar ist, mit wenigen glücklichen Ausnahmen, nur die Gebrauchsware.

(Aus: Die Welt, 26. 2. 1963)

6. *Andorra* in Israel

Andorra von Max Frisch im Haifaer Stadttheater

Regie: Josef Millo.
Bühnenbild und Kostüme: Teo Otto.
Musik: Frank Pelleg.
Hebräisch: Natan Zach.

Andorra von Max Frisch, dem phänomenal erfolgreichen Schweizer Bühnendichter, ist eine flammende Anklage. Max Frisch hat zwar immer wieder erklärt, es gehe ihm nicht nur um das Judenproblem, sondern auch um eine Warnung für die Gegenwart und die Zukunft; eine Warnung vor jeder Trägheit des Herzens, die sich von Vorurteilen nährt und den Verfemten, den sie durch Verachtung zum »Andersartigen« machte, nachher seinem Schicksal preisgibt. Trotzdem bleibt das Stück erstlinig eine Anklage gegen die Judenhasser, die Judenverfolger. Es spricht ja auch immer ausdrücklich von dem Juden und seinen angeblichen seelischen und körperlichen Sondermerkmalen.

So war es ein gewisses Wagnis, dieses Stück dem Israelpublikum vorzusetzen: denn, wie Josef Millo beim Mitternachtsempfang im Hotel Zion nach der Premiere sagte, bei uns sitzen ja im Zuschauerraum die Ankläger, nicht wie im Ausland – die Angeklagten. Daher mußten manche Sätze, die von der Bühne her direkt ins Publikum gesprochen werden, im letzten Moment vor der Premiere dem streichenden Blaustift zum Opfer fallen. Das ZHL-Publikum einer Vorpremieren-Vorstellung hatte nämlich einfach gelacht, wenn eine der vortretenden Bühnengestalten die Zuschauer fragte, warum sie sich in der Erinnerung (an ihre eigene Herzensträgheit von einst) den Schweiß von der Stirn wischen. Zweifellos werden bei uns mit diesem Stück offene Türen eingerannt. Es ist aber so stark, daß es über die Anklage hinaus auch auf ein Israelpublikum eine nachhaltige Wirkung üben kann.

Der Inhalt des in Europa vieldiskutierten Bühnenwerks kann auch bei uns bereits als bekannt vorausgesetzt werden. Andri ist der natürliche Sohn eines Lehrers in Andorra, Frucht einer illegitimen Jugendliebschaft mit einem Mädchen aus dem benachbarten Land der »Schwarzen«. Um seine

Verfehlung zu tarnen, hat der Lehrer sein uneheliches Kind als Judenkind ausgegeben, das er aus dem judenfeindlichen Land der »Schwarzen« rettete und aufzog. Andri wächst mit Barblin, der Lehrerstochter, auf; die beiden verlieben sich ineinander, sind zu Beginn des Schauspiels heimlich miteinander verlobt, ohne zu ahnen, daß sie Halbgeschwister sind. Alle sehen in Andri »den Juden« und belasten ihn so lange mit ihren Vorurteilen, bis der Nichtjude Andri die suggerierten »jüdischen« Eigenschaften bei sich zu entdecken meint. Der sture Soldat, der Barblin nachstellt und sie schließlich vergewaltigt, beschuldigt Andri des mangelnden Patriotismus und der Feigheit. Der Tischler, der ihn gegen einen Wucherpreis in die Lehre nimmt, traut Andri kein Gefühl für Handwerk und Werkstoff zu, macht ihn zum Verkäufer, weil »die Juden ja nur an Geld denken« und zum Handeln, zum Wuchern geboren sind. Sogar der Pfarrer, der schließlich für Andri in dessen letzter Stunde und nach dessen Tod beten wird, rügt ihn, weil er sich mit seinem Judentum nicht abfinden und so sein will, wie die andren, mit ihnen Fußball spielen will, anstatt seinen Geist zu pflegen. Kein Wunder, daß Andri sich zuletzt als andersartig empfindet, nun immerzu über sich selbst nachdenkt, welche »Überempfindlichkeit« man ihm auch wieder zum Vorwurf macht. Der Besuch seiner wahren Mutter aus dem Nachbarland kann ihm nicht mehr helfen; dem Geständnis seines gutherzigen, aber feigen natürlichen Vaters, daß er gar kein Jude ist, kann er nicht mehr glauben. Nach dem Einmarsch der »Schwarzen« fällt er nicht so sehr dem »untrüglichen Riecher« des Judenschauers, einer »Mengele«-Figur, bei der allgemeinen Beschau (Selektion!) der Bevölkerung auf dem Marktplatz zum Opfer, als auch dem Ungeist seiner bisherigen Mitbürger: Sie lassen ihn fallen, während andere »vermeintliche Juden« den Klauen der »Schwarzen« entrissen werden. Ergreifend die Schlußszene: Barblin, der man als »Judenhure« die Haare abschnitt, ist wahnsinnig geworden. Sie streicht das Pflaster, (wie sie in der Anfangsszene das Haus ihres Vaters für den Tag eines Heiligen kalkte), damit alles schneeweiß ist: das vergossene Blut soll verschwinden. Von Andri, den die Schwarzen umbrachten, sind nur die Schuhe übrig, die sekundenlang auf der verdunkelten, verdämmernden Bühne im grünlichen Scheinwerferlicht stehen, während in der Ferne nochmals Andris Todesschrei verklingt.

Das Stück ist voll von einer entsetzlichen, tiefpackenden Ironie: ob sich nun die Spießer von »Andorra« darüber unterhalten, daß ihr Land von den »Schwarzen« nicht überrannt werden könne, weil sie so nette allgemein beliebte Leute sind, ihr Land »ein Begriff der Freiheit« ist und das Weltgewissen es nicht zulassen wird; oder ob die einzelnen Bürger nun an die Rampe treten und ihre Mitschuld gestehen, indem sie gleichzeitig abzuschwächen suchen: sie haben es nicht gewollt. Sie konnten doch nicht ahnen, daß Andri gar kein Jude war, er benahm sich so seltsam, Juden sind eben so und so: aber keiner hat die Hand gegen ihn erhoben etc.

In Israel sind nur, wie gesagt, die Akzente verschoben, was für die nichtjüdische Welt erst bewiesen werden muß, ist uns längst klar. So ergeben sich einige Längen, die trotz der großen Dichte des Stücks bei weiterer Vorstellungen vermieden werden könnten. Einiges Groteske, das zum (unpassenden) Lachen reizt, wäre noch zu beseitigen. Unvermeidlich ist ein wesentliches Manko des Stückes: der versuchte Beweis, daß die Juden gar nicht »anders« sind, sondern zum Anderssein gezwungen werden, kann in Israel naturgemäß nicht standhalten. Es gibt ja auch positiv Jüdisches. Wir wollen zwar ein Volk wie alle andren, aber wir selber und keine »Andorraner« sein. Man kann noch so viel betonen, daß nicht *nur* die Juden gemeint sind, sondern jede Minorität: die Juden werden immer wieder genannt, der Zuschauer in Israel kann sich nicht durch »Doppeldenken« darüber hinwegsetzen.

Mag die Wahl des Stückes ein Wagnis für Israel gewesen sein, so ist die Durchführung infolge der »Vergangenheit« vieler Schauspieler noch schwieriger geworden. Der Hauptdarsteller, der an einer Stelle davon spricht, er wolle von Vater und Mutter nichts mehr wissen, hat seine wirklichen Eltern in der Katastrophe verloren. Giora Scha mai, der (in ausgezeichneter Leistung) durch brüsken Gang und eisig-steife Haltung einen sinistren »Judenbeschauer« im Regenmantel auf die Bühne stellt, ohne auch nur ein Wort zu sagen, war selbst in Auschwitz. Zwei Darsteller, die liebreizende Germaine Unikovsky und Nitai Jaakov (Priester) sind Neu-Einwanderer und konnten noch vor kurzem kein Wort Hebräisch. (Man merkt es in keiner Weise!) Daß alle diese Schwierigkeiten überwunden wurden, ist zweifellos ein Verdienst.

Der junge Josef Karmon gibt einen überzeugenden Andri. Er wächst in die schwierige Rolle hinein und gibt einen jungen Hiob und Rebell in Niethosen und von Gott nicht erlöst. Germaine Unikovsky ist kindhaft, elementar, zuletzt ungemein rührend in ihrer »Ophelia«-Szene des Wahnsinns. Hervorzuheben ist noch Nitai Jaakov als der Priester – der erste glaubwürdige Pater, den wir auf einer israelischen Bühne sahen, in gutgemixter Mischung von Salbung und mißgeleiteter Menschlichkeit. Der wein- und weinbrandselige Lehrer Jizchak M. Schillos hatte große Momente, wenn er auch zum Chargieren und Überspielen neigt. Sehr gut in Nebenrollen bewährten sich Mordechai Ben Zeew (Wirt), Josef Zur (Tischler) und Abraham Mor (Doktor). Der arme Chaim Topol (Soldat) hat laut einem Geständnis des Regisseurs in 24 Stunden seine Rolle »umlernen« müssen, da die erste Auffassung Millo unpassend schien. Das Resultat war leider eine unglaubwürdige Karikatur, ein Golem und kein Mensch: so stur ist kein Soldat, so marionettenhaft kein noch so gehirnlos ›gehorsamer‹ Söldling. Man kann nur hoffen, daß dieser ausgesprochene Regiefehlgriff, an dem Topol unschuldig scheint (die Probenfigur war viel besser) in zukünftigen Vorstellungen abgeschliffen wird. Die übrigen Mitwirkenden entledigten sich ihrer Rollen mit Anstand und waren mehr oder weniger adäquat.

Das Bühnenbild Teo Ottos ist ein Kunstwerk. Mit sparsamsten Mitteln schafft es Atmosphäre, vom gemütlichen Alltag im verspießten Andorra bis zu den sinistren Schlußszenen im besetzten, vergewaltigten Andorra. Das gleiche gilt für die Kostüme – insbesondre die schwarzen Phantasie-Fallschirmjäger-Uniformen der unheimlichen, stummen Invasionstruppen. Frank Pellegs Musik und die sparsamen, aber unheimlichen Hintergrundgeräusche gaben eine mitreißende Tonuntermalung. Ein besonderes Lob gehört auch den Beleuchtungseffekten, die der Szenerie besonders gegen Ende einen Anstrich des Überwirklich-Allgemeingültigen gaben.

Das neue Stück von Max Frisch – es läuft im Augenblick bereits an 8 deutschen Bühnen (Düsseldorf, Frankfurt, München, Bremen, Nürnberg, Tübingen, Heidelberg, Karlsruhe) –

ist ein aufwühlendes Drama. Es ist ein Stück von der menschlichen Feigheit, der Anfälligkeit auch der »Guten, Harmlosen« für das Böse. Trotz kleinen Einwänden kann man es auch dem israelischen Publikum warm empfehlen.

Wie wir erfahren, hat Fritz Kortner die Regie für die Einstudierung von *Andorra* am Berliner Schillertheater übernommen. Die Proben begannen Ende Januar. Klaus Lemmer spielt den Andri, Uta Hallant die Barblin, Martin Held (»Rosen für den Staatsanwalt«) den Lehrer.

(Aus: Jedioth Hajom, März 1962. Deutsch von Barbara Seiftert)

VI. Schullektüre *Andorra*

Franz Josef Hüning
Pluralistische Textanalyse als kooperative Unterrichtsform
Dargestellt am Beispiel von Max Frischs *Andorra,* 1. Bild

Der wissenschaftlich und pädagogisch ausgebildete Lehrer muß die Fähigkeit besitzen, dem Schüler das Handwerkszeug zu reichen, mit dessen Hilfe er die Befähigung erhält, jede Form des Geschriebenen ›lesen‹, d. h. analysieren, kritisieren und aus diesen Ergebnissen Konsequenzen ziehen zu können.

Exemplarische literaturanalytische Modelle sollen es dem Schüler erleichtern, selbständig andere, ihm noch fremde Literatur zu bewältigen und sich auf diese Weise selbst zu überprüfen und zu verstehen. In der Reflexion der Methode und ihrer Ergebnisse wird ihm der Freiheitsraum zur kritischen Entscheidung eröffnet.

Um die Methodik der Textinterpretation und die hierdurch erfolgende kooperative Unterrichtsform zu demonstrieren, haben wir uns nur auf die Analyse des 1. Bildes von Max Frischs *Andorra* beschränkt. Das Charakteristische dieses Modells liegt in seiner Übertragbarkeit auf jede andere Form des Verständnisses von Literatur.

Wir gehen von der These aus, daß eine demokratisch-pluralistische Gesellschaft sich nur als solche verstehen kann, wenn sie weder in der Wissenschaft noch in der Erziehung eine einzige Ideologie und Perspektive des Daseins und seiner Verhältnisse als absolut verbindlich für alle erklärt.

Diese Prämisse, obwohl nicht unbestritten, erfordert zwingend eine pluralistische Betrachtungsweise von ›Literatur‹, verstanden als Produkt dieser pluralistischen Gesellschaft. Dieses Verfahren hat nicht nur den Vorzug, den Schülern und Lernenden die Vielfalt der Lebensperspektiven und Daseinsmöglichkeiten aufzuzeigen, sondern sie auch von vornherein vor einer geistigen und politischen Verengung, damit vor jeder Indoktrination und Manipulation, zu bewahren.

In den folgenden Ausführungen werden bekannte didaktische Modelle der Textanalyse mit neuen, noch in der Diskussion befindlichen Interpretationsversuchen vorgestellt.

I. Die Inszenierungsmethode

Wenn der Schüler befähigt werden soll, »am literarischen Leben verständig teilzunehmen«[1], sowohl vor dem Fernsehapparat, beim Lesen von Gebrauchsliteratur, d. h. der Tageszeitung, der Illustrierten oder dem Westernroman oder beim Betrachten von Filmen oder Theaterstücken, so muß er die dramaturgisch-formal-technischen Mittel kennen, welche die Produkte dieser Kulturindustrie, die das Bewußtsein unserer Gesellschaft prägt, zustande bringen.

Im Deutschunterricht geht es u. a. zunächst um die Vermittlung ästhetisch-formaler Kriterien und Kategorien zur Beurteilung von Literatur, hier der Aufführungen von Dramen.

Die Anlage eines Regiebuches eignet sich als hilfreiche Methode zur kritischen Beurteilung von auf der Bühne Dargestelltem.[2] Eine Einführung in die Theaterarbeit, d. h. in den Realisierungsprozeß von Literatur auf der Bühne, erschließt dem Schüler den Zugang zur handwerklichen Struktur eines Dramas. Der arbeitsteilige Prozeß wird deutlich: Intendant, Dramaturg oder Regisseur wählen nach künstlerisch oder politisch relevanten Kriterien ein Theater- oder Fernsehstück aus. Die Regie setzt die Literatur in Szene und leitet die Schauspieler, welche ihrerseits in Gestik, im Sprechen, Gehen, in Mimik und Gebärde, Gestalt und Gehalt des Stückes sichtbar werden lassen. (Hierauf ist bei der Interpretation zu achten.) Der Bühnenbildner schafft den ›geistigen Raum‹, die Beleuchtung unterstützt die Wirkung von Bühnenbild und Szeneneinstellung, während Masken- und Kostümbildner nach der Grundkonzeption von Regie und Bühnenbild stilgetreue Masken und Kostüme entwerfen. Diese arbeitsteilige Interpretation von Literatur, deren Ziel die Synthese ist, läßt sich in der unterrichtlichen Praxis als Gruppenarbeit nachvollziehen. Um die Analyse des 1. Bildes von Max Frischs *Andorra* mit Hilfe dieser Inszenierungsmethode zu erreichen, können im Deutschunterricht folgende Aufgaben gestellt werden:

Gruppe I: Entwerfen Sie das Bühnenbild zu Max Frisch *Andorra*, Bild I.

Gruppe II: Machen Sie Besetzungsvorschläge nach Aussehen, Gestalt und Typ für die im 1. Bild auftretenden Personen.

Gruppe III: Entwerfen Sie Masken und Kostüme für die im
1. Bild auftretenden Personen.
Gruppe IV: Entwickeln Sie eine Choreographie der handelnden Personen.

Die aus diesen Leitfragen resultierenden Regievorschläge
müssen jeweils überzeugend anhand des Textes begründet
werden. Hierin liegt das eigentliche Interpretationsverfahren.

Zu Gruppe I: Vorschläge für das Bühnenbild und Beleuchtung: »Hohes, schmales Haus im Vordergrund, im Hintergrund Kulissen anderer Häuser, einfach, in der Farbe grauweiß, nicht naturalistisch, helle Beleuchtung ohne besondere
Effekte.«

Begründung der gemeinsamen Vorschläge: »Die Anonymität des Ortes ›Andorra‹ soll gewahrt sein, das Geschehen in
dieser Stadt ist überall wiederholbar. Die Dramaturgie des
Stückes mit Elementen der Verfremdung – ›vor den Zeugenschranken‹ – läßt ein konkret-naturalistisches Bühnenbild
nicht zu.«

Zu Gruppe II: Besetzungsvorschläge und ihre Begründung:
Andri: »ein Durchschnittsmensch, etwa 20 Jahre alt, mittelgroß und schwarze Haare. – Andri soll sich nicht wesentlich
von den anderen Personen durch sein Äußeres unterscheiden,
wenngleich seine Gesichtszüge und Haare auf den ›Typ‹ des
Juden schließen lassen könnten. Somit wäre das Vorurteil der
Andorraner ihm gegenüber leichter verständlich (vor allem
auch der Zuschauer im Parkett).«

Barblin: »sie ist zierlich, blond, hübsch, attraktiv, etwa 18
Jahre alt. – Sie soll auf Männer Wirkung auslösen. Ihre
Leidenschaft und die Unbedingtheit ihres Handelns müssen
glaubhaft und verständlich sein.«

Der Lehrer Can: »Durchschnittsmensch, doch auffallende,
intellektuelle Züge, eine reife Persönlichkeit, etwa 45 Jahre.«
– Eine Begründung dieses Vorschlages ergibt sich aus dem
Begriff des Intellektuellen, »einem Menschen also, dem viele
Möglichkeiten des Handelns bekannt sind und offen stehen.
Er ist zugleich auch ›Lehrer‹.«

Zu Gruppe III: »Die anderen im Verzeichnis aufgeführten
Personen sind ›Typen‹, weil sie ohne Namen, nur durch einen
Beruf gekennzeichnet sind: Der Soldat, der Wirt, der Tischler,
der Doktor, der Geselle, der Jemand – sie alle können fast nur

durch Maske und Kostüm oder durch ein Requisit oder typische, für den jeweiligen Beruf kennzeichnende Gebärden, charakterisiert werden. Dem Darsteller des Soldaten wird eine Uniform ›angepaßt‹, die keine Assoziationen an eine bestimmte Nation oder Heeresgattung auslösen soll. Der Wirt erscheint in einer Schürze, an der er sich ständig die Hände abtrocknet – hier darf der Hinweis auf eine mögliche symbolhafte Gebärde nicht fehlen –, Tischler und Geselle treten stets in Berufskleidung, manchmal mit einem Hobel in der Hand auf, der Doktor im Arztkittel und mit Arztinstrumenten versehen. Alle diese Typen sind schlicht, ohne ›bunte Farben‹ gekleidet, um sie anonym erscheinen zu lassen, damit sie sich dem durch die Bühnenbildkonzeption vorgeprägten Stil anpassen.«

Mit dem Entwurf des Bühnenbildes, den Besetzungsvorschlägen und der Kostümwahl sind Ort und Zeit der Handlung bestimmt und die Charaktere in ihren Grundzügen umrissen.

Zu Gruppe IV: Im folgenden soll nun ausführlich von den Schülern die Lebenssituation dieser hier auf der Bühne agierenden Menschen entwickelt werden.

Wir benutzen hierzu die Regieanweisungen Frischs und ergänzen sie durch eigene Einfälle und Vorschläge, welche wir aber wiederum begründen. Der Blick ist dabei auf die Gebärden, die Haltung, die Gesten und die Sprechweise – weniger also auf den Inhalt des gesprochenen Wortes – zu richten.

In der Regieanweisung des Autors heißt es: »Barblin weißelt [...]«. Welche Bedeutung kommt diesem Tun zu? Ein Schüler vermutet, daß »sie vielleicht die verschmutzte Stadt erhellen möchte oder den Schmutz mit weißer Farbe übertünchen will«. Wie spricht sie den ersten Satz? Der einleitende Bedingungssatz:

Wenn du nicht die ganze Zeit auf meine Waden gaffst, dann kannst du ja sehn, was ich mache ...

muß unvermittelt gesprochen werden. Der Zuschauer ist sofort mitten im Geschehen, wenn sich der Vorhang geöffnet hat. Die Handlung könnte also auch an einer anderen Stelle des Gesprächs beginnen. Ein anderer: »Hierdurch wird die Aufmerksamkeit des Publikums sofort auf das Geschehen gelenkt«. »Im Tonfall müssen die ersten Sätze der Barblin laut und bestimmt, vielleicht auch gereizt gesprochen werden.« Aus welchem Grunde? »Hierdurch wird ihr Selbstbewußtsein und ihre Selbständigkeit deutlich. Das schließt auch die Eigenverantwortung für ihr späteres Handeln ein.«

Frisch: der Soldat »lehnt an der Mauer« . . . Ergänzender Regieeinfall eines Schülers: »Vielleicht mit einer brennenden Zigarette in der Hand«. Sehr lässig in der Haltung spielt er den Überlegenen, den Gelangweilten, »einen Kerl, dem auf Grund seiner Körperkraft alles zuzutrauen ist.«

Frisch: »Der Soldat lacht.« Nach der Art dieses Lachens ist gefragt. »Etwas dreckig und gemein«, heißt die Antwort.

Da die Schüler das Stück gelesen haben, wissen sie, daß die Hauptperson Andri ist. Um seinen Charakter zu beschreiben, analysieren wir zunächst die Regiebemerkungen des Autors, die im 1. Bild Andri betreffen.

Andri [. . .] bekommt ein Trinkgeld, das er ins Orchestrion wirft, so daß Musik ertönt, während der Tischler vorn über die Szene spaziert, wo Barblin, da der Tischler nicht auszuweichen gedenkt, ihren Eimer wegnehmen muß. Andri trocknet einen Teller, indem er sich zur Musik bewegt, und verschwindet dann, die Musik mit ihm.[3]

Die Regieanmerkungen, die ganz auf die Theaterfunktion des Dramas abzielen, machen dem Schüler klar, was Frisch unter ›Drama‹ versteht: das Optische, hier die Choreographie der Gänge und Bewegungen, und das Akustische, die Musik, werden zu bedeutungsvollen selbständigen Elementen des Theatralischen. Sie allein können schon die Lebenssituation der Hauptgestalt und seine Umwelt, in der er leben muß, auf der Bühne sichtbar machen.

Wie geht der Tischler über die Bühne? »In seiner Haltung und seinem Gang müssen Sturheit und Rücksichtslosigkeit erkennbar sein, denn Barblin muß ihren Eimer vor ihm wegnehmen. Er erscheint herrisch, dreist, wichtigtuerisch – er geht vorn (!) über die Szene. Andri ist in diesem ersten Auftritt lebensfroh, sorglos und heiter gestimmt. Er arbeitet – er trocknet einen Teller – und tanzt zugleich – er bewegt sich zur Musik.« Andris Lebenssituation wird damit den Schülern deutlich: Er ist abhängig von seiner Umwelt – er bekommt ein Trinkgeld, »somit nicht selbständig«, zum anderen scheint er in der Musik, im Reich der Phantasie einen Raum der Freiheit erlangt zu haben. Die Bedeutung der Musik wird von den Schülern leicht erschlossen, wenn man die Frage an die Regie stellt: Welche Schallplatte würden Sie für diese Musik auswählen? Als Antwort konnte man hören »leichte Unterhaltung, vielleicht einen Schlager, der eine gewisse Sehnsucht in der Melodie durchklingen läßt, Sehnsucht nach Liebe und Geborgenheit.«

Damit ist Wesentliches über den Charakter und die anfängliche Lebenssituation Andris ausgesagt: Er lebt als Abhängiger in einer sturen, rücksichtslosen, verbohrten Welt; Gang, Bewegung und Haltung des Tischlers machen dies sichtbar, – die Musik aber hebt ihn als »Lebenskünstler« (Schülerantwort) aus dieser Umgebung heraus. In die mürrischen, verärgert gesprochenen Worte des Tischlers »wo ist mein Stock?« – »Eine Plage, immer diese Trinkgelder, kaum hat man den Beutel eingesteckt«, klingt hell und fröhlich Andris »Hier, Herr Tischlermeister« (S. 464).

In dieser Darstellungs- und Inszenierungsform, in der sich Bild und Wort ergänzen und durchdringen, erschließt sich den Schülern ›spielerisch‹ der Gehalt der Anfangsszene.

II. Die stilistische Methode

Die innerhalb der Inszenierungsmethodik praktizierte Gruppenarbeit kann zur umfassenden Textanalyse führen, wenn künstlerisch- und theaterbegabte Schüler sich als Gruppe ›Regie‹ verstehen und alle aufgezeigten Hilfsmittel der Interpretation des Dramas einsetzen und integrieren. Eine zweite Gruppe bildet sich, die unter sprachlichen Gesichtspunkten den Text untersucht.

Diese von Literaturwissenschaftlern und Schulpädagogen am häufigsten angewandte Methode versucht, durch die Deutung der Sprache und stilistisch-formaler Mittel des Autors den Gehalt von Literatur zu erhellen. Eine Propädeutik der Stilistik ist hierbei unerläßlich. Die Schüler müssen eine Einführung in die Grundelemente von Sprache und Stil, vor allem ihrer gehaltlichen Funktion erhalten, wobei keinesfalls reiner Formalismus getrieben werden soll.[4]

Diese Gruppe ›Stilistik‹ erarbeitet in Kenntnis sprachlich-stilistischer Hilfsmittel die Grundsituation Andris im 1. Bild von Max Frischs ›Andorra‹. Sie kann durch ihre Textanalyse die Erkenntnisse der Gruppe ›Regie‹ erhärten oder widerlegen.

Neue Aspekte der Untersuchung beleben die Diskussion und das Interesse. Wir untersuchen die Sprache der Umwelt, in der Andri lebt, und die Ausdrucksmittel der Hauptperson des Stückes.

> Wirt: »Ich kaufe Land jederzeit. Wenn's nicht zu teuer ist! Ich meine: Wenn Du Geld brauchst unbedingt, [. . .] überleg' es dir, Can, in aller Ruhe, aber mehr als 50 Pfund kann ich nicht geben.« »Die Andorraner sind gemütliche Leut', aber wenn es ums Geld geht, dann sind sie wie der Jud'.«[5]

Die Wortwahl »kaufen«, »teuer«, »Geldbrauchen«, »50 Pfund« – hat entlarvenden Charakter. Die gesprochene Sprache der Andorraner ist die Sprache der Geschäftswelt, des Nutzens und des persönlichen Profits, eben jener Haltung, deren Andri beschuldigt wird und in die er durch eben diese Umwelt gezwungen wird.

Die Schizophrenie der Gesellschaft, welche ihre eigenen Fehler in Unbeteiligte projiziert, wird durch den als Zitat gesprochenen Satz enthüllt und bestätigt: »Die Andorraner sind gemütliche Leut, aber wenn's ums Geld geht, dann sind sie wie der Jud!« (Diese Haltung wird noch durch das trügerische Bild der vorbeiziehenden Prozession illustriert.)

Andris innere Situation läßt sich ebenfalls aus Syntax, Stil und Wortwahl seines Sprechens ablesen:

Die Worte »ich werde Tischler« erklären einen möglichen Anpassungsprozeß an die Gesellschaft und den Willen Andris, sich integrieren zu lassen, doch wird diese Möglichkeit im folgenden durch die Darstellung seiner selbst in Frage gestellt:

> Die Sonne scheint grün in den Bäumen heut. Heut läuten die Glocken auch für mich. (Er zieht seine Schürze ab.) Später werde ich immer denken, daß ich jetzt gejauchzt habe. Dabei zieh ich bloß meine Schürze ab, ich staune, wie still. Man möchte seinen Namen in die Luft werfen wie eine Mütze, und dabei steh ich nur da und rolle meine Schürze. So ist Glück. Nie werd ich vergessen, wie ich hier stehe [. . .] (Krawall in der Pinte).[6]

Die Sprache Andris steht nach Wortwahl, Klang, Rhythmus

und Syntax im krassen Gegensatz zum Ausdrucksvermögen der Andorraner. Allem Zweckhaften entkleidet, stark individualisiert, ja poetisch, verzichtet sie auf die Stereotypie der Alltagssprache. Andri lebt in der Spannung von human-individueller Autonomie und gesellschaftlicher Anpassung und Gleichschaltung. Die bilderreichen, symbolhaften und assoziationsreichen Vergleiche: »Die Sonne scheint grün in den Bäumen«, evozieren Gedanken eines möglichen Lebens der Freude, der Hoffnung und der Freiheit. Die Worte »Die Glocken, die auch für mich läuten« wie auch »Später werde ich immer denken, daß ich jetzt gejauchzt habe« offenbaren das Bewußtsein, in dieser andorranischen Welt nur den Augenblick der Existenz genießen zu dürfen, nicht das Leben schlechthin. Gleichzeitig versucht er sich selbst zu befreien, »man möchte seinen Namen in die Luft werfen wie eine Mütze«, und dennoch bleibt die bittere Erkenntnis, den gesellschaftlichen Zwängen nur für einen Augenblick entkommen zu sein – »und dabei steh ich nur da und rolle meine Schürze«, Worte und Gesten spiegeln seine seelische Grundsituation wider. Die Realität bürgerlicher Brutalität ist bereits sehr nahe: »Krawall in der Pinte«.

Die Methodik stilistischer Textuntersuchung vermittelt Schülern nicht nur den Zugang zur Ästhetik der Literatur. Es wird auch der Blick auf das Handwerkliche der Kunst, den Umgang mit dem Sprachmittel gelenkt und für andere geöffnet. Freilich läßt sich dieses Verfahren nicht immer von der Inszenierungsmethodik trennen, denn dramatische Sprache ist immer auch agierende und gesprochene Sprache.

III. Der psychoanalytische Weg

Eine im gymnasialen Unterricht wie auch auf den Hochschulen bis jetzt nur zögernd angewandte Methode der Textanalyse ist die Umsetzung tiefenpsychologischer oder sozial-psychologischer Erkenntnisse auf die Literaturinterpretation. Aber gerade dieses Verfahren, wenngleich in der philologischen Forschung umstritten, fasziniert und aktiviert den Schüler erfahrungsgemäß sehr intensiv und nachhaltig. Eine mehrstündige Einführung in die Tiefenpsychologie Freuds, Adlers und Jungs vermittelt den Schülern Grundbegriffe und Strukturen der menschlichen Psyche.[7] Der junge Mensch, der auf der Suche nach dem Ich und dem eigenen geistigen Standort ist, erhält in der Auseinandersetzung mit psychologischen Problemen Orientierung und Hilfe für die eigene Entscheidung und sein Handeln. Wie sich bei der Selbst- und Fremdbeobachtung psychische Entwicklungen, Prozesse, Störungen wissenschaftlich eruieren, so ist es im gleichen Maße möglich, Handlungen, Verhaltungsweisen und Charaktere von fiktiven Personen der Literatur psychoanalytisch zu deuten.[8]

Eine Gruppe ›Psychoanalyse‹ konstituiert sich und untersucht den Text des 1. Bildes von Max Frisch *Andorra*. Leitmotiv und Thema des Dramas: Identitätssuche, Manipulation des Ichs durch das Überich gesellschaftlicher Bedingtheiten, die Manifestation des Vorurteils, exemplifiziert am Beispiel Andris, fordern die psychoanalytische Deutung geradezu heraus. Um die Methode offenzulegen, beschränken wir uns wiederum auf die Interpretation der Anfangsszene. Allerdings muß der Lehrer in diesem Zusammenhang auf die Komplexität psychischer Verhaltensweise hinweisen. Eine tiefenpsychologische Analyse allein wird einer Charakteristik nicht gerecht. Doch soll eine Schematisierung des Modells, die zwingend auch eine Vereinfachung einschließt, den Schülern einen ersten Einblick in den Umgang mit Literatur aus psychologischer Sicht vermitteln.

Die bereits bei der stilistischen Methode angeführte Textstelle des 1. Bildes[9] läßt sich tiefenpsychoanalytisch auf folgende Weise deuten: Andris Ich wird durch das Überich – als dessen Repräsentanten gelten die Andorraner, vor allem auch Andris Vater – bestimmt. Es ist stark libidinös auf ES-Objekte (Barblin, Anerkennung in der Gesellschaft: »ich werde Tischler«) fixiert. Doch die Möglichkeiten der ES-Befriedigung, welche eine Stabilisierung des Ichs einschließt, werden durch die Verhaltensformen des Überichs (Aggression des Soldaten Peider, die spätere Abweisung Barblins, Heiratsverbot durch den Vater) verhindert. Hieraus resultieren Frustrationen. Statt der vom Überich projizierten Aggressionen stellen sich Resignation, später dann die absolute Regression, d. h. der Tod als Erfüllung des Nirwana-Prinzips, ein. Die Angebote des Überichs sind nur pseudo-libidinös und stellen somit eine Scheinbefriedigung dar. Der Vater verschafft Andri eine Arbeitsstelle, um seine eigene Schuld zu verdrängen, die Religion erstarrt in der Maskerade der Prozession, ihr Vertreter, der Pater, entzieht sich der Eigenverantwortlichkeit durch Flucht in die Transzendenz (»ein frommes Land, so wir Gott fürchten, und das tun wir, mein Kind, nicht wahr«[10]). Der Tischlerberuf, vermittelt vom Vater, soll ihn stärker an das Überich binden. Nur für einen Augenblick scheint die Identifikation von Ich-ES-Überich möglich in der Szene »Andri allein [. . .]«[11]. Die Abhängigkeit von den gesellschaftlichen Repressionen, von den Forderungen des Überichs, ist für einen Augenblick gelöst und damit ein Raum der Freiheit gesichert: »Man möchte seinen Namen in die Luft werfen wie eine Mütze.« Zugleich tritt auch die Möglichkeit der ES-Befriedigung auf – hier erotisch-sexuell –: »Barblin, wir heiraten«. Die Forderung des Ichs, Befreiung von den Repressionen des Überichs sowie die Befreiung der Libido sind für einen Augenblick erfüllt, d. h. die Totalidentifikation von ES-ICH-ÜBERICH ist erreicht: »Das ist Glück«.

Dieses ›Glück‹ – Freud und Frisch benutzen fast den gleichen Terminus – kann und darf nur momentan und nicht von Dauer sein, da die Macht und Anforderung des Überichs so bedrohlich und aggressiv-repressiv sind, daß jedes persönlich gewordene ›Glück‹ zerstört werden muß: »Krawall in der Pinte«, der anschließende Dialog Andri-Peider sowie die Aktion »Der Soldat stellt Andri das Bein, so daß Andri stürzt« enthüllen die Aggressionen.[12] Dieser ständige Kampf zwischen dem Ich, das stets um seinen Verlust bangen muß und auf ES-Erfüllung als conditio humana drängt, und den repressiv-aggressiven Ansprüchen des Überichs, welches dieses Ich zu okkupieren und zu manipulieren sucht, das wird die Problematik des Dramas ausmachen.

Die vorgetragene detaillierte psychoanalytische Interpretation einer Textstelle des 1. Bildes und deren Resultate lassen sich in anderen Bildern des Stückes überprüfen und erweitern. Methodisch wichtig ist die Einsicht, daß jedes psychoanalytische Ergebnis der Textuntersuchung durch den Text selbst belegt wird, und somit die Gefahr der Spekulation und des Subjektivismus im Gebrauch der psychologisch-wissenschaftlichen Begriffsnomenklatur ausgeschaltet wird.

IV. Die soziologische Methode

Es braucht in diesem Zusammenhang kaum wiederholt zu werden, daß diese hier genannte Methode in jüngster Zeit als relevanteste, d. h. unsere gesellschaftliche Wirklichkeit erfassende Interpretation angesehen wird. Die Mehrheit der Klasse konstituiert die Gruppe ›Soziologie‹, die es sich zur Aufgabe gestellt hat, mit Hilfe des soziologischen Begriffsapparates gesellschaftliche Grundphänomene des Stückes aus dem literarischen Text zu erschließen.

Ziel dieser Methodik ist es, kritisches Bewußtsein gegenüber der ›bürgerlichen‹ Literatur und den in ihr und in der Realität bestehenden gesellschaftlichen Bedingungen und Widersprüchen zu wecken.

Die soziologische Methode nimmt es sich zunächst zur Aufgabe, an Hand des Textes Sozialstrukturen und soziale Felder aufzudecken, sodann die Ursachen der sozialen Bedingtheiten zu analysieren und schließlich Modelle der Veränderung zu entwickeln.[13]

Konkret lautet die Arbeitsanleitung für diese Gruppe: Entwerfen Sie ein Soziogramm der im 1. Bild von Max Frischs *Andorra* auftretenden Personen!

Hierin eingeschlossen ist die Frage nach den Ursachen ihrer Sozialbeziehungen wie Umwelt, Erziehung, Mentalität, Ideologie, Massenpsychologie usw. Anhand des 1. Bildes läßt sich folgendes Soziogramm erstellen:

Das Soziogramm kann auf folgende Weise ausgewertet werden:

Vertreter vieler Stände und Klassen treten auf: Tischler und Wirt als Repräsentanten der bürgerlichen Mittelschicht, Peider als Militarist, Can und Pater als bürgerliche Intellektuelle. Es ist deutlich erkennbar, daß Andris einzige aktiv-positive Bindung nur gegenüber Barblin besteht, während andere gesellschaftliche Vertreter eine aktive Rolle ihm gegenüber einnehmen.[14] Wie ist Andri in das Sozialgefüge einzuordnen?

Die negativ-ablehnende Haltung des Soldaten wird nicht nur aus seinem in privaten Motiven wurzelnden Rivalitätsdenken erklärbar, sondern durch die Stellung, welche ihm die physische Macht des Militärs verschafft. Auf Grund seiner

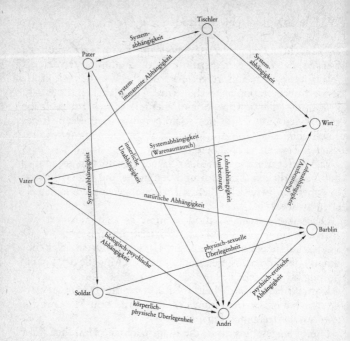

sozialen Position werden ihm Mittel verschafft, mit denen er die Unterwerfung und Knechtung Andris fordern kann:

> »Also – ich bin Soldat und hab ein Aug auf sie [. . .]« »Ein Soldat ist keine Vogelscheuche. Verstanden? Einfach vorbeilaufen. Ich bin Soldat, das steht fest, und du bist Jud [. . .]«.[15]

Er schöpft die Rolle voll aus, die ihm die Gesellschaft verschafft hat und von ihm erwartet. »Denk an das Ansehen der Armee!«, ruft ihm der Wirt zu.

Die Lohnabhängigkeit Andris wird durch die gesellschaftliche Funktion, welche Wirt und Tischler zu erfüllen haben, ebenfalls erklärbar. Die ökonomischen Bedingungen des Kapitalismus liegen im Profitstreben und der Gewinnmaximierung der etablierten Klasse. Der diesen Gewinn produzierende Arbeiter – hier Andri – wird innerhalb dieses Systems selbst als Gewinn bringende Ware gehandelt: »50 Pfund für eine Tischlerlehre, das ist Wucher [. . .]«.[16] Doch auch Can ist dem Kapital, das zugleich politisch-gesellschaftliche Macht beinhaltet, ausgeliefert:

> Wirt: 50 Pfund will er? Lehrer: ich werde sie beschaffen. Wirt: Aber wie? Lehrer: Irgendwie. Land verkaufen. Irgendwie [...] Wirt: Wie groß ist dein Land? Lehrer: wieso? Wirt: Ich kaufe Land jederzeit. Wenn's nicht zu teuer ist! Ich meine: Wenn du Geld brauchst unbedingt. – Überleg es dir, Can, in aller Ruh, aber mehr als 50 Pfund kann ich nicht geben.[17]

Es wird deutlich, daß innerhalb des andorranischen Gesellschaftssystems es trotz besserer Einsicht kein Entrinnen gibt: gesellschaftliche Positionen, Herrschaftsansprüche und Ansehen sind nur durch das Kapital selbst bedingt, nicht etwa auf Grund menschlicher Qualifikationen beanspruchbar. In diesem Zusammenhang wird auch der Rat des Tischlers verständlich: »Warum nicht geht er (Andri) zur Börse?«[18]

In der Analyse des Soziogramms scheint der Pater eine isolierte, den gesellschaftlichen Zwängen enthobene Rolle zu übernehmen. Analysieren wir jedoch die gesellschaftlichen Bedingungen, denen auch er unterworfen ist, so ergibt sich folgende Situation, die zugleich auch seine Funktion erklärt: Als Vertreter des Überbaus fällt ihm die Aufgabe zu, die politisch-ökonomische Basis zu stabilisieren und jede mögliche Bedrohung oder Veränderung des Systems zu verhindern. Hierbei versucht er die wahren politischen Verhältnisse zu verschleiern:

> Er sieht Gespenster. Haben sich hierzuland nicht alle entrüstet über die Schwarzen drüben, als sie es trieben wie beim Kindermord zu Bethlehem, und die Kleider gesammelt für die Flüchtlinge? Er sagt, wir sind nicht besser als die Schwarzen da drüben. Warum sagt er das die ganze Zeit? Die Leute nehmen es ihm übel, das wundert mich nicht. Ein Lehrer sollte nicht so reden. Und warum glaubt er jedes Gerücht, das in die Pinte kommt? – Kein Mensch verfolgt euren Andri – – noch hat man eurem Andri kein Haar gekrümmt.[19]

Die Ursachen seines Denkens liegen in den ökonomischen Voraussetzungen, die das Kapital der Kirche schafft, und einer Ideologie, die moralische Wertungen als Mittel der Machtausübung einsetzt.

Diesen politisch-sozialen, ökonomischen und ideologischen Herrschaftsmechanismen ist Andri ausgesetzt. Im Laufe des Stückes wird er ihr Opfer werden.

Wer sich diesem System nicht anzupassen vermag, wird durch die Gesellschaft, welche ihre eigenen Bedingtheiten nicht zu durchschauen vermag – so wird dieses ›nicht schuldig‹ vor der Zeugenschranke erklärbar –, vernichtet. Diese Situation schafft also rein strukturell eine ständige Bereitschaft zur Ablehnung fremder Gruppen und damit eine erhöhte Chance zur Diskriminierung mit eventueller nachfolgender Bedrohung, die bis zur Extermination gehen kann.[20]

Die Anwendung der soziologischen Methode auf Literatur deckt die Hintergründe menschlichen Verhaltens auf, erklärt das Zustandekommen ideologischer Vorurteile, denen die Gesellschaft ausgeliefert ist, und macht in diesem Zusammenhang Andris Isolation und Manipulation verständlich.

(In der Unterrichtspraxis kann die soziologische Literaturanalyse zugleich Ausgangspunkt sein für die Untersuchung der realen Lage der Minderheiten innerhalb der totalitär-monistischen Herrschaftsstruktur. Dabei können Möglichkeiten der Veränderungen erörtert werden.)

V. Synoptisches Interpretieren

Neben diesen vier in sich geschlossenen Methoden der Textuntersuchung sowie der innerhalb der Inszenierungsmethode noch möglichen läßt sich bei starker Klassenfrequenz eine weitere Interpretationsmethode entwickeln, die Briefe, theoretische Schriften, Werkstattgespräche, biographische Zeugnisse des Autors untersucht und mit den gewonnenen Ergebnissen das Stück analysiert. Es kann in diesem Zusammenhang darauf verzichtet werden, da bereits Wolfgang Hegele einen Beitrag in *DU* 20 (1968) 3 zur Interpretation von Frisch *Andorra* im Unterricht geliefert hat, indem er Frischs Prosaschrift ›Der Andorranische Jude‹ sowie Tagebuchnotizen zum Verständnis des Stückes heranzieht.

Der nur am 1. Bild von Frischs *Andorra* demonstrierte Methodenpluralismus läßt sich nun in der Unterrichtspraxis auf verschiedene Weise durchführen. Entweder werden jeweils drei Bilder in ihrer Reihenfolge von den vier oder fünf Gruppen mit Hilfe ihrer Arbeitsweise zur Analyse herangezogen, so daß auf diesem Wege das Gesamt-Drama analysiert wird, oder aber es werden die von den Schülern für ›wichtig‹

gehaltenen Bilder des Stückes in der gleichen wie hier vorge-
führten Art interpretiert. Unter ›Wichtigkeit‹ darf man nicht
die inhaltliche Bedeutung verstehen, sondern die Auswahl von
Textstellen, die der jeweiligen Methode besonders adäquat
sind und sich speziell dem Interpretationsverfahren anbieten.

So ist es verständlich, daß die Gruppe ›Regie‹ die ›Bilder‹ mit
starken Theaterelementen – zumeist erkennbar an der Häufig-
keit der Regiebemerkungen – untersucht, die Gruppe ›Psychologie‹ sublime psychische Prozesse zu eruieren sucht wie
etwa im 2. Bild, die Gruppe ›Stilistik‹ dagegen die Sprachfor-
men und Sprachebenen im 12. Bild, und die Gruppe ›Soziologie‹ die gesellschaftlichen Zusammenhänge im 1. und 4. Bild
aufdeckt.

Der aufgezeigte Pluralismus führt in seiner Synopse zur
Totalanalyse des Textes. Der pädagogisch-psychologische
Nutzen dieses Unterfangens für die Schule liegt darin begründet, daß Schüler, wie ja immer lauter gefordert wird, ohne
Manipulation durch den Lehrer ›ihre‹ Methode im Umgang
mit Literatur einsetzen und deren Erkenntniswert zur Diskussion stellen können. Die pluralistische Textanalyse erzwingt
wegen ihrer möglichen Widersprüche die geistige Auseinandersetzung, leitet den Schüler zum selbständig-kritischen
Denken an und versetzt ihn in die Lage, aus eigenen Motiven
sich mit Literatur zu beschäftigen, da er nunmehr über die
Hilfsmittel zur Analyse verfügt.

Durch die gründliche und systematische Einübung der hier
aufgezeigten Methoden wird der Lernende aus seiner Kon-
sumhaltung innerhalb des Unterrichts entlassen, es bleiben
ihm nicht nur Indoktrination und Manipulation autoritärer
Deutschlehrer erspart, sondern auch eine überlange Schulzeit.

Deutschunterricht muß Methodenunterricht werden.

Anmerkungen

1 Ivo, H. *Kritischer Deutschunterricht.* Diesterweg, Frankfurt, Berlin, München
1970, S. 94.

2 Vgl. hierzu auch Wildenhof, Ulrich. »Ein Regiebuch zu Ionescos, ›Nashör-
nern‹.« In: *DU* 21 (1969) 1, S. 64 ff.– Im folgenden Kapitel sind alle Schülerantwor-
ten in Anführungszeichen gesetzt.

3 GW IV, S. 464.

4 Empfehlenswert für den Lehrer: *Einführung in die Methodik der Stiluntersu-
chung.* Verlag Volk und Wissen, Berlin 1968.

5 GW IV, S. 471.

6 GW IV, S. 472.

7 Es empfiehlt sich als Einführung Brenner, Charles *Grundzüge der Psychoanalyse*. Frankfurt 1967.

8 Vgl. u. a. Jones, Ernest *Hamlet und Ödipus*. New York 1949.

9 Siehe GW IV, S. 471 ff.

10 Siehe GW IV, S. 466.

11 Siehe GW IV, S. 472.

12 Vgl. auch hierzu Andris eigene Erfahrung in der Aussage GW IV, S. 480.

13 Eine mehrstündige Einführung in die Soziologie ist dabei Voraussetzung. Hilfen gewähren: Moreno, J. L. *Die Grundlagen der Soziometrie*. Köln und Opladen 1967. – *Soziologie*. Hrsg. René König (Fischer-Lexikon).

14 Vgl. Soziogramm.

15 GW IV, S. 473.

16 GW IV, S. 469.

17 GW IV, S. 470/471.

18 GW IV, S. 468.

19 GW IV, S. 465.

20 *Fischer-Lexikon Soziologie*, S. 335.

(Aus: Der Deutschunterricht 25, 1973. S. 90-102.)

VII. Anhang

Walter Schmitz
Nachbemerkung zu diesem Band

Max Frischs Stück *Andorra* ist dieses Autors größter Bühnenerfolg gewesen, kein spektakulärer Durchbruch eines Unbekannten freilich, eher die krönende Bestätigung lange gehegter Hoffnungen auf einen Brecht für westliches Bürgertum (eine italienische Zeitung betitelt ihre Rezension: Il Brecht de Zurigo), der in zeitkritischer und zeitenthobener Parabelform eine in beängstigendem Ausmaß auch moralisch saturierte Nachkriegs- und Wirtschaftswundergesellschaft vor den Spiegel des nur verdrängten Vergangenheitsbewußtseins zwang, derart den überpolitischen, humanen Auftrag des Theaters maßstabsetzend erfüllte; folgerichtig faßte sich Rolf Hochhuths neuschillersches Dokumentartheater *Der Stellvertreter* nicht als alternativen Gegensatz zu Frischs Bühnenmodell auf, sondern wollte vollenden, was dort begonnen war, als authentisch bezeugte Heldentragödie effektvoll die Katharsis erzwingen, damit die »Schuldigen im Parkett« endlich aufgestört würden. *Andorra,* die keineswegs dezidiert sozialistische, aber ausdrücklich geschichtlich-gesellschaftliches Fehlverhalten meinende Parabel, hatte den verschlüsselten, nur in der Wesensverstörung von Figuren schaubaren Protest der damals tonangebenden absurden Dramatik in biographische Wirklichkeit einer Bühnenperson verwandelt; im genauen Abstand zum historisch Einmaligen beweist der Lebenslauf des andorranischen Juden Andri, daß – wenn sich auch die Geschichte nicht wiederholt – doch der Gruppenterror solange wiederkehrt, als seine Voraussetzungen nicht abgeschafft sind.

Diskussion und Kritik folgten zunächst den Wegweisern, die man schlechterdings nicht hatte übersehen können, einmal der offenkundigen Absicht des Autors, zum anderen einigen Leitaufsätzen, die die Rezeption gleich zu Beginn auf die Bahn der Vergangenheitsbewältigung lenkten. An erster Stelle muß ich hier Hans Magnus Enzensbergers Beitrag zum Programmheft der Zürcher Uraufführung nennen und die kaum zu überschätzende, rezeptionssteuernde Rolle, welche diesem Text, der aus urheberrechtlichen Gründen im vorliegenden

Band leider nicht abgedruckt werden konnte, zufiel, eindringlich betonen. Enzensberger lieferte mit diesem Aufsatz einem neugierigen Publikum und der aus Deutschland angereisten Kritik – die Schweizer Rezensenten hatten vorher eigene Erwartungen, die sie bald bestätigt fanden – bereits alle Motive der späteren Standarddeutung, denn er hebt den immer aktuellen Charakter des Modells, dem es »nicht um die Darstellung dessen, was war, sondern dessen, was jederzeit und überall möglich ist,« gehe, hervor, wie auch den zwingend planmäßigen, verhängten und verhängnisvollen Geschehnisablauf, entlarvt die Sprache der Lüge (»Ganz Andorra, es braucht nur den Mund aufzutun, verfängt sich in seinen Redensarten.«), und wenn schließlich festgestellt wird, das »Drama eines einzelnen« sei eingeschachtelt in das »Drama eines Gemeinwesens, das verdirbt« dann formulierte so dieser Essay, mit dem die Rezeptionsgeschichte *Andorras* anhebt, implizit die Frage nach tragischer Schuld:

> Die Andorraner sind keiner Tragik fähig, deshalb heißt das Stück nicht Tragödie; der Jude von Andorra aber, der kein Jude, sondern ein Andorraner ist, behält mit seiner Wahrheit recht: als tragische Gestalt.

Die gewissenserforschende Debatte über den antisemitischen Sündenfall, die Würdigung der handwerklich-technischen Solidität und des stofflichen Wagemuts von *Andorra,* das bisweilen verärgerte Rätselraten über Unklarheiten, die man der eigenen verfehlten Frageperspektive verdankte – beispielsweise, ob *Andorra,* das Modell, die Schweizer besonders angehe, oder die Deutschen (West- und/oder Ostdeutsche?), die Antisemiten, die Antikommunisten – Besprechungen vieler Inszenierungen, mancher geglückter Theaterereignisse – dies alles füllte während einer Saison die Spalten des Feuilletons und bewegte den Literaturbetrieb. Literaturpreise, dazu ein akademischer Ehrentitel, den die Universität Marburg an Max Frisch verlieh, dann die erste zweibändige Gesamtausgabe seiner Stücke, rundeten das Gesamtbild des Erfolges ab; darüber hinaus gelangte *Andorra* in den Schullektüre-Kanon, sicheres Fundament künftiger Klassikeransprüche, denen der Autor freilich ausweicht.

Dem Unisono kritischen Wohlgefallens mischten sich indessen anfangs vereinzelt, mit der Zeit zunehmend, skeptische

Stimmen bei, die nach Absichten, Kunstwahrheit und -wirkung fragten, manchmal auch mißtönende (so in der *Deutschen Soldaten-Zeitung* v. 6. 7. 1962), wenn man eigene Unbetroffenheit dem Stück als Schwäche ankreidete. Nachdem die meisten Bühnen im deutschsprachigen Raum das Stück gespielt hatten und die öffentliche Anteilnahme nachließ, mündete die langsam abflauende Diskussion in die sammelnde und sichtende Tätigkeit der institutionalisierten Rezeptionsbereiche »Schule« und – in begrenztem Umfang – »Hochschule«, wo man meist die zustimmenden Kritiken auswertete und zu einer gängigen Standarddeutung kombinierte, die außer den in Enzensbergers Leitaufsatz aufgeführten Punkten jene dort nur implizit gestellte Frage nach der tragischen Verstrickung des Opfers verfolgte, einige anderswo (z. B. bei H. Rischbieter) gebotene literarhistorische Hinweise ausführte, und verläßlich von Wolfgang Hegele zusammengefaßt wird; allerdings nutzten manche Arbeiten, leider für den Schulgebrauch gedacht, dies »rührende Stück« (Max Frisch) zu ebenso gefühligen wie banalen Auslassungen über »Bildnis« und »Nächstenliebe«, anstatt zunächst einmal die dramaturgische Entwicklung der Bildnisverstrickung nachzuzeichnen.

Da Hegeles Aufsatz im Sammelband *Über Max Frisch I* bequem zugänglich ist, verzichten wir auf den Abdruck dieser oder einer ähnlichen Arbeit, etwa den spezielleren Studien von Meinert und Aurin, und haben statt dessen das spontane Echo auf die Aufführung *Andorras,* dazu die zustimmenden und ablehnenden Positionen des damaligen Literaturgesprächs ausführlicher dokumentiert, womit das Spektrum der Auffassungen und Meinungen während dieser zeitlich nicht ganz klar abzugrenzenden, inhaltlich aber geschlossenen Rezeptionsphase ausgeleuchtet ist.

Erfolg provoziert Widerspruch; mit dem anfänglichen emphatischen Beifall lastet bis heute eine Hypothek des Mißtrauens auf *Andorra,* denn der Verdacht, wirklich Betroffene hätten eigentlich keinen Grund zum Beifall, zeiht gerne das Stück der Oberflächlichkeit: es sei Alibi, statt Gericht. Das Unbehagen an *Andorra* schwelte unter der Rezeptionsroutine fort, bis die politisierte Kulturszene der späten sechziger Jahre auch eine Überprüfung engagierter Erfolgsstücke von gestern gebieterisch forderte, wenn auch vorerst nur in globaler Ablehnung leistete. Erst die alle Merkmale epigonalen Eifers tragende Normierung der Lehrstücke Bertolt Brechts zum unverlierbaren Maßstab echt revolutionärer Literatur*, die seit Abklingen der Studentenrevolte in merkwürdiger Phasenverschiebung eine Vielzahl literaturwissenschaftlicher Arbeiten beherrscht, rüstete mit genügend starken Grundsätzen und der dazu passenden Sprache aus, um *Andorra* erneut zu behandeln. Zwar hatte den verfrühten Einsatz schon Marianne Kesting mit ihrem 1962 veröffentlichten, kritisch akzentuierten literarischen Frisch-Porträt gegeben, dem Bildnis eines Brecht-Adepten und verschämten Bürgers, zu dem Hellmuth Karasek in einem Essay im Sonderheft 1970 der Zeitschrift *Theater heute* dann die Unterschrift »Brechts Mittel ohne Brechts Konsequenzen« einfiel. Der Mißerfolg der Broadway-Aufführung von *Andorra,* obgleich gegenwendig zum westdeutschen Trend mit dem Verlangen amerikanischer Kritiker nach psychologischem, konkret-anschaulichem Individuen-Theater motiviert, markiert den Umschwung in der *Andorra*-Rezeption und erbrachte gleichsam die empirische Gegenprobe für das sich ohnehin schon ankündigende Verdikt – theatralisches Versagen schien weltanschauliches Versagen zu beweisen, letzteres das erstere zu begründen. Man tadelte Privatismus und den sonst gelobten Verzicht auf Weltanschauung; aus der New Yorker Theaterkritik steuerte Peter Demetz (in seinem einflußreichen Buch *Die süße Anarchie*) jene von Robert Brustein geprägte Wendung von der »Peitsche aus Samt« bei, die Frisch dem in abstoßender Weise nach Selbstgeißelung drängenden deutschen Publikum gereicht habe, ein Tadel, der den Tenor zu Manfred Durzaks Darstellung *Andorras* in seiner immerhin zweimal aufgelegten Monographie, aber auch anderer seit Anfang der siebziger Jahre erschienener Arbeiten, etwa der von Marianne Biedermann, abgibt; Filia-

* Theodor W. Adorno hatte zwar schon in dem Aufsatz »Engagement« auf jene eigentliche »Substanz von Brechts Dichterschaft« hingewiesen: »das Lehrstück als artistisches Prinzip. Sein Medium, die Verfremdung unmittelbar erscheinender Vorgänge ist denn auch eher eines der Formkonstitution, als daß es zur praktischen Wirkung beitrüge. Zwar sprach Brecht von dieser mit so skeptisch wie Sartre. Aber der Kluge und Welterfahrene war schwerlich von ihr ganz überzeugt; souverän schrieb er einmal, wenn er sich nichts vormache, sei ihm schließlich doch das Theater wichtiger als jene Veränderung der Welt, der es bei ihm dienen soll.« (*Noten zur Literatur,* Gesammelte Schriften 11, Frankfurt: Suhrkamp 1974, S. 419.)

tionen dieser Richtung reichen noch bis zu Klaus-Detlef Müllers 1976 veröffentlichter Studie. Die einseitig zugespitzten kritischen Argumente, zum Teil schon in der früheren Diskussion angeklungen, verdrängten im öffentlichen Bewußtsein fast kampflos die bis dahin dominierenden, lobenden, obschon beharrende Rezeptionsbereiche, wie die Schule, in ungebrochener Kontinuität die Standarddeutung überlieferten. Den Tadlern schien der Autor selbst recht zu geben und sich öffentlich von seinem Stück loszusagen, weil es die Hoffnungen auf gesellschaftspolitische Wirkungen nicht einzulösen vermocht hatte, eine Distanzierung, die, werkbiographisch interessant genug, trotzdem nie hätte die Perspektive der Literaturwissenschaft bestimmen dürfen, zumal man die Kehre Frischs in *Biographie* ihm abermals als entlarvenden Rückzug ins Private ankreidete.

Leider zeichneten sich die ersten Arbeiten zu Frischs Werk, mit wenigen, um so höher zu schätzenden Ausnahmen, durch biedere Phantasielosigkeit (später ideologisch getarnt) aus und übernahmen ungeprüft die schnell gefertigten, auf die jeweilige Kulturlage zugeschnittenen, daher eigentlich zum baldigen Verschleiß bestimmten Formeln der Literaturkritik und verliehen ihnen eherne Dauer, so daß die eigentlichen Rezeptionsobjekte immer mehr fiktionalisiert wurden und hinter dem begriffslos-unbegriffenen Bild, das man sich von ihnen machte, fast gänzlich verschwanden. »Ich weiß, daß die Identität mein literarisches Warenzeichen ist«, mußte Max Frisch noch 1968 erklären; »daß ich mich mit ihm nicht identisch fühle, kommt noch hinzu.« Im Falle *Andorra* fixierten sich Lob und Tadel gleichermaßen vordergründig an der vergangenheitsbewältigenden Bildnisthematik, und so widerlegt der Tadel bloß das vorgängige Lob, keinesfalls das Stück selbst, welches solch enge Kategorien sprengt. Immerhin schärften die erwähnten Arbeiten, besonders Klaus-Detlef Müllers Studie, doch den Blick für dramaturgische Eigenheiten der Frischschen Parabel, im Unterschied zur Brechtschen; die Frage nach dem »Modell«-Charakter hat ja seit Enzensbergers Hinweis die *Andorra*-Rezeption begleitet: außer den schon genannten wären hier die Beiträge von Krapp, Karasek, Biedermann, Hinck, Schimanski und Frühwald/Schmitz anzuführen. Schließlich muß noch Klaus Haberkamms Auffassung

Andorras als einer »Abstraktion mit notwendig geschichts-neutralisierender Tendenz«, die sich historischen Ausfüllun-gen freilich keineswegs verschließe, hier genannt werden, obwohl diese Arbeit nicht ausdrücklich an die Vorüberlegun-gen zur Scheidung von Parabel und Modell anknüpft. So entgeht Haberkamm die methodisch folgenreiche Tatsache, daß im Stück *Andorra* nicht parabolische Verschlüsselung von Realgeschichte durch den Autor, sondern allenfalls die Ent-schlüsselung des Wirklichkeitsmodells durch den Rezipienten zu untersuchen wäre.

Auf die Forschungsgeschichte, nicht auf das Stück bezogen, hat sicherlich Peter Pütz die treffende Formel gefunden, als er seinen Aufsatz »*Andorra* – Modell der Mißverständnisse« überschrieb, und zugleich hat er mit diesem Essay eine neue Aufarbeitungsphase innerhalb der Fachforschung eingeleitet, nachdem schon Wolfgang Frühwalds Deutungsskizze das Stück aus dem beklemmend engen Kontext der »Bewälti-gungsdramatik« gelöst hatte, ohne doch diese Verständnisfolie zu leugnen. Ähnlich verwahrte sich Manfred Jurgensen gegen »allzu primitive kulturgeschichtliche Interpretationen« und versuchte – vielleicht etwas spekulativ und zu wenig behut-sam – der poetologischen Lesart des Stückes gerecht zu wer-den, ein erfolgversprechender Weg, den Hans Wysling im Vortrag auf dem 5. Internationalen Germanistenkongreß wei-terging. Eine Diskussion und Zusammenfassung der soweit möglichen Ansichten zwischen Historie, Sozialpsychologie, typischen Frisch-Problemen und künstlerischer Integration in *Andorra* haben dann Wolfgang Frühwald und ich in einer breiter angelegten Studie versucht.

Im vorliegenden Sammelband wurden die Aufsätze aus der Zeit der *Andorra*-Schelte vernachlässigt zugunsten der neue-ren, abgewogenen Arbeiten, die frühere Einseitigkeiten korri-gieren, indem sie jenes Widerspiel von Lob und Tadel, das die Rezeptionsgeschichte bisher gliederte, durch den Nachweis der verstrebten Vielfalt aller Aspekte in diesem Stück vorläu-fig, kaum endgültig aufheben. – Diesem Rahmen passen sich viele der früher gewonnenen Einsichten fugenlos ein, während andere zumindest kulturgeschichtliche Signifikanz beanspru-chen dürfen, also dem Leser und Benutzer dieses Bandes gleichfalls nicht vorenthalten werden sollten. Wir haben uns deshalb entschieden, dem Band nicht nur die übliche Auswahlbibliographie beizugeben, sondern eine Zusammenstellung nach dem Typ der dokumentarischen Bibliographie*, deren Titelaufnahme Vollständigkeit des Belangvollen zumindest anstrebt als Richtwert, obgleich sich seine Unerreichbarkeit in der Praxis von selbst versteht. Sie will den sachlichen Ertrag der verschiedenen Rezeptionsstränge in ihrer Verflechtung darbieten, sich dabei auf das Wesentliche beschränken; deshalb werden die räsonnierenden Arbeiten ausführlich kommentiert, während nur zu einigen Theaterkritiken knappe Sachangaben gemacht werden; denn die literaturkritische Primärrezeption zeichnet sich ja durch weitgehende Gleichförmigkeit im Sachlichen aus. Die Kommentare und Zitate vervollständigen das für den Hauptteil ausgewählte Material, umreißen Gruppenbildungen und Konstanten in der Rezeption, erleichtern so die Einordnung eines Arguments in Zustimmung oder Widerspruch zum jeweiligen Forschungshorizont. Darauf zielte auch diese Nachbemerkung zur Rechtfertigung unserer Auswahl ab. Wertungen habe ich, wie dort in den Erläuterungen zu den einzelnen Titeln, so auch hier nicht vermieden; sie dienen zunächst und vorrangig der Positionsbestimmung des Wertenden und sollen die Diskussion nicht ersticken, sondern anfachen.

München, im März 1978

* Vgl. Rupert Hacker. *Bibliothekarisches Grundwissen*. UTB 148. Pullach: Dokumentation 1973. S. 259-261.

Kommentierte Bibliographie

1. Präsentation

1.1. Der Text

Andorra. Stück in zwölf Bildern. Frankfurt: Suhrkamp Verlag 1961.
- In: *Spectaculum V. Sechs moderne Theaterstücke. Beckett – Brecht – Frisch – Ionesco – Nelly Sachs – Thomas.* Frankfurt: Suhrkamp 1962. S. 69-147.
- Bibliothek Suhrkamp 10. Frankfurt: Suhrkamp Verlag 1963.
- In: M. F. *Stücke II.* Frankfurt: Suhrkamp Verlag 1962. S. 199-309.
- In: M. F. *Stücke II.* suhrkamp taschenbuch 81 Frankfurt: Suhrkamp Verlag 1973. S. 185-285.
- In: M. F. *Gesammelte Werke in zeitlicher Folge.* Hg. v. Hans Mayer unter Mitw. v. Walter Schmitz. 6 Bde. (werkausgabe edition suhrkamp: 12 Bde.). Bd. IV (Bd. 8). S. 461-560.
- mit einer Einleitung von Peter Pütz (s. 2.3.1.) u. Materialien, in Verb. m. Dietrich Steinbach zusammengest. v. Eberhard Hermes. *Suhrkamp Literatur Zeitung* Nr. 1, 4. Progr. 1977.

1.1.2. Schallplattenaufnahmen

Max Frisch liest Prosa. Isidor, Der andorranische Jude, Tonband. Suhrkamp Sprechplatte. Frankfurt: Suhrkamp Verlag.

Andorra. Schallplattenausgabe nach der Uraufführung des Schauspielhauses Zürich. 2 Lp. Deutsche Grammophon Gesellschaft. Literarisches Archiv. Vgl. die *Synopse* in diesem Band.

Three Plays. The Fire Raisers (with an Afterpiece). Count Oederland. Andorra. London: Methuen 1962. (ins Englische übersetzt von Michael Bullock).

Andorra. Buenos Aires: Sudamericana 1962 (ins Spanische übersetzt von Alfredo Cahn).

Andorra. Kopenhagen: Gyldendal 1962 (ins Dänische übersetzt von Jørgen Engberg).

Andorra. Amsterdam: De Bezige Bij 1962 (ins Holländische übersetzt von Adriaan Morriën).

Andorra. In: *Leikritid* Nr. 2, Dez. 1962. S. 3-30 (ins Isländische übersetzt von Thorvadur Helgason).

Andorra. Mailand: Feltrinelli 1962 (ins Italienische übersetzt von Enrico Filippini).

Il teatro. Öderland. Don Giovanni o l'amore per la geometria. La grande rabbia di Philipp Hotz. Omobono e gli incendiari. Andorra. Mailand: Feltrinelli 1962 (ins Italienische übersetzt von Enrico Filippini).

Andorra. Lissabon: Portugalia 1962 (ins Portugiesische übersetzt von Ilse Losa und Manuela Delgado).

Andorra. Bratislawa: Slovenské Vydavatelstvo Krásnej Literatúry 1963 (ins Slowakische übersetzt von Ladislav Obuch).

Andorra. Helsinki: Otava 1964 (ins Finnische übersetzt von Leena Ilmari).

Andorra. London: Methuen 1964 (ins Englische übersetzt von Michael Bullock). – Id. New York: Hill & Wang 1964.

Tva dramer. Biedermann och pyromanera. Andorra. Stockholm: Albert Bonniers 1964 (ins Schwedische übersetzt von Olof Molandér).

Andorra. Prag: Orbis 1964 (ins Tschechische übersetzt von Bohumil Černik).

Andorra. Paris: Gallimard 1965 (ins Französische übersetzt von Armand Jacob).

Andorra. In: *Világszinpad* [Anthologie]. Budapest: Magvető 1970. S. 299-371 (ins Ungarische übersetzt von György Rónay).

Andorra. Hg. v. Lennart Pallstedt u. Arne Remgård. Lund: CWK Gleerup 1972 (ins Schwedische übersetzt von Birger Bjerre).

1.2. Aufführungen

Uraufführung:
2., 3. u. 4. 11. 1961 im Schauspielhaus Zürich.
Regie: Kurt Hirschfeld
Bühnenbild: Teo Otto
Andri: Peter Brogle
Barblin: Kathrin Schmid
Lehrer: Ernst Schröder

Deutsche
Erstaufführungen:
20. 1. 1962 in –
Düsseldorfer Schauspielhaus.
Regie: Reinhart Spörri
Bühnenbild: Teo Otto
Andri: Karl-Heinz Martell
Barblin: Hannelore Fischer
Der Lehrer: Karl Maria Schley

Städtische Bühnen Frankfurt.
Regie: Harry Buckwitz
Bühnenbild: Teo Otto
Andri: Ernst Jacobi
Barblin: Marianne Lochert
Lehrer: Hans Caninenberg

Kammerspiele München.
Regie: Hans Schweikart
Bühnenbild: H. W. Lenneweit
Andri: Gerd Baltus
Barblin: Gertrud Kückelmann
Lehrer: Peter Lühr

23. 3. 1962 im Schiller-Theater, Berlin.
Regie: Fritz Kortner
Bühnenbild: Hansheinrich Palitzsch
Andri: Klaus Kammer
Lehrer: Martin Held

6. 5. 1962 im Württembergischen Staatstheater, Stuttgart.
Regie: Peter Palitzsch
Bühnenbild: Gerd Richter
Andri: Uwe-Jens Pape

Erstaufführungen
im Ausland:
Österreich; Wien, Volkstheater am 29. 3. 1962.
Regie: Leon Epp

Israel, Stadttheater Haifa im März 1962.

DDR; Rostock, Volkstheater im Januar 1963.
Regie:
(in der Volksbühne, Ost-Berlin am 16. 2. 1966)

U.S.A.; New York, Biltmore Theatre am 9. 2. 1963.
Regie: Michael Langham
Andri: Horst Buchholz

Großbritannien; London, National Theatre im Januar 1964.
Regie: Lindsay Anderson

Frankreich; Paris, Théâtre de la Commune in Aubervilliers im
Februar 1965.
Regie: Gabriel Garran
Bühnenbild: André Acquart

2. Rezeption

Folgende Abkürzungen werden verwendet:

ÜMF I   *Über Max Frisch I.* Hg. v. Thomas Beckermann. es
        404. Frankfurt: Suhrkamp 1971.

ÜMF II *Über Max Frisch II.* Hg. v. Walter Schmitz. es 852.
        Frankfurt: Suhrkamp 1976.

Schau   Albrecht Schau (Hg.). *Max Frisch – Beiträge zur
        Wirkungsgeschichte.* Materialien zur deutschen Lite-
        ratur 2. Freiburg: Becksmann 1971.

Die in diesem Band abgedruckten Beiträge werden durch
* gekennzeichnet.

2.1. Interviews

Nöhbauer, Hans F. »Andorra ist überall.« *Abendzeitung*
    (München) v. 27. 1. 1962.

Riess, Curt. »Mitschuldige sind überall. Eine Unterhaltung
    mit Max Frisch über sein neues Stück.« *Die Zeit* v. 3. 11.
    1961.

Serke, Jürgen. »Nicht ohne Antwort. Ein Gespräch mit Max
    Frisch in Frankfurt.« *Frankfurter Rundschau* v. 26. 1. 1962.

Suter, Gody. »Max Frisch: ›Ich habe Glück gehabt‹. Von
    ›Nun singen sie wieder‹ zu ›Andorra‹.« *Die Weltwoche*
    (Zürich) v. 3. 11. 1961.

v. Wiese, Eberhard. »Die Kontinente der eigenen Seele.«
    Hamburger Abendblatt v. 25. 1. 1961.

2.2.   Literatur- und Theaterkritik
2.2.1. Aufführungsberichte

Zur Uraufführung:

[Anonym]. »Max Frisch ›Andorra‹.« *Basler Nachrichten* v.
4./5. 11. 1961.

> Im ganzen lobend; stört sich an den »kurzatmigen Bildern [. . .], die
> beim Zuschauer kein starkes Mitgehen, kein Ergriffensein aufkommen
> lassen.«

Beckmann, Heinz. »Endlich ein Zeitstück! Max Frisch und der Jude von Andorra.« *Rheinischer Merkur* v. 10. 11. 1961.

Brock-Sulzer, Elisabeth. »Max Frisch: ›Andorra‹.« *Die Tat* v. 4. 11. 1961.

*Brock-Sulzer, Elisabeth. »›Andorra‹ oder die mörderischen Bilder. Uraufführung von Max Frisch in Zürich.« *FAZ* v. 6. 11. 1961.

*Holz, Hans Heinz. »Der kleine Judenjunge von drüben.« *Westdeutsche Zeitung.* (Mönchengladbach) v. 17. 11. 1961.

Jacobi, Johannes. »Andorra zum Beispiel.« *Die Zeit* v. 10. 11. 1961.

> *Andorra* als die »dramatisch-künstlerische Sublimierung [...] von Schweizer Paradieshaftigkeit und einem Massenwahn, der zuletzt in der deutschen Judenausrottung gipfelte, aber jederzeit und überall wieder aufbrechen kann.« »Das Ganze: kraftvolles modernes Theater, stilistisch verpflichtet dem dramaturgischen Geiste Brechts.« Beim Publikum »eine amüsierte Resonanz der Betroffenheit: Das sind wir.« (bei den Reden des Doktors).

*Kaiser, Joachim. »Die Andorraner sind unbelehrbar. Max Frischs Drama ›Andorra‹ in Zürich uraufgeführt.« *FAZ* v. 4./5. 11. 1961.

Kalenter, Ossip. »Max Frisch ›Andorra‹.« *Tagesspiegel* (Berlin) v. 9. 11. 1961.

Landau, Edwin Maria. »Max Frisch ›Andorra‹.« *Der Tag.* (Berlin) v. 7. 11. 1961.

Luft, Friedrich. »›Blickt in eure Spiegel und ekelt euch!‹ Vom Mechanismus tödlicher Vorurteile: Max Frischs neues Schauspiel ›Andorra‹.« *Die Welt* v. 6. 11. 1961.

> »Frisch ist hier gelungen, einmal ohne alle Beschönigung ein Grundübel der Epoche aufzuklappen. Hier ist der Mechanismus tödlicher Vorurteile zu sehen.« »Das exakte Übel, wird es genau fixiert und beschrieben, kann vom Übel erlösen.« Wertung: »ein sehr ansehbares, ein wichtiges, ein höchst bühnengutes Stück in unserer eigenen Sprache endlich wieder [...] ein überzeitliches Zeitstück«.

*Melchinger, Siegfried. »Der Jude in Andorra. Max Frischs neues Stück im Schauspielhaus Zürich uraufgeführt.« *Stuttgarter Zeitung* v. 4. 11. 1961.

*Rischbieter, Henning u. Michael Hampe. »›Andorra‹ von Max Frisch in Zürich.« *Theater heute* 2, H. 12, 1961. S. 5-10. – ÜMF II. S. 294-298. – Schau. S. 276-279, 286-292.

Schlocker, Georges. »Ausgeklügeltes Andorra.« *Deutsche Zeitung* v. 6. 11. 1961. – Schau. S. 293-295.

Tadelnd. »Es ist immer mißlich, wenn ein ausgedachtes Geschehen an einem realen Punkt der Erde angesiedelt werden soll, ohne daß es durch diese Einpflanzung seinen allgemeingültigen Charakter verlieren soll.«

*Seelig, Carl. »Max Frischs ›Andorra‹.« *National-Zeitung* (Basel) v. 5. 11. 1961.

Suter, Gody. »›Andorra‹. Zur Uraufführung des Stückes von Max Frisch am 2. November 1961 im Schauspielhaus Zürich.« *Die Weltwoche* v. 10. 11. 1961.

»Ich kenne kein Stück, kann mich an kein Theatererlebnis erinnern, das eine größere Wirkung auf mich ausgeübt hätte. [. . .] *Andorra* kann nicht an einem Abend oder an wenigen Tagen zu Ende gedacht, zu Ende gefühlt werden. Das Stück geht weiter, auch wenn der Vorhang gefallen, der Theatersaal leer ist.«

Torberg, Friedrich. »Ein fruchtbares Mißverständnis. Notizen zur Zürcher Uraufführung des Schauspiels ›Andorra‹ von Max Frisch.« *Das Forum* (Wien) 1961. S. 455-456. – Schau. S. 296-299.

Zwar sei *Andorra* »eine der stärksten Herausforderungen, die seit Jahr und Tag von der deutschen Bühne ausgegangen ist«, aber doch auch »ein Lehrstück mit verteilten Funktionen, das nur durch die immanente Sprengkraft seines Themas vor der Langeweile bewahrt wird.« Das »fundamentale Mißverständnis des Stücks«: »Jude, Jude-Sein, Judentum mögen als Begriffe oder Tatbestände der Eindeutigkeit entraten. Man kann vielleicht nicht ganz genau sagen, was sie *sind*. Aber man kann ganz genau sagen, was sie *nicht* sind: sie sind keine Modelle, sie sind keine austauschbaren Objekte beliebiger [. . .] Vorurteile, wie ja auch der Antisemitismus kein beliebiges [. . .] Vorurteil ist. [. . .] Es geht schon ein wenig darüber hinaus, ins Meta-Physische, sofern das im Zusammenhang mit Max Frisch gesagt werden darf.«

*Von Dach, Carlotte. »›Andorra‹. Uraufführung eines Schauspiels von Max Frisch.« *Der Bund* (Bern) v. 5. 11. 1961.

von Wiese, Eberhard. »Ein Modellfall für die Schuld.« *Hamburger Abendblatt* v. 6. 11. 1961.

Lobend. »*Andorra* – ein Bühnenmodell des Schuldigwerdens.« »ein zeitloses Zeitstück«.

Weber, Werner. »Max Frisch: ›Andorra‹. Uraufführung im Schauspielhaus Zürich (2. November).« *Neue Zürcher Zeitung* v. 4. 11. 1961.

Trotz Einwänden (»Die Judenschauerszene ist nur zeigbar im Wort, nicht in Geste und Sache.«) lobende Kritik mit klugen Hinweisen zum künstlerischen Verfahren der Abstraktion, zur Sprache, zu den »drei Stoffgruppen« Antisemitismus, Bildnisthema, Unbelehrtheit der Schuldigen.

Westecker, Wilhelm. »Andorra in und um uns. Max Frischs neues Stück uraufgeführt.« *Christ und Welt* v. 8. 11. 1961.

Trotz mancher Einwände (warum erschlagen nicht die Andorraner den Juden?) Anerkennung des künstlerischen Wertes *Andorras*.

Zur deutschen Erstaufführung:

*»Dreimal ›Andorra‹.« [Besprechungen der dt. Erstaufführungen von A. S. Vellinghausen, G. Rühle u. W. Drews]. *Frankfurter Allgemeine Zeitung* v. 21. 1. 1962.

Braun, Hanns. »Andorra in deutscher Sicht. Max Frisch in München.« *Rheinischer Merkur* v. 26. 1. 1962.

»Uns hilft es nichts, daß wir nicht die Andorraner der Modellhandlung sind, denn wir sind ganz gewiß ›die Schwarzen‹, die dort den in Lieblosigkeit und Vorurteilen angebahnten Judenmord organisatorisch-perfekt ausführen. Daß keine SS-Uniformen modellgetreu vorgestellt werden, ist eine poetische Scham, die jedenfalls unsere Blößen nur kümmerlich bedeckt; und Andorraner haben wir noch obendrein.«

de Haas, Hellmuth u. Erich Pfeiffer-Belli. »Betroffen und begeistert. Nach Zürich nun in München und Düsseldorf Frischs ›Andorra‹.« *Die Welt* v. 23. 1. 1962.

Jacobi, Johannes. »Fünf deutsche Bühnen im Spiegel von Max Frischs ›Andorra‹. Aufführungen in München, Frankfurt, Düsseldorf, Hamburg und Berlin.« *Die Zeit* v. 30. 3. 1962.

*Kaiser, Jochaim. »Andorra in Deutschland. Max Frischs Modellstück an den Münchner Kammerspielen erstaufgeführt.« *Süddeutsche Zeitung* v. 22. 1. 1962.

Kramberg, Karlheinz. »Max Frischs ›Andorra‹.« *Süddeutsche Zeitung* v. 10. 2. 1962.

Plunien, Eo. »Buckwitz fand das Modell. ›Andorra‹ jetzt in Frankfurt.« *Die Welt* v. 12. 2. 1962.

Rischbieter, Henning. »»Andorra‹ in München, Frankfurt und Düsseldorf.« *Theater heute* 3, H. 3, 1962. S. 5-15.

Weitere Aufführungen im deutschsprachigen Raum:

[Anonym]. »Mit unheimlicher Arglosigkeit. Kortners ›Andorra‹-Inszenierung in Berlin.« *FAZ* v. 26. 3. 1962.

Bellmann, Günther. »Sie wollen's nicht wissen. Erfolgreiche DDR-Erstaufführung von Max Frischs ›Andorra‹ am Volkstheater Rostock.« *BZ am Abend* (Berlin/DDR) v. 31. 1. 1963.

Eichler, Rolf-Dieter. »Die es nicht gewesen sein wollen. Max Frischs ›Andorra‹ in der Berliner Volksbühne.« *National-Zeitung* (Berlin/DDR) v. 24. 2. 1963.

Ferber, Christian. »Andorra gibt es überall. Max Frischs jüngstes Stück jetzt in Hamburg erstaufgeführt.« *Die Welt* v. 21. 3. 1962.

Ferber, Christian. »Jeder ist damit gemeint. Beispielhafte Inszenierung: ›Andorra‹ in Kortners Regie.« *Die Welt* v. 27. 3. 1962.

Fügenschuh, Susanne. »›Andorra‹, Schauspiel von Max Frisch. DDR-Erstaufführung in Rostock.« *Norddeutsche Neueste Nachrichten* (Rostock) v. 5. 2. 1963.

Funke, Christoph. »Andri und die anderen. ›Andorra‹ von Max Frisch im Volkstheater Rostock.« *Der Morgen* (Berlin/DDR) v. 23. 3. 1966.

*Kaiser, Joachim. »Verdammte in Andorra.« *Das Schönste* 1962, H. 7, S. 15-17.

Kaiser, Joachim. (»Andorra«). In: »Höhepunkte der Saison von dreizehn Kritikern bezeichnet.« *Theater heute* 3, H. 13, 1962. S. 68-69.
Zur Kortner-Inszenierung.

Karsch, Walther. »Andorra.« *Tagesspiegel* (Berlin) v. 26. 4. 1962. – W. K. *Wort und Spiel. Aus der Chronik eines Theaterkritikers 1945-1962*. Berlin: Argon 1962. S. 439-443.
Einwände: (1) Es bleibt unklar, warum die Señora Andri nicht die Wahrheit sagt; (2) Barblin läßt sich von Peider vergewaltigen, noch ehe sie weiß, daß Andri ihr Halbbruder ist.

Kerndl, Rainer. »›Sie hassen nur den, der sie daran erinnert.‹ Max Frischs ›Andorra‹ im Volkstheater Rostock.« *Neues Deutschland* v. 1. 2. 1963.

*Kerndl, Rainer. »Feigheit ist unmenschlich. Zur ›Andorra‹-Inszenierung an der Volksbühne.« *Neues Deutschland* v.

26. 2. 1966.

Luft, Friedrich. (»Andorra.«) In: »Höhepunkte der Saison von dreizehn Kritikern bezeichnet.« *Theater heute* 3, H. 13, 1962. S. 69.

Zur Kortner-Inszenierung.

*Michaelis, Rolf. »Andorra bei uns. Peter Palitzsch inszeniert Max Frischs Stück in Stuttgart.« *Stuttgarter Zeitung* v. 8. 5. 1962.

Niehoff, Karena. »Berliner Beifall für ›Andorra‹.« *Süddeutsche Zeitung* v. 26. 3. 1962.

Preihs, Manfred. »»Andorra‹ – ein Zeitstück. Langanhaltender Beifall für DDR-Erstaufführung im Volkstheater Rostock.« *Ostseezeitung* (Rostock) v. 31. 1. 1963.

Rischbieter, Henning. »Max Frischs ›Andorra‹.« *Theater heute* 3, H. 5, 1962, S. 45.

Rödel, Fritz. ». . . sie wollen's nicht wissen. ›Andorra‹ von Max Frisch im Volkstheater Rostock.« *Berliner Zeitung* (Berlin/DDR) v. 14. 2. 1963.

*Schumacher, Ernst. »»Andorra‹.« *Berliner Zeitung* (Berlin/DDR) v. 19. 2. 1962.

Schumacher, Ernst. »Dramatik aus der Schweiz. Zu Max Frischs ›Andorra‹ und Friedrich Dürrenmatts ›Die Physiker‹.« *Theater der Zeit* 17, H. 5, 1962. S. 63-71.

Ser. »Max Frischs ›Andorra‹ auf dem Bildschirm.« *Neue Zürcher Zeitung* v. 23. 10. 1964.

*Weigel, Hans. »Warnung vor ›Andorra‹.« *Illustrierte Kronenzeitung* v. 31. 3. 1962.

Wickenburg, Eric G. »»Andorra‹ hat es in Österreich schwer. Max Frisch und andere Wiener Premieren.« *Die Welt* v. 14. 4. 1962.

*Wild, Winfried. »»Andorra‹ als Lehrstück mißverstanden.« *Stuttgarter Nachrichten* v. 8. 5. 1962.

Aufführungen im fremdsprachigen Ausland:

[vgl. die Arbeiten von H. Bänziger u. P. Plett]

*[Anonym]. »»Andorra‹ von Max Frisch im Haifaer Stadttheater.« *Jedioth Hajom*, März 1962.

[Anonym]. »›Andorra‹ in Paris.« *Die Weltwoche* (Zürich) v. 5. 2. 1965.

[Anonym]. »Plays of Ideas (›Andorra‹, ›Firebugs‹).« *Newsweek* 25. 2. 1963. S. 60.

[Anonym]. »›Andorra‹ (New York).« *Theatre World* 60, Nr. 470, 1964. S. 11 ff.

Bode, G. »Zwiefaches Andorra. Theater in London.« *Christ und Welt* v. 24. 4. 1964.

Bökenkamp, Werner. »Ein ehrgeiziger Theaterdirektor. ›Andorra‹ in Aubervilliers.« *Frankfurter Allgemeine Zeitung* v. 4. 2. 1965.

Braun, R. »›Andorra‹ in Stockholm.« *Stuttgarter Zeitung* v. 14. 2. 1962.

Brustein, Robert. »German Guilt and Swiss Indictment. (›Andorra‹, ›Firebugs‹).« *The New Republic* 9, 1963, March. S. 28 ff.

Bryden, R. »Plaything (›Andorra‹).« *New Statesman* 3, 1964. S. 536.

Darlington, W. A. »Mistaken Identity.« *Daily Telegraph* (London) v. 2. 3. 1964.

Davidowitz, J. B. »It Can't Happen Here (›Andorra‹).« *The Jerusalem Post* 2, 1962, March. S. 5.

George, Manfred. »›Andorra‹ scheitert am Broadway.« *Stuttgarter Zeitung* v. 20. 2. 1963.

George, Manfred. »Andorra ist überall (New York).« *Stuttgarter Zeitung* v. 28. 2. 1963.

Habe, Hans. »Ein Brief.« *Neue Zürcher Zeitung* v. 15. 3. 1963.

Kessler, Sinah. »Gutes Theater auf jeden Fall. ›Andorra‹ und ein Griff in die Mottenkiste – Brief aus Mailand.« *Die Welt* v. 3. 12. 1962.

Kranz, H. B. »Andorra wurde schnell abgesetzt – Max Frisch in New York.« *Frankfurter Rundschau* v. 12. 3. 1963.

Liebermann, Rolf. »Warum Andorra scheiterte.« *Süddeutsche Zeitung* v. 21. 3. 1963.

Liebermann, Rolf. »›Andorra‹ in New York.« *Neue Zürcher Zeitung* v. 16. 3. 1963. – Schau. S. 284-285.

*Lietzmann, Sabina. »Unbehagen über ›Andorra‹. Frischs Stück am Broadway.« *Frankfurter Allgemeine Zeitung* v. 12. 2. 1963.

Lietzmann, Sabina. »Warum Frischs ›Andorra‹ in New York

unterging.« *Frankfurter Allgemeine Zeitung* v. 26. 2. 1963.

Mander, Gertrud. »Andorra in England.« *Stuttgarter Zeitung* v. 6. 2. 1964.

*Sahl, Hans. »Der schlecht behandelte Max Frisch. Übersetzung und Regie gegen den Schweizer Autor verschworen – ›Andorra‹ am Broadway.« *Die Welt* v. 26. 2. 1963.

Taubman, Howard. »Frisch Drama Aimed at German Conscience. (›Andorra‹).« *New York Times* (Western Edition) v. 11. 2. 1963.

*Taubman, Howard. »›Andorra‹. European Success Can't Survive on Broadway.« *New York Times* v. 25. 2. 1963.

Trewin, J. C. »Labels and Symbols (›Andorra‹).« *The Illustrated London News* v. 8. 2. 1964.

von Berg, Robert. »Warum Andorra am Broadway scheiterte.« *Süddeutsche Zeitung* v. 23./24. 2. 1963.

von Glasersfeld, Ernst. »›Andorra‹ in Mailand.« *Stuttgarter Zeitung* v. 29. 11. 1962.

Vossen, Frantz. »›Monsieur Frisch, ihr Andorra . . .‹. Zur französischen Erstaufführung im Theater von Aubervilliers.« *Süddeutsche Zeitung* v. 9. 2. 1965.

2.2.2. Literaturgespräch

Bondy, Francois. »Gericht über die Schuldigen. Oder: ›Die Szene wird zum Tribunal‹. Zu Siegfried Lenz' ›Die Zeit der Schuldlosen‹ und Max Frischs ›Andorra‹.« *Der Monat* 14, 1961/62. S. 53-57. – Schau. S. 267-273.

Einwände gegen *Andorra;* das Stück sei zu konstruiert, demonstriere, was man nicht demonstrieren könne: die historische Wirklichkeit der Juden und der Judenverfolgung. Die Elemente der Familientragödie machen Andris Schicksal zum nicht notwendigen Einzelfall; unglaubwürdig sei die Figur des Lehrers. »Der Dichter hat [die] Möglichkeit, das Äußerste im Mittleren zu zeigen, verkannt, wenn er die wirkliche Konsequenz [. . .] auf die Bühne bringen wollte. Das Resultat ist nicht Steigerung, sondern Abschwächung.«

*Braun, Karlheinz. »Andorra, die mörderischen Bilder.« *Programmheft der Städtischen Bühnen Augsburg* 1962. S. 114-117.

Cauvin, Marius. »Max Frisch ›Andorra‹.« *Etudes Germaniques* 18, 1963. S. 321-322.

Enzensberger, Hans Magnus. »Über ›Andorra‹.« *Programm-hefte des Schauspielhauses Zürich 1961/62* [zum 2. 11. 1961]. S. 4-7. – Schau. S. 274-275.

Gessler, Paul. »Zur Deutung von Max Frischs ›Andorra‹.« *Reformatio* 11, 1962. S. 656-663.

*Hilty, Hans Rudolf. »Tabu ›Andorra‹.« *DU* 22, H. 5, 1962. S. 52-54.

Holz, Hans Heinz. »Max Frisch – engagiert und privat.« ÜMF I. S. 235-260.

Über *Andorra* S. 235-246; erweiterte Fassung von Holz in diesem Band.

*Horst, Karl August. »Andorra mit anderen Augen.« *Merkur* 16, 1962. S. 396-399.

*Krapp, Helmut. »Das Gleichnis vom verfälschten Leben.« *Programmhefte der Städtischen Bühnen Frankfurt* 1961/62: H. 6. S. 5-9. – ÜMF II. S. 299-304. – Schau. S. 280-283.

Kuhn, Manfred. »Andorra – überall.« (Leserbrief). *Die Zeit* v. 23. 2. 1962.

Zu Leonhardt: »Die These, Andorra bedeute bei Frisch Deutschland, klingt hier in der Schweiz ganz absurd. Wir haben immer zu wissen gemeint, daß Andorra ganz zweifellos die Schweiz ist, die Schweiz, so wie sie sich Max Frisch im Falle einer Nazi-Besetzung vorstellt, wobei ›die Schwarzen‹ eben die Nazis sind.«

*Leo (= Rudolf Walter Leonhardt). »Wo liegt Andorra?« *Die Zeit* v. 26. 1. 1962.

Pesch, Ludwig. »An der Wahrheit vorbei. Gedanken zu Max Frischs ›Andorra‹.« *Besinnung* 1963, H. 1. S. 25-29.

»Es entspricht nicht der Realität der Menschen, der Gesellschaft und der Geschichte, wenn man das Problem des Vorurteils dadurch lösen zu können meint, daß man die Unterschiede zwischen den Menschen einfach negiert.« »Frisch verwässert die Problematik [. . .], wenn er den Juden zum Nichtjuden macht.« »Frisch hat also die religiöse und historische Realität des Juden kaum begriffen. Er gibt denen recht, die in völliger Verkennung des Toleranzbegriffs den andern erst dann ertragen, wenn er kein anderer mehr ist.« (S. 27) Die Andri-Barblin-Szenen seien im Stil der *»Gartenlaube«*. »Die idealistische Negation der Realität und die operettenhafte Konstruktion korrumpieren den Stil so sehr, daß man am Publikum, mehr noch an den Rezensenten zweifelt, die dieses Stück zu einem Meisterwerk des deutschen Nach-kriegstheaters erklärten.« (S. 29)

Riess, Curt. »Antisemitismus als Jux. Georg Kreisler gibt vor, ›Andorra‹ zu parodieren.« *Die Zeit* v. 25. 1. 1963.

Rez. v.: G. Kreisler. *Sodom und Andorra. Eine Parodie.* Schaan/Liechtenstein: Estam Verlag 1963. Kreisler »beherrscht die kleine Form der Parodie. Zur großen Form der Parodie aber reicht es bei ihm nicht.« Sein Versuch sei latent antisemitisch, langweilig, ein Machwerk. Vgl. Frühwald/Schmitz S. 147-148.

*Schmid, Karl. »Max Frisch ›Andorra‹. Das Buch der Woche.« Zürich: Schweizer Fernsehen, Sendung v. 26. 4. 1962.

Seiser, Robert. »Noch einmal: ›Andorra. Ein Lehrstück ohne Lehre‹.« *Die Christengemeinschaft* 34, 1962. S. 348-349.

Kritisch aus christlicher Sicht; »Max Frisch macht sich [...] in Andri das Bildnis eines Juden (der keiner ist). Er macht ihn zu einem theoretischen Symbol, zu einem Bild-Symbol, um daran die Gleichheit aller Menschen aufzuzeigen, und verfällt damit nur um so tiefer in deren Unterscheidungen. Man kann nicht *den Menschen* erlebbar machen, indem man Rassendifferenzierungen aufzeigt.« (S. 349)

2.3. Germanistische Arbeiten

2.3.1. Studien und Interpretationen

Aurin, Kurt. »Andorra – ein psychologisches Modell.« In: *Politische Psychologie. Bd. 3: Vorurteile. Ihre Erforschung und ihre Bekämpfung.* Frankfurt: Europäische Verlagsanstalt 1969. S. 95-112. – Schau. S. 248-266.

Andorra als »Lehrstück der Sozialpsychologie« und exemplarische Vergegenwärtigung »konkreter Wirklichkeit« (S. 249) von »hohem erzieherischen Gehalt« (S. 248): »Der herausdestillierbare Gehalt [...] erstreckt sich über das Psychologische in den anthropologischen und metaphysischen Bereich.« (S. 249) Anregende, von Textnacherzählungen illustrierte Gedanken zu Vorurteil und Selbstbild, Abwehr und Selbsterhaltungsmechanismen, Ideologisierung des Vaterlandes; durchweg pädagogischer Bezug mit Ratschlägen zur Vermeidung des Vorurteils, Erinnerung an die Grenzen freier Meinungsäußerung, Aufruf zur politisch verantworteten Zukunftsgestaltung.

Bänziger, Hans. »Andorra und die Welt.« In: H. B. *Zwischen Protest und Traditionsbewußtsein. Arbeiten zum Werk und zur gesellschaftlichen Stellung Max Frischs.* Bern: Francke 1975. S. 76-93.

Informative Nachweise und Zitate, sparsam gedeutet, zur *Andorra*-Rezeption in der Schweiz, der BRD, Österreich, Tschechoslowakei,

Rußland, Japan, England, USA; drei abschließende Seiten über den Wandel des Bildes der Schweiz im Ausland.

Bänziger, Hans. *Frisch und Dürrenmatt*. 6. Aufl. Bern: Francke 1971 (1. Aufl. 1960).

Zu *Andorra* S. 106-113 essayistische Zusammenfassung des Forschungsstandes mit nützlichen Hinweisen zur literarischen Tradition (Lessing, *Nathan der Weise*), zur Rezeption. *Andorra* sei ein politisches Stück, aber in seinem humanen Engagement kein bloßes Zeitstück.

Biedermann, Marianne. *Das politische Theater von Max Frisch*. Theater unserer Zeit 13. Lampertheim: Schäuble 1974.

Über *Andorra* S. 53-93, 154-156 u. 159-160. – Versuch, anhand der Personentypologie den Aufbau der andorranischen Modellgesellschaft zu rekonstruieren, die sich freilich »weder geographisch, noch historisch« einordnen lasse. Ablehnung der von Karasek vorgeschlagenen Unterscheidung zwischen »Modell« und »Parabel«. Negative Wertung des Verzichts auf die genetisch-historische Ausrichtung der Parabel in *Andorra:* »These [...], daß die Abstraktion von allen politischen, wirtschaftlichen und gesellschaftlichen Besonderheiten zur ›Modelldichtung‹ führen muß. Deren Vereinfachungen beeinträchtigen jedoch nicht allein die politische Wirkung, sondern [...] auch die ästhetische Qualität.« (S. 82) Nur in den Oberflächenphänomenen genaue Darstellung des Antisemitismus, der nicht genügend in der geschilderten Gesellschaftsstruktur begründet sei. Deshalb gewinne Andris Schicksal tragische Züge, lade das Stück (besonders auch wegen der in der rahmenden Gerichtsverhandlung demonstrierten Unbelehrtheit der Schuldigen) zur Resignation vor dem Unabänderlichen ein. Es appelliere »letztlich an die moralische Verantwortung des Einzelnen [...], ohne an Einsicht und Vernunft der Menschen zu glauben«, sei also weder »politisches Theater im engeren, zeitgenössischen Sinn, noch [...] dialektisches Theater« (S. 93). – Brauchbare Hinweise auf Brecht (Gerichtsmotiv, *Die Rundköpfe und die Spitzköpfe*).

Biedermann, Marianne »Politisches Theater oder radikale Verinnerlichung?« *Text und Kritik* 47/48, 1975.

Über *Andorra* S. 48-52; aus B.'s vorhergehender Monographie übernommene Thesen.

Durzak, Manfred. *Dürrenmatt, Frisch, Weiss. Deutsches Drama der Gegenwart zwischen Kritik und Utopie*. 2. Aufl. Stuttgart: Reclam 1972.

Kapitel »Zwischen Schicksalsdrama und dramatischem Modell: ›Andorra‹.« S. 219-230. – Unpräzis, aber flüssig formulierte Sammlung der bis dahin vorgebrachten Einwände gegen *Andorra*, abgestützt durch Thesen zum Rezeptionsverlauf: »Das Geheimnis des Erfolges von *Andorra* in Deutschland bestünde also darin, daß Frischs Stück auf diese damals allgemein verbreitete Haltung (einer bloß moralischen Vergangenheitsbewältigung und Regenerationsbewegung) traf, daß man sich deshalb so emphatisch mit *Andorra* identifizierte, weil es jenen Akt der Gewissensbereinigung in modellhafter Allgemeinheit vorführte, vor dessen juristischen Details sich viele individuell zu fürchten hatten. [...] Dann wäre also nicht nur der psychologische Mechanismus der Kollektivschuld an dem Erfolg des Stückes beteiligt gewesen, sondern auch die ästhetische Unverbindlichkeit des modellhaft demonstrierten Falles. (S. 221) Tadel der »Vermischung von individueller Moral und politischer Aktion« (S. 224): »Die historische Faktizität und die künstlerische Thematik inkongruent.« (S. 224) Kritik an der Zeichnung des Andri: »Die Unwahrheit der Figur liegt zumindest gegen Ende des Stückes darin, daß Andri seine Verzweiflung nicht als die seiner individuellen Situation bekennt, sondern sich zum stellvertretenden Leidtragenden des jüdischen Volkes stilisiert«, »in die Rolle des ewigen Juden, des Ahasverus, hineinwächst« (S. 228).

Frühwald, Wolfgang. »Wo ist Andorra? Zu einem poetischen Modell Max Frischs.« *Beiträge zu den Ferienkursen des Goethe-Instituts für Deutschlehrer und Hochschulgermanisten aus dem Ausland* (München) 1966. S. 18-23. – ÜMF II. S. 305-313.

Wichtiger Aufsatz, der mittels einer »Leitwortanalyse« u. a. die beiden Teilfabeln des Stückes aufdeckt: Bild 1-6: die Andorraner drängen Andri ein Bildnis auf; Bild 7-12: »Andri, der [...] von Geburt kein Jude ist, macht sich unter dem Diktat der Umwelt von sich selbst das Bildnis eines Juden.« Dies sei »sein Eingriff in das Leben des Vaters und der Andorraner. Andri zwingt die Mörder in die Ausweglosigkeit ihrer Schuld.« Darin bestehe »die paradoxe Schuld des Verratenen an der Schuld der Verräter« (S. 311). »Wenn aber in diesem Stück nicht in Einzelfällen zu denken ist, wenn es nicht um die Schuld des Einzelnen oder einer Gruppe von Menschen geht, sondern ausschließlich um Schuldrelationen, um die unlösbare Schuldverflechtung im lebendigen Raum des menschlichen Miteinander, dann ist *Andorra* nicht allein [...] Zeitmodell, sondern, auf dem Umweg über das Modell einer historisch fixierbaren Zeit, Modell der Wirklichkeit.« (S. 312)

Frühwald, Wolfgang u. Walter Schmitz, *Max Frisch. Andorra/ Wilhelm Tell. Materialien, Kommentare.* RH 243. Literatur-Kommentare 9. München: Hanser 1977.

S. 16-82, 114-116 (Abbildungen) u. 123-149 die bislang umfassendste Behandlung *Andorras;* darstellende, kommentierende und deutende

Abschnitte zur Entstehung, zeitgeschichtlichem und kulturellem Kontext (Bewältigungsliteratur), existenzphilosophischer und sozialpsychologischer Erhellung des Antisemitismus (Vorurteilsforschung und Stereotypenlehre), Sprache und Stil, Rezeptionsgeschichte. Zu den interpretatorischen Grundlinien vgl. Frühwald.

Haberkamm, Klaus. »Die alte Dame in Andorra. Zwei Schweizer Parabeln des nationalsozialistischen Antisemitismus.« In: Hans Wagener (Hg.). *Gegenwartsliteratur und Drittes Reich. Deutsche Autoren in der Auseinandersetzung mit der Vergangenheit*. Stuttgart: Reclam 1977. S. 95-110.

»Transponierung der parabolischen Wirklichkeit in analoge geschichtlich-authentische Realitäten« (S. 95) »mit Hilfe der kontrollierten Assoziation« (S. 99); nützlich der Motivvergleich S. 100. *Besuch der alten Dame* als Parabel des nationalsozialistischen Antisemitismus, *Andorra* als Parabel der nationalsozialistischen Machtergreifung – und umgekehrt.

Hegele, Wolfgang. »Max Frisch: ›Andorra‹.« *Der Deutschunterricht* 20, H. 3, 1968. S. 35-50. – ÜMF I. S. 172-191.

Gründliche, den Forschungsstand summierende und erweiternde Standarddeutung. – Zwei Problemkreise: »das Problem des Massenwahns und das Problem der Persönlichkeit.« (ÜMF S. 180) Paradoxe Verschränkung: »Andri scheint der Unfreieste zu sein, der schuldlos einer tödlichen Verstrickung preisgegeben ist, und dennoch bringt er (in der »Selbstwahl« als Jude) mehr innere Freiheit auf als die andern. Der Teufelsmechanismus des Massenwahns läßt ihn die Wahrheit über seine bürgerliche Identität verfehlen, und dennoch kommt er mehr als alle andern zu sich selbst.« (S. 183) »Tragisch an diesem Geschehen ist, daß der Bessere, der seine innere Freiheit nicht aufzugeben bereit ist, der [wie Andri und Can, dramaturgisch sein Gegenspieler] die andern durchschaut, das Böse erkennt und nach der Wahrheit fragt, dennoch durch die anscheinend notwendig erfolgenden Auswirkungen des Massenwahns vernichtet wird.« (S. 189) – Viele nützliche Vorschläge zur schulischen Behandlung, bes. S. 185-187, 190. – Vergleiche mit Büchners *Woyzeck* u. Hebbels *Maria Magdalena*.

Jurgensen, Manfred. *Max Frisch. Die Dramen*. 2. Aufl. Bern: Francke 1976 (1. Aufl. 1968).

S. 80-90 anregende, wenn auch etwas spekulative *Andorra*-Interpretation: »Es geht [. . .] weder um das Verhältnis des Autors zur Leserschaft, noch um das Problem des Antisemitismus an sich, sondern beide dienen im Grunde nur mehr als Zugang zur modellhaften Darstellung eines alten Frisch-Themas: der Mensch auf der Suche nach seiner Identität.« (S. 82) Andri als Künstlerfigur: »Andri spielt mit den

Andorranern – als Künstler. Der hypothetische Jude veranschaulicht die Rolle des Schriftstellers in der Gesellschaft.« Erzwungene Wandlung des »Künstlers« zum »Andorraner«: »Andri erscheint als letzter, flackernder Lebensfunke in der Seele des andorranischen Bürgers. Nachdem die Andorraner ihren eigenen Andri an die ›Schwarzen‹ verraten haben, existieren sie selbst nurmehr als Masken des Todes.« (S. 89) Dramaturgische Spiegelung der Gegensätze Leben/Tod u. Kunst/Bürgertum im Widerspiel von bewegt-dramatischem »privathäuslichen« Handlungsbereich und statischer »öffentlich-gesellschaftlicher« Sphäre. *Andorra* verwirkliche Frischs »Dramaturgie der dialektischen Vorherrschaft«: »Die von Brecht angeführten Gegensätze des dramatischen und epischen Theaters werden hier harmonisch aufgehoben.« (S. 84)

Karasek, Hellmuth. *Max Frisch*. Friedrichs Dramatiker des Welttheaters 17. 5. Aufl. Friedrich: Velber 1974 (Nachdruck bei dtv, Nr. 6817).

Zu *Andorra* S. 80-90; Szenenphotos S. 111-119. – »In *Andorra* ist das große Thema Frischs (Bildnis) zu sich selbst gekommen.« (S. 81) – *Andorra* als Stück »markierte [. . .], einen vorläufig letzten Höhepunkt des Dramas, das sich in der Nachfolge Brechts entwickelte, Wirklichkeit von Tatsächlichkeit befreite.« (S. 85) »*Andorra* ist [. . .] ein Modell, weil es ein Beispiel entwickelt, dessen tödliche Mechanik wiederholbar ist. Anders als die Parabel verdichtet und verfremdet das Modell nicht etwa tatsächliche Geschehnisse auf die ihnen innewohnenden beispielhaften, von allen Zufällen befreiten Züge [. . .], sondern entwirft eine soziologische Konstellation, die sich zur Wirklichkeit erweitern läßt.« (S. 81) »Problematisch ist diese Modell-Skizze deshalb, weil sie dem Vorurteil keinerlei Gründe zubilligt, es [. . .] nur in Reaktionen zeigt.« (S. 83) Weitere Schwächen: Motivierung im Privaten, verkürzter Toleranzbegriff (vgl. Petsch). Hinweis auf W. M. Diggelmanns Polemik gegen *Andorra* im Vorwort des Romans *Die Hinterlassenschaft*. Zur Aufführungsgeschichte S. 104, 121-124.

Meinert, Dietrich. »Objektivität und Subjektivität des Existenzbewußtseins in Max Frischs ›Andorra‹.« *Acta Germanica* 2, 1967. S. 117-124.

Ablehnung der bloß historischen Deutung: »Der Begriff Jude ist hier als Symbol gebraucht.« (S. 122) Als thematischer Kern das »Paradoxon von subjektiver und objektiver Wahrheit« (S. 121): »Andri ist dann frei, wenn er annimmt, Jude zu sein, wenn die (objektive) Unwahrheit für ihn (subjektiv) zur [. . .] Wahrheit geworden ist. [. . .] Die einzige Form der Freiheit [. . .] ist das Aufgeben des wirklichen Ich, weil es ein solches für den Menschen innerhalb seiner Gesellschaft nicht gebe kann.« (S. 123) Dennoch: »die Subjektivierung der objektiven Wahrheit ist Andris wahre Schuld.« (S. 124)

*Pütz, Peter. »Max Frischs ›Andorra‹ – ein Modell der Mißverständnisse.« *Text und Kritik* 47/48, 1975. S. 37-43.

Schau, Albrecht. »Modell und Skizze als Darbietungsformen der Frischschen Dichtung dargestellt an ›Der andorranische Jude‹.« In: *Studies in Swiss Literature*. Brisbane: Univ. of Queensland/Australia, Dpt. of German 1971. S. 107-122.

> Behandelt nur die Vorform des Dramas im *Tagebuch 1946-1949*. – Exkurs zu Modell (sozio-psychologisch) und Skizze (literarhistorisch; Verweis auf die Romantik) S. 109-113; im Hauptteil Untersuchung ihrer Formeigenschaften: (symbolische) Komprimiertheit u. Typisierung; obligatorischer Zeitkern der Modellerzählung: in Frischs Skizze die Schweizer und die deutsche Geschichte. – Exkurs zu Rolle und Vorurteil (S. 120-122); im Hauptteil am Text aufgefächert nach den Kategorien: Projektion, Kompensierung, Verdrängung.

Weisstein, Ulrich. *Max Frisch*. Twayne's World Authors Series 21. New York; Twayne 1967.

> S. 155-164: »Andorra within Ourselves«. Kenntnisreiche Übersicht, orientiert am damaligen Forschungsstand. Vergleich der Tagebuchskizze mit dem Stück: »in the finished product the tension is primarily the result of the interplay between Andris personal life and his public image, a dialectic that is as yet undeveloped is the sketch.« (S. 157) – Im Stück drei verschiedene Handlungsstränge und -ebenen: ein psychologischer, ein sozialer und ein politischer. – Literarhistorische Verweise auf Brechts *Die Rundköpfe und die Spitzköpfe*, Büchners *Woyzeck*.

*Wysling, Hans. »Dramaturgische Probleme in Frischs ›Andorra‹ und Dürrenmatts ›Besuch der alten Dame‹.« In: Leonard Forster u. Hans-Gert Roloff (Hg.). *Akten des V. Internationalen Germanisten-Kongresses Cambridge 1975*. Jahrbuch für Internationale Germanistik. Reihe A: Kongreßberichte, Bd. 2, H. 3. Bern/Frankfurt: Lang 1976. S. 425-431.

2.3.2. Didaktisch ausgerichtete Beiträge

[Siehe auch unter 2.2.1.: Aurin, Frühwald/Schmitz, Hegele.]

Eckart, Rolf. *Max Frisch: »Andorra«. Interpretation.* Interpretationen zum Deutschunterricht. München: Oldenbourg 1965.

Als »Handreichung für den Deutschlehrer« (S. 9) gedachtes Büchlein; recht ausführliche, großzügig zitierende Erläuterungen zum dramatischen Spannungsgefüge, zur Sprache einiger Figuren (Pater, Lehrer, Doktor, Andri), zum Symbol (mit Nachweis von Bibelanspielungen, vgl. Frühwald/Schmitz S. 62-64), zum Bildnis, sowie im Anhang »Materialien zum Bildnisthema« (S. 66-74); Interpretation am Rezeptionskonsens ausgerichtet, vgl. den späteren Aufsatz von Hegele.

Heidenreich, Sibylle. *Andorra. Biedermann und die Brandstifter.* Analysen und Reflexionen 9. 2. Aufl. Hollfeld, Obfr.: Beyer 1974.

50 Seiten zu *Andorra;* weitgehend nacherzählend in Handlungsaufriß und Personencharakterisierung; Interpretation u. a. angelehnt an Petersen, Enzensberger, Krapp, Eckart, Hegele, außerdem an Äußerungen Max Frischs.

*Hüning, Franz Josef. »Pluralistische Textanalyse als kooperative Unterrichtsform. Dargestellt am Beispiel von Max Frischs ›Andorra‹, 1. Bild.« *Der Deutschunterricht* 25, 1973. S. 90-102.

Lohmann, Christa. »Das Judenproblem im Literaturunterricht. (Ein Unterrichtsbeispiel für die Oberstufe). *Der Deutschunterricht* 18, H. 2, 1966. S. 79-90.

Textreihe: A. Goes, *Das Brandopfer;* E. Langgässer, *Saisonbeginn;* zu *Andorra* S. 85-89. – Vorgehen nach Leitfragen zu Handlungsaufbau, Geschichtsbezug, Sprache, Personen, Zeugenauftritten, Schuldproblem. Erweiterung der »Problemstellung ›Judenfrage‹ zu der des menschlichen Vorurteils schlechthin« (S. 89).

Plett, Peter C. *Dokumente zu Max Frischs »Andorra«.* Arbeitsmaterialien Deutsch. Stuttgart: Klett 1972.

Schmale, im einzelnen nützliche Sammlung von Auszügen aus Frischs Selbstzeugnissen zu Dramaturgie und Deutung *Andorras,* aus der deutschsprachigen Theaterkritik (auch zu Auslandsaufführungen) und der gängigen Sekundärliteratur.

Rosebrock, Theo. *Erläuterungen zu Max Frischs »Andorra«, »Biedermann und die Brandstifter«.* Königs Erläuterungen 145. Hollfeld, Obfr.: Bange o. J.

Zu *Andorra* S. 15-42 je ein Bekanntes sehr anspruchslos referierendes Kapitel zu Entstehung und Aufnahme, Gang der Handlung, Hauptpersonen, Interpretation; einige Dokumente zum »rassischen Vorurteil und zur Judenverfolgung«; Dispositionen für vier Schulaufsätze.

Archipow, Juri. »Max Frisch auf der Suche nach der verlorenen Einheit.« In: M. F. *Stücke*. Leipzig: Reclam 1973. S. 299-337.

Über *Andorra* S. 330-331: »Frisch zeigt die allgemeine Struktur von (vorurteilshaften) Beziehungen [. . .], er liefert eine Funktion, die verschiedene Variable haben kann.« (S. 331) Naheliegend der Bezug auf die Schweiz.

Butzlaff, Wolfgang. »Die Darstellung der Jahre 1933-1945 im deutschen Drama.« *Der Deutschunterricht* 16, H. 3, 1964. S. 25-38.

Zu *Andorra* S. 30 dieser motivsystematischen Darstellung im Abschnitt »Judenverfolgung. Schuldfrage«.

Dahms, Erna. *Zeit und Zeitgestaltung in den Werken Max Frischs. Bedeutung und technische Darstellung.* Quellen und Forschungen zur Sprach- und Kulturgeschichte der germanischen Völker N.F. 67. Berlin: de Gruyter 1976.

Stoffstatistische Arbeit, die eine große Menge von Belegen, nicht wenige aus *Andorra*, sowohl für die textinterne Zeiterfahrung, als auch zur poetischen Technik der Zeitgestaltung sammelt.

Demetz, Peter. »Max Frisch.« In: P. D. *Die süße Anarchie. Skizzen zur deutschen Literatur seit 1945.* Ullstein Taschenbuch. Frankfurt: Ullstein 1973. S. 135-150.

Über *Andorra* S. 145-146; Vorwurf der mißlungenen Psychologisierung von Geschichte: »*Andorra* soll es mit dem Antisemitismus zu tun haben, aber da Frisch zu seinem privaten Problem des spontanen Ich und der ihm aufgezwungenen Vorstellungsbilder zurückkehrt, weicht er den konkreten Fragen der Gewalt und der Geschichte im Bogen aus.« (S. 145)

Emmel, Hildegard. »Parodie und Konvention: Max Frisch.« In: H. E. *Das Gericht in der deutschen Literatur des 20. Jahrhunderts.* Bern: Francke 1963. S. 120-150.

S. 124-133 über *Andorra*. – Interpretierende Nacherzählung; Querverweise auf *Die Chinesische Mauer* und *Stiller*. – Kritik am Verhalten des Pater Benedikt: »Wie Petrus seinen Herrn verleugnet, so wird der Priester [. . .] als einer, auf den es besonders ankam, mehr als alle in Andorra zum ›Verräter‹, und man kann es ihm schon vorher sagen.« (S. 132) – Die Judenschau kein Gericht, das den Streitfall klärt, sondern ein Selbstbetrug, aber: »Die Judenschau mit dem Untergang Andris wird zum Gericht für ganz Andorra.« (S. 129)

Geiger, Heinz. *Widerstand und Mitschuld. Zum deutschen Drama von Brecht bis Weiss.* Literatur in der Gesellschaft 9. Düsseldorf: Bertelsmann Universitätsverlag 1973.

Über *Andorra* als »szenische Versuchsanordnung« S. 130–137.

Geisser, Heinrich. *Die Entstehung von Max Frischs Dramaturgie der Permutation.* Sprache und Dichtung 21. Bern: Haupt 1973.

S. 36-39 knappe, konventionelle Behandlung *Andorras* als Beleg für die »Dramaturgie der Fügung«: »*Andorra* zeigt den Verlauf eines Schicksals, das sich von der Exposition her vorausberechnen ließe. Jede einzelne Szene bildet einen notwendigen Bestandteil der Ereigniskette. [. . .] Nirgends wird hier eine Möglichkeit offengelassen, daß der Zufall eine andere Richtung des Handlungsverlaufs bewirken könnte. *Andorra* will ja gerade beweisen, mit grausamer Folgerichtigkeit, daß das Bildnis tötende Wirkung hat.« (S. 39)

Hammer, J. C. »The Humanism of Max Frisch. An Examination of Three of the Plays.« *German Quarterly* 42, 1969. S. 718-726.

Zu *Andorra* S. 722-725. – Als »ironic counterpart« zu Lessings *Nathan:* »Nathan is liberated from his image, but Andri is transformed to his.« – Mit Frischs »Überfremdungs«-Aufsätzen gestützte These: »The author's intention is to make the Swiss see their own treatment of southern Europeans in the same light as German maltreatment of the Jews.« (S. 723)

Hinck, Walter. *Das moderne Drama in Deutschland. Vom expressionistischen zum dokumentarischen Theater.* Sammlung Vandenhoeck. Göttingen: Vandenhoeck & Ruprecht 1973.

S. 175-176 über *Andorra* im Kontext von Frischs »Abschied von der Parabel«; kritische Ablehnung von Karaseks und Krapps Definitionen: »Die Parabel mag mehr auf Personen und Vorgänge, das Modell mehr auf soziale Beziehungssysteme konzentriert sein; eine allzu forcierte Trennung jedoch verbietet sich.« (S. 176) Beiden sei der lehrhafte Wirklichkeitsbezug gemeinsam.

Ismayr, Wolfgang. *Das politische Theater in Westdeutschland.* Hochschulschriften Literaturwissenschaft 24. Meisenheim/Glan: Verlag Anton Hain 1977.

S. 152-160 gute Zusammenfassung des Forschungsstandes zu *Andorra.* Kritische Diskussion der Thesen Karaseks: »neurotische Aggressions-

projektion« (S. 157) als Ursache des Vorurteils (»Die Heterostereotype
vom Juden ist die negative Seite der ausschließlich positiven Autoste-
reotype des ›Andorraners‹.« S. 153); dargestellt werde die jeder Tole-
ranzleistung vorgängige »*Entstehung* eines sog. Rassencharakters von
Minderheiten« (S. 157). »Nicht darum geht es, daß wir uns kein Bildnis
machen dürfen, sondern daß wir offen sein sollen, stets bereits, das
Bild vom anderen zu korrigieren« (S. 158); die Andorraner entlarven
sich durch ihre Sprache (Verallgemeinerungen – Pl. statt Sing. –,
Phrasen). »*Andorra* aktiviert den Zuschauer nicht so sehr zur Veränderung einer bestimmten Gesellschaftsordnung – denn die institutionelle
Struktur Andorras ist überhaupt nicht und die gesellschaftliche nur
vage fixierbar – sondern zur Selbstanalyse und Selbstkritik.« (S. 160)

Kieser, Rolf. *Max Frisch. Das literarische Tagebuch*. Frauenfeld: Huber 1975.

Zu *Andorra* S. 109–114: »[. . .] weil das Theater durch die vitale
Präsenz eines Beispiels viel stärker suggeriert [. . .] (als) das geschriebene Wort [. . .], ist in *Andorra* das diaristische Anliegen Frischs, die
Tatsache der Fiktionalität ins Bewußtsein des Publikums einzubauen,
nicht gelungen.« (S. 113) Scheitern des Schritts vom »Imitiertheater«
zum Bewußtseinstheater (S. 111).

Kesting, Marianne. »Max Frisch. Nachrevolutionäres Lehr-
theater.« In: M. K. *Panorama des zeitgenössischen Theaters*.
50 Literarische Porträts. piper paperback. München: Piper
1962. S. 219–223. – Schau S. 185–189.

Zu *Andorra* einige Hinweise auf Pirandello, Brecht, Ionesco. »Das
Stück klebt zu sehr am Realismus einer nur vorgestellten Situation. Je
präziser auf der Bühne sich typisch schweizerische Verhältnisse ab-
zeichnen, desto mehr entbehrt das Stück des Exemplarischen.« Frischs
»nur leicht transponierter Realismus« verfehle das Abstruse des Mas-
senvorurteils, dem die Dramaturgie eines Ionesco etwa gerecht werde.

Kuckhoff, Armin-Gert. »Nachwort.« In: M. F. *Stücke*. Berlin
(DDR): Volk und Welt 1965. S. 329–342.

Zu *Andorra* S. 339–340; gegen den Willen des Autors eindeutige
Wirkung als »Werk gegen den faschistischen Rassenwahn«: »Die
Eindeutigkeit der Realität und das von diesem Stoff herausgeforderte
Engagement des Autors hoben die sonst das Werk von Frisch charak-
terisierende Polarität von humanistischem Verantwortungsgefühl und
weltanschaulicher Skepsis auf.« (S. 340)

Kühnl, Reinhard. *Das Dritte Reich in der Presse der Bundesrepublik. Kritik eines Geschichtsbildes*. Res novae 45. Frankfurt: Europäische Verlags-Anstalt 1966.

Lengborn, Thorbjürn. *Schriftsteller und Gesellschaft in der*

Schweiz. Eine Studie zur Behandlung der Gesellschaftsproblematik bei Zollinger, Frisch und Dürrenmatt. Frankfurt: Athenäum 1972.

Andorra als hypothetisches Schweizmodell, Angriff auf den »schweizerischen Unschuldsmythos« (S. 205).

Lusser-Mertelsmann, Gunda. *Max Frisch. Identitätsproblematik in seinem Werk aus psychoanalytischer Sicht.* Stuttgarter Arbeiten zur Germanistik 15. Stuttgart: Akademischer Verlag Hans-Dieter Heinz 1976.

Interessante Einzelhinweise, z. B. zur »Fehlidentifizierung Andris S. 68; zur Vaterrolle S. 107-108, 127; zum Inzestmotiv S. 38 u. 45.

Matthias, Klaus. »Die Dramen von Max Frisch. Strukturen und Aussagen.« *Literatur in Wissenschaft und Unterricht* 3, 1970. S. 129-150 u. 236-252. – ÜMF II. S. 75-124.

Knapper und zuverlässiger Extrakt früherer Arbeiten, besonders zum Aufbau der dramatischen Handlung; daneben Ausführungen zur symbolischen Realistik in Sprache und Szene, zur Gerichtssituation.

Merrifield, Doris Fulda. *Das Bild der Frau bei Max Frisch.* Freiburg: Becksmann 1971.

Über die Frauengestalten in *Andorra* S. 37-38: In diesem »Ideendrama« seien die Charaktere nicht ausgestaltet; dennoch falle auf, »wie viel menschlicher die drei Frauen [...] im Vergleich zu all den Männern fühlen und handeln« (S. 37). Freilich überlasse die Senora als einzige Mutter in Frischs Werk ihr Kind zunächst dem Vater: »Man ist versucht, hier einen Verrat an der Natur, an ihrer eigenen weiblichen Bestimmung zu sehen, der deswegen nur durch den Einsatz ihres Lebens befriedigend gesühnt werden kann.« (S. 113)

Motekat, Helmut. »Das Fragwürdigwerden der Identität. Max Frisch.« In: H. M. *Das zeitgenössische deutsche Drama. Einführung und kritische Analyse.* Sprache und Literatur 90. Stuttgart: Kohlhammer 1977. S. 143-159.

Über *Andorra* S. 144-152. Kenntnisreiche Zusammenfassung des damaligen Forschungsstandes mit Ausblicken auf Frischs Gesamtwerk und das moderne Drama.

Müller, Klaus-Detlef. »Das Ei des Kolumbus? Parabel und Modell als Dramenformen bei Brecht – Dürrenmatt – Frisch – Walser.« In: Werner Keller (Hg.). *Beiträge zur Poetik des Dramas.* Darmstadt: Wissenschaftliche Buchgesellschaft 1976. S. 432-461.

Def. der Parabel: »Die Parabel ist Vermittlung der unmittelbar erlebten zur gedeuteten und verstandenen Wirklichkeit, ein ästhetisches Medium in einem in seiner Ganzheit außerästhetischen Vorgang. Als Zweckform im spezifischen Sinne setzt sie die Existenz einer schon gedeuteten Wirklichkeit voraus, die im Vorwissen des Parabelerzählers fixierbar ist. Sie entfaltet sich deshalb nur im Geltungsbereich weltanschaulicher Systeme, in denen ein vorgängiges Einverständnis von Erzähler und Hörer vorausgesetzt ist.« (S. 437) Experiment und Modell als »Präzisierungen des parabolischen Verfahrens im Zusammenhang eines ›Theaters des wissenschaftlichen Zeitalters‹.« (S. 442) – Bei Dürrenmatt, Frisch, Walser im Gegensatz zu Brecht lediglich »Modellanalysen ohne die Perspektive einer Veränderung« (S. 451). *Andorra* sei als *Modell* auf das bloße Oberflächenphänomen »Vorurteil« reduziert und – so M.'s Interpretation von Karaseks Unterscheidung Modell/Parabel – nicht objektiv: »Formal ist [. . .] der dialektische Charakter der Parabel gewahrt, praktisch handelt es sich aber um eine Tautologie, denn indem durch das Modell die subjektive nicht in einer vorgängigen Weltdeutung abgesicherte Erfahrung zur Wirklichkeit hingeführt wird, wird in Wahrheit doch nur die Wirklichkeit auf die subjektive Erfahrung reduziert: der Vorgang bleibt folgenlos im Bereich der Deutung, erfüllt sich als Theorie.« (S. 454) Die Kreisstruktur sei dazu die formale Spiegelung, die »Figur des hilflosen und scheiternden Intellektuellen« (S. 455) ein Selbstporträt des Autors.

Petersen, Carol. *Max Frisch*. Köpfe des XX. Jahrhunderts 44. Berlin: Colloquium Verlag 1972 (1. Aufl. 1966). – Erw. Übers. ins Englische: C. P. *Max Frisch*. Modern Literature Monographs. New York: Ungar 1972.

Zu *Andorra* S. 78-83 (engl. Ausg. S. 92-97); kommentierende Nacherzählung.

Pickar, Gertrud Bauer. »From Place to Stage – An Evolution in the Dramatic Works of Max Frisch.« *Seminar* 9, 1973. S. 134-147.

»[. . .] non-staged elements [Zeugenaussagen] in *Andorra* [. . .] are not structured into the story-line but appear rather to effect a suspension of it. [. . .] the duality of place [. . .] achieves here a concrete and clearly delineated structural role not found in the other works.« (S. 145)

Plard, Henri. »Der Dramatiker Max Frisch und sein Werk für das Theater der Gegenwart.« *Universitas* 19, 1964. S. 905-914. – Schau S. 190-197.

Zu *Andorra* S. 194 f. Rassenwahn und Nationalismus seien nur vordergründig thematisch. »Wenn wir den anderen ›*mediatisieren*‹, indem wir ihn in einen Typus verwandeln, wird er geistig von uns getötet, denn wir verweigern ihm sein eigentliches Sein.« Hinweis auf Sartres *Betrachtungen zur Judenfrage*. – Andri als Christusfigur freilich im Horizont von Frischs säkularisierter Poetik.

Pütz, Peter. *Die Zeit im Drama. Zur Technik dramatischer Spannung.* Göttingen: Vandenhoeck & Ruprecht 1970.

Treffende Nachweise u. a. zur zeitsymbolischen Rolle der Bildlichkeit (S. 111-112: Wetter; S. 145-146: »weißeln«) als Vorausdeutung.

Quenon, Jean. *Die Filiation der dramatischen Figuren bei Max Frisch.* Bibliothèque de la Faculté de la Philosophie et Lettres de l'Université de Liège CCXIV. Paris: »Les Belles Lettres« 1975.

Interpretierende Nacherzählung S. 100-106; Vergleich der Figuren im Längsschnitt durch Frischs Gesamtwerk: Andri als »Intellektueller« (S. 225-231), Barblin als »Liebende« (S. 335-337), die Andorraner als »Bürger« (S. 289-293).

Schenker, Walter. *Die Sprache Max Frischs in der Spannung zwischen Mundart und Schriftsprache.* Quellen und Forschungen zur Sprach- und Kulturgeschichte der germanischen Völker N. F. 31. Berlin de Gruyter 1969.

Wichtige, aus Gesprächen Sch.'s mit M. F. belegte Hinweise auf schweizerdeutsche Sprachzüge in *Andorra:* Mundart als Verfremdungsfolie, Projektion der schweiztypischen Schichtung von Mundart und Hochsprache in die dramatische Modellwelt. – Knappe Zusammenfassung bei Frühwald/Schmitz S. 64-67.

Schmid, Karl. »Andorra oder die Entscheidung.« In: K. S. *Unbehagen im Kleinstaat. Untersuchungen über Conrad Ferdinand Meyer, Frédéric Amiel, Jakob Schaffner, Max Frisch, Jakob Burckhardt.* 2. Aufl. Zürich: Artemis 1978. [¹1963] – ÜMF I. S. 147-171.

Schnetzler-Suter, Annemarie. *Max Frisch. Dramaturgische Fragen.* Europäische Hochschulschriften R. 1, Bd. 100. Bern: Lang 1974.

Zu *Andorra* viele, verstreute Hinweise; ein Kurzkapitel S. 79-81: konventionell geführter Nachweis einer Einheit von Form und Inhalt in der Bilderfolge; Hinweis auf steigernde Wiederholung (Orte, Figurenkonstellation) als dramaturgisches Mittel (S. 80). Keine verfremdende Wirkung der Rampenszenen, da die Worte der Zeugen »nicht die Grenze zwischen Wirklichkeit und Theater aufdecken [. . .], sondern nur den Abstand zwischen Geschichte und Rechtfertigung.« (S. 66)

Stäuble, Eduard. *Max Frisch. Gesamtdarstellung seines Werkes.* 4. Aufl. St. Gallen: Erker 1971.

Über *Andorra* S. 210-216; Tadel, das Stück bleibe vor der historischen Wirklichkeit in Deutschland belanglos-unverbindlich, bezogen auf die Schweiz sei es eine Karikatur; *Andorra* sei »schiefgeraten« und »verworren«: »Auch der Frisch freundlich gesinnte Rezensent [. . .] wird *Andorra* nicht zu den glücklichsten und geglücktesten Stücken des Autors rechnen.« (S. 210 f.)

von Matt, Peter. *Literaturwissenschaft und Psychoanalyse. Eine Einführung.* rombach hochschul paperback 44. Freiburg: Rombach 1972.

Vorschlag, *Andorra* nach Freudschen Thesen als »Kapitulationsstück« zu deuten: der Haß des Kollektivs, der Ur-horde, wird von einer Vater-Figur auf einen Sündenbock abgeleitet (S. 75).

Weise, Adelheid. *Untersuchungen zur Thematik und Struktur der Dramen von Max Frisch.* Göppinger Arbeiten zur Germanistik 7. Göppingen: Kümmerle 1969.

Über *Andorra* bes. S. 161-162 (Publikumsanrede) u. S. 95-100: Drama der existentiellen Entfremdung; die Frage, »ob das Individuum überhaupt die Möglichkeit habe, sich selbst zu wählen, [wird] zum erstenmal [in Frischs Werk] unbeschränkt verneint. Die entfremdete Gesellschaft des 20. Jahrhunderts bestimmt das Bewußtsein des Menschen und läßt dem einzelnen keine Möglichkeit, die Entfremdung zu überwinden.« (S. 100).

Weisstein, Ulrich. *Max Frisch.* Twayne's World Authors Series 21. New York: Twayne 1967. S. 155–164 »*Andorra* within Ourselves«.

Wellwarth, George. »Max Frisch. The Drama of Despair.« In: G. W. *The Theatre of Protest and Paradox.* Developments in the Avant-Garde Drama. New York: New York University Press 1971.

Über *Andorra* S. 203-205; als »play of the mass« zeige *Andorra* »[a] strong parallel [to] Germany's Anschluß with Austria« (S. 205).

Werner, Markus. *Bilder des Endgültigen. Entwürfe des Möglichen.* Zum Werk von Max Frisch. Europäische Hochschulschriften R. 1, Bd. 111. Bern: Lang 1975.

Mehrfach zu *Andorra*; bes. die These S. 36: »Es ist [. . .] klar zu unterscheiden zwischen dem Bild, das in einem Bezug zum je konkreten Einzelnen steht, und dem entindividualisierten Bild, das Vorurteil heißt. Dieses ist thematisiert in *Andorra*, jenes im übrigen Werk [z. B. im *Stiller*]. Dieses verfehlt den Menschen, jenes macht menschlichen Umgang allererst möglich.«

Gassman, Max. Max Frisch. Leitmotive der Jugend. Zürich 1966. Über *Andorra* S. 38–45. Diskussion des Forschungsstandes.

McCormick, Dennis Ray. Max Frischs Dramaturgical Development. Austin: University of Texas 1972. [Vgl. DA 33, 1972/73. S. 5186-87 A.]

Ablehnung einer thematisch fixierten, Entwicklung hin zum politischen Theater behauptenden Argumentation zugunsten einer formalen, dramaturgischen Betrachtung. *Andorra* gehöre zur Gruppe der durch »gradual adoption of many of the dramaturgical principles of the anti-illusionistic Brechtian parable« (DA) bestimmten Dramen, mit verfremdendem Widerspiel von Form und Inhalt. S. 123-135 Zusammenfassung des Forschungsstandes zu Andorra.

Ruppert, Peter. Existential Themes in the Plays of Max Frisch. University of Iowa 1972. [Vgl. DA 33, 1972/73. S. 3670 A.]

Zu *Andorra* S. 93-104 (S. 99-103 über Sartres *Betrachtungen zur Judenfrage* und *Andorra*). – Zentrale Frage nach Möglichkeit und Bedingungen menschlicher Freiheit: »In *Andorra*, the devastating effects of the graven image present strong qualifications to optimistic existential views of man's freedom to choose himself; yet in other plays Frisch indicates that in less extreme circumstances self-choice is indeed possible.« (DA)

Salins, Jautrite Milija. Zur Wirklichkeitsdarstellung in Max Frischs Werken. Rutgers, The State University, Diss. 1968. [Vgl. DA 29, 1969/70. S. 2279-A.]

Zur Bildnislehre, bes. am Beispiel *Andorras*. Hinweis auf die Stereotypenlehre und soziologische Rollenkonzepte.

Schimanski, Klaus. Max Frisch. Heldengestaltung und Wirklichkeitsdarstellung in seinem Werk. Eine Untersuchung zu Problemen und Möglichkeiten unter den gesellschaftlichen Bedingungen des staatsmonopolistischen Kapitalismus. Leipzig 1972.

Über »Die historisch-konkrete Realität im Modell *Andorra*« S. 175-182. – Greift die Anregungen Kuckhoffs auf, während Schumachers Thesen kritisch eingeschränkt werden (S. 182) Betonung der Leseraktivität: »Das Verhältnis zur Wirklichkeit stellt sich von Fall zu Fall unterschiedlich erst über das Bewußtsein des Modellbetrachters her, der in Abhängigkeit von seinem eigenen gesellschaftlichen Standort die Abstraktheit des künstlerischen Modells mit der konkreten

Realität vergleicht.« (S. 176) Schimanskis Interpretation ergibt, daß »der ursprünglich abstrakt verstandene Modellfall zur objektiv richtigen Demonstration typisch bürgerlicher Verhaltensweisen unter den Bedingungen und im Machtbereich des Faschismus werden« konnte (S. 180).

Westphal, Gundel. Das Verhältnis von Sprechtext und Regieanweisung bei Frisch, Dürrenmatt, Ionesco und Beckett. Würzburg: Julius-Maximilians-Universität 1964.

Zu *Andorra* S. 21-26, 66-68, 107-116, 122-135. – Im ganzen nützliche Hinweise zu Typologie und Funktion der Bühnenanweisung bei Frisch bezogen auf Ort, Personen u. Handlung.

edition suhrkamp

Alphabetisches Verzeichnis der edition suhrkamp